SHIN NIHONGO NO KISO

JAPANESE KANJI WORKBOOK II

新日本語の基礎 漢字練習帳II 英語版

KT-377-200

3A Corporation

Shoei Bldg., 6-3, Sarugaku-cho 2-chome, Chiyoda-ku, Tokyo 101, Japan

First published in Japan by 3A Corporation 1993

ISBN4-88319-003-X C0081
Printed in Japan

はじめに

『新日本語の基礎』シリーズ漢字学習教材編の第2冊として、『新日本語の基礎 漢字練習帳Ⅱ 英語版』を刊行いたします。

『新日本語の基礎』は、主として短期間に日本語会話を学ぶ技術研修生のために開発された初級日本語教科書です。幸いにして、学びやすさと教えやすさ、そして確実な日本語基礎力の習得にその効果が大きいとの世評を得て、刊行以来、短時日の間に広く普及し、『日本語の基礎』シリーズにもまして大方のご利用をいただいております。

この『新日本語の基礎』シリーズを用いてくださる国内海外の日本語学習者、および教育機関の方々からは、『新日本語の基礎』に対応した漢字教育の教材が欲しいというご意見を以前よりいただいておりました。それでこれらのご意見を生かし、『新日本語の基礎Ⅰ』で初級日本語を学びながら基本漢字を習得し、「日本語能力試験」の3・4級の範囲の漢字を用いた読み書きに習熟させるという趣旨のもとに、『新日本語の基礎 漢字練習帳Ⅰ 英語版』を発刊いたしましたところ、非漢字圏の日本語学習者のみならず、漢字圏の日本語学習者の漢字学習をも助ける教材として多くの方々のご使用くださるところとなりました。

『新日本語の基礎 漢字練習帳Ⅱ 英語版』は『漢字練習帳Ⅰ』を用いる学習者の目的に沿って、いっそう内容を充実させ、「日本語能力試験」の2・3級の範囲の漢字を用いた文の読み書きに親しみ慣れるように教材を工夫しました。初級を終え中級日本語に進むためには基本漢字の習得が不可欠です。『新日本語の基礎Ⅱ』に平行して、あるいは既に習った文型、文法事項を復習しながら、漢字に親しみ、漢字の体系性を学んでいくことは、初級の後期から中級の前期において重要です。本教材が初級から中級への橋渡しとして、学習者の皆様のお役に立つことを願っております。

本教材の作成にあたり、㈶海外技術者研修協会ほか内外の日本語教育機関の現場の方々から、貴重なご助言をいただきました。記して厚く御礼申し上げます。

1993年11月

株式会社スリーエーネットワーク
代表取締役社長　福　本　　一

FOREWORD

Shin Nihongo no Kiso Japanese Kanji Workbook II (English Version) is the second **kanji** study book in the **Shin Nihongo no Kiso** series.

The **Shin Nihongo no Kiso** introductory-level books and tapes were developed principally to enable technical trainees to master basic Japanese conversation in a short time. Their ease of use by both students and teachers and their effectiveness in developing a firm grounding in basic Japanese has earned them an excellent reputation, and they have rapidly become popular. They now enjoy even wider use than the original **Nihongo no Kiso** series on which they are based.

For some time, instructors and students of Japanese using the **Shin Nihongo no Kiso** series both inside and outside Japan had been asking us to provide them with **kanji** study materials. In response to these requests, we published **Shin Nihongo no Kiso Japanese Kanji Workbook I (English Version)** to help students acquire a basic knowledge of **kanji** while studying elementary Japanese using **Shin Nihongo no Kiso I**. **Shin Nihongo no Kiso Japanese Kanji Workbook I** is designed to help students become competent in reading and writing the **kanji** contained in Levels 4 and 3 of the Japanese Language Proficiency Test. It is now widely used by students of Japanese from many countries including those which employ Chinese characters in their own writing systems.

Shin Nihongo no Kiso Japanese Kanji Workbook II builds on the first workbook, introducing further **kanji**. It is designed to help students become used to reading and writing sentences containing **kanji** from Levels 3 and 2 of the Japanese Language Proficiency Test. It enables students to familiarise themselves with the **kanji** and understand their systematic nature while revising the sentence patterns and points of grammar learned previously or simultaneously from **Shin Nihongo no Kiso II**. This is an important process in the transition from the later elementary stage to the initial intermediate stage. I am confident that the book will prove a useful stepping-stone in helping students make this transition.

In preparing this Workbook, we received valuable advice from working instructors in the Association for Overseas Technical Scholarship and Japanese-language teaching institutions both in Japan and overseas. I am extremely grateful for their help.

November 1993

Hajime Fukumoto
President, 3A Corporation

凡　例

本書は、『新日本語の基礎 漢字練習帳Ⅰ 英語版』に続くもので、Ⅰで学習した漢字の基礎知識及び基本漢字252字を踏まえ、さらに344字を学習し、Ⅰ、Ⅱ合わせて596字がマスターできるように編集されています。ここには、小学校学年配当漢字のうち３年生までの学年配当漢字を全てと、４年生の漢字をできるだけ含めるとともに、その他の初級段階で学習しなければならない基礎漢字を提出してあります。これにより、日常生活において出会う基本漢字を用いた漢字かなまじり文が、読めて書けるようになるとともに、その後の漢字学習に役立つものと思います。

１．構成

一課４ページからなり、各課で８字ずつ学習します。漢字練習帳Ⅰと同じく、全体はパートⅠ、パートⅡの２部構成になっています。各漢字には、漢字練習帳Ⅰから連続する通し番号を付しました。

⑴漢字数

パートⅠでは、『新日本語の基礎Ⅱ』の提出語彙の中から各課８字を選択し、26課から50課までで、基本漢字200字を学習します。

パートⅡは全部で18課で、144字を学習します。それぞれの課は自然、人間、生活・社会などに分類されています。

⑵ページ配分

１、２ページは、各４字ずつ、漢字の読み方、筆順及び用例が提示され、同時に書き方の練習ができるようになっています。

学習者は、漢字練習帳Ⅰですでに漢字の構成、書き方を学びましたから、書き方の練習は一行に止めてあります。

３ページめは、読み方の練習です。日常接する様々な形式の文章で、読み方を練習します。

４ページめは、書き方の練習です。身近なテーマの様々な形式の文章などに使われている漢字を書いてみる練習です。

３、４ページの文章は、漢字を用いた様々な形式の文章などに親しむ多読を前提とした練習となっています。パートⅠでは『新日本語の基礎Ⅱ』の各課提出文型を用いた文章の読み、書きの練習になっています。パートⅡは、既に習った文型の範囲内で練習文が作られています。

2．読み方及び意味の提示

(1)採用の基準及び各種記号について

読み方の採用に関する基本的な考え方は、漢字練習帳Ⅰと同じです。

初出の課で、音、訓の読み方をすべて例示しました。読みかえに関しては、動詞の自・他の別による読み方の違いを提示するとともに、連濁は音読みのみを提示しました。漢字の基本的意味は漢字の通し番号の横に示してあります。また、用例の単語にも訳を付してあります。

本書では、さまざまな読み方があることをできるだけ示してありますが、学習者は必ずしも特殊な読み方まで一度に覚える必要はありません。

親字・・音はかたかな、訓はひらがな

用例・・スペースの関係上6例以内、動詞は辞書形で例示、読み方はすべてひらがな。なお、用例の中には、小学校配当漢字以外の常用漢字も含まれる。

々（踊り字）・・同一の漢字を重ねて使う場合、二番目の漢字の代わりにこの文字が使われる。

（例）　草草（そうそう）――→草々

堂堂と（どうどうと）――→堂々と

アンダーライン・・特別な読み方

（　）・・小学校段階の学習では提出されない読み方

＊・・「常用漢字表」付表に掲載されている読み方（漢字の音訓とは別に、慣用的に用いられている。）

（例）　七夕（たなばた）

(2)筆順について

筆順はすべて8マスで示せる範囲に整理し、提示しました。参考として、部首を親字の上に、また総画数を親字の右下に示してあります。巻末に部首索引及び部首の筆順の一覧表が載せてありますから、分からない時はそれを見てください。

(3)練習文の表記について

ルビ付漢字表記採用語彙・・『新日本語の基礎Ⅰ』及び『新日本語の基礎Ⅱ』の各課既習語彙、用例で提出された語

彙、未学習漢字を用いた熟語語彙（脚注で意味を提示し、既習漢字の練習のため採用）、人名、地名などの固有名詞

漢字ひらがなまじり表記語彙・・常用漢字表以外の漢字を含む語彙

（例）　煎茶（せんちゃ）────→せん茶

晩餐会（ばんさんかい）──→晩さん会

脚注・・初出語彙

3．練習方法

読み練習、書き練習ともに、新出漢字を用いての様々な形式の文章を読みながら練習する形式をとっています。たくさんの漢字を正確に覚え、使えるようになるためには、それぞれの用例を参考にしながら、練習文をよく読み、漢字まじり文に慣れることです。そして、漢字練習帳Ⅰで勉強した漢字の成り立ちを思い出しながら、何度も書いて漢字に親しんでください。そして、普段の生活の中でも、積極的に漢字を読み使うようにしてください。

4．その他

各漢字の画数、部首は『新字源』（角川書店）『学研 漢和大字典』（学習研究社）によりました。

また漢字の筆順は『新訂 漢字指導の手引き』（教育出版）によりました。

EXPLANATORY NOTES

This book is the sequel to **Shin Nihongo no Kiso Japanese Kanji Workbook I (English Version)**. It introduces a further 344 **kanji** to supplement the basic **kanji** information and 252 **kanji** introduced in the first volume, allowing students to master a total of 596 basic **kanji**. The two volumes cover all of the **kanji** studied in the first three years of Japanese elementary school plus as many as possible of those studied in the fourth year, together with other basic ones essential at the elementary stage. Diligent study of both workbooks will allow students to read and write sentences containing the basic **kanji** met with in everyday life and will create a firm foundation for more advanced study of the **kanji**.

1. Layout

Each lesson occupies four pages and introduces eight new **kanji**. Like **Shin Nihongo no Kiso Japanese Kanji Workbook I**, the book is divided into two parts, Part Ⅰ and Part Ⅱ. Each **kanji** is assigned a serial number continuing on from the first volume.

(1) Number of kanji

Each of lessons 26 to 50 in Part Ⅰ introduces eight **kanji** selected from the vocabulary presented in **Shin Nihongo no Kiso** Ⅱ, for a total of 200 basic **kanji**.

Part Ⅱ contains a total of eighteen lessons and introduces 144 **kanji**. Each lesson in this part is classified under a heading such as Nature, Human Beings, and Life and Society.

(2) Allocation of pages

The first two pages of each lesson introduce four **kanji** each, giving readings, stroke order, and usage examples and simultaneously providing for writing practice.

Since students will already have studied **kanji** construction and writing methods in **Shin Nihongo no Kiso Japanese Kanji Workbook I**, writing practice is limited to a single line for each **kanji**.

Page 3 of each lesson is devoted to reading practice, giving the **kanji** as they appear in various sentence forms encountered in everyday life.

Page 4 of each lesson is for writing practice. The student practises writing **kanji** used in various sentences dealing with familiar topics.

The sentences used on Pages 3 and 4 are designed to enable students to become accustomed to various sentence patterns containing **kanji** through extensive reading practice. Part Ⅰ gives practice in reading and writing the sentence forms presented in each of the lessons in **Shin Nihongo no Kiso** Ⅱ, while the sentences used in Part Ⅱ follow patterns previously studied.

2. Presentation of Readings and Meanings

(1) Selection of readings and key to symbols

Kanji readings have been selected on basically the same criteria as in **Shin Nihongo no Kiso Japanese Kanji Workbook I**.

All the **on** and **kun** readings of a **kanji** are given in the lesson in which the **kanji** is first introduced. When a **kanji** used as a verb has different readings for the transitive and intransitive forms, both readings are shown. Voiced readings in compounds are shown only where these are **on** readings. The basic meaning of each **kanji** is shown beside its serial number. Words used in examples are also provided with English equivalents.

Although this book shows that various readings exist, it is not necessary for the student to learn all of them, including the special ones, at once.

Notes on Principal Characters, Compounds, Usage Examples, etc.

Principal characters : **on** readings of principal characters are given in **katakana**, **kun** readings in **hiragana**.

Usage examples : Owing to space restrictions, the number of usage examples is limited to six per **kanji**. Verbs are given in their dictionary forms. All readings are given in **hiragana**. Some of the usage examples contain **Jōyō Kanji** not included in the elementary-school syllabus.

々 (repetition sign) : When a **kanji** is repeated in a usage example, the **kanji** is written once and then followed by the repetition sign (々) ;
e.g. 草草 **(sōsō)** ——→草々
堂堂と **(dōdōto)** —→堂々と

Underlining : Indicates a special reading.

( ) : Indicates a reading not included in the elementary-school syllabus.

*: Indicates a reading given in the appendix to the **Jōyō Kanji** (customarily used in addition to the **on** and **kun** readings);
e.g. 七夕 **(tanabata)**

(2) Stroke order

Stroke order is shown in a maximum of eight steps. For information, each **kanji**'s radical is shown above the principal character, while the total number of strokes is given at the lower right of the principal character. A radical index and a radical stroke order list are given at the end of the book.

(3) **Presentation of practice sentences**

Vocabulary presented as kanji with furigana : Vocabulary already studied in **Shin Nihongo no Kiso I** and Ⅱ, vocabulary given in usage examples, vocabulary using **kanji** not yet studied (used to assist in practising **kanji** studied previously; the meanings of their compounds are given in footnotes), personal names, place names, etc.

Vocabulary presented as a mixture of kanji and hiragana : Vocabulary containing **kanji** not included in the **Jōyō Kanji**;

e. g. 煎茶 (sen cha) ——→せん茶

晩餐会 (bansankan) ——→晩さん会

Footnotes : Vocabulary presented for the first time.

3. Practice Methods

Both reading and writing practice is accomplished by reading sentences of various forms employing newly-presented **kanji**. To learn and become able to use large numbers of **kanji** accurately, accustom yourself to reading sentences containing **kanji** by reading the practice sentences carefully while referring to the relevant usage examples. Then familiarise yourself with the **kanji** by repeatedly writing them while recalling the formation of the **kanji** as studied in **Shin Nihongo no Kiso Japanese Kanji Workbook I**. Also try to read and write the **kanji** actively in your everyday life.

4. Other

Stroke counts and radicals are taken from *Shinjigen* (Kadokawa Shoten) and *Gakken Kanwa Daijiten* (GAKKEN). Stroke order is taken from *Shintei Kanji-Shido no Tebiki* (Kyoiku Shuppan).

CONTENTS

PART I

Kanji in SHIN NIHONGO NO KISO II

(253) 夕 意味 evening
音 （セキ）
訓 ゆう

夕 3
ノ ク 夕

一朝一夕（いっちょういっせき）in a moment
夕食（ゆうしょく）evening meal
夕方（ゆうがた）evening
夕日（ゆうひ）setting sun
夕刊（ゆうかん）evening newspaper
*七夕（たなばた）Star Festival

夕 夕 夕 夕 夕 夕

(254) 合 意味 meet, match, combine
音 ゴウ、ガッ、カッ
訓 あう、あわす、あわせる

口

合 6

都合（つごう）convenience
合宿所（がっしゅくじょ）training camp
合戦（かっせん）a battle
合う（あう）fit, suit, meet
試合（しあい）a match
合わせる（あわせる）match, combine

合 合 合 合 合 合

(255) 悪 意味 bad
音 アク、（オ）
訓 わるい

心

悪 11

最悪（さいあく）worst
悪臭（あくしゅう）bad smell
悪化（あっか）getting worse
悪寒（おかん）a chill
悪い（わるい）bad
悪口（わるくち）slander

悪 悪 悪 悪 悪 悪

(256) 湯 意味 hot water
音 トウ
訓 ゆ

氵

湯 12

銭湯（せんとう）public bath
熱湯（ねっとう）boiling water
給湯室（きゅうとうしつ）office kitchen
お湯（おゆ）hot water
湯気（ゆげ）steam
湯船（ゆぶね）bathtub

湯 湯 湯 湯 湯 湯

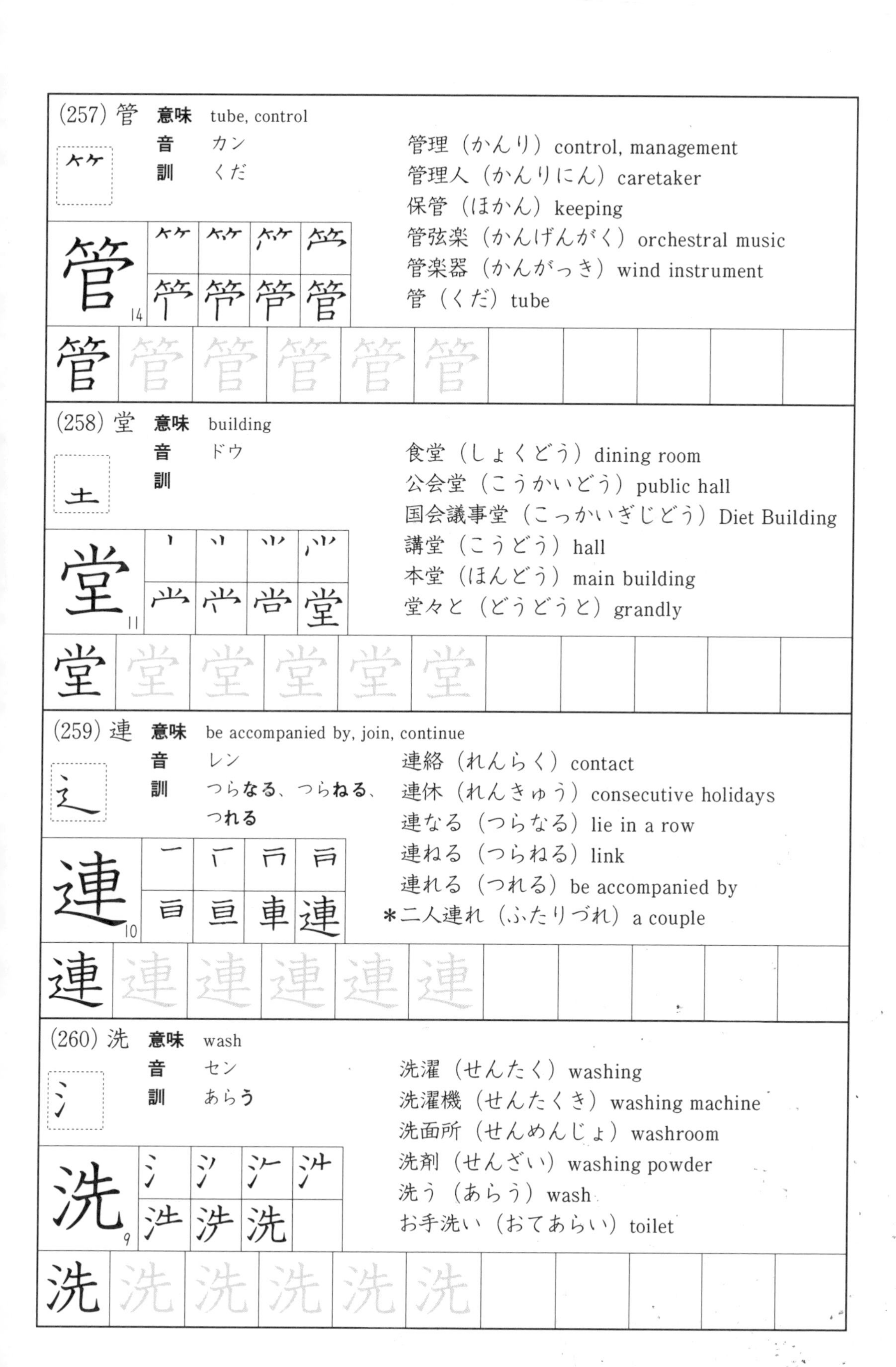

(257) 管 **意味** tube, control
音 カン
訓 くだ

管理（かんり）control, management
管理人（かんりにん）caretaker
保管（ほかん）keeping
管弦楽（かんげんがく）orchestral music
管楽器（かんがっき）wind instrument
管（くだ）tube

(258) 堂 **意味** building
音 ドウ
訓

食堂（しょくどう）dining room
公会堂（こうかいどう）public hall
国会議事堂（こっかいぎじどう）Diet Building
講堂（こうどう）hall
本堂（ほんどう）main building
堂々と（どうどうと）grandly

(259) 連 **意味** be accompanied by, join, continue
音 レン
訓 つら**なる**、つら**ねる**、つ**れる**

連絡（れんらく）contact
連休（れんきゅう）consecutive holidays
連なる（つらなる）lie in a row
連ねる（つらねる）link
連れる（つれる）be accompanied by
*二人連れ（ふたりづれ）a couple

(260) 洗 **意味** wash
音 セン
訓 あら**う**

洗濯（せんたく）washing
洗濯機（せんたくき）washing machine
洗面所（せんめんじょ）washroom
洗剤（せんざい）washing powder
洗う（あらう）wash
お手洗い（おてあらい）toilet

Reading Practice 26

1. Training Camp

中　村：わたしたちは ここで 合宿します。こちらは 合宿所の 管理人の 斎藤さんです。

みんな：どうぞ よろしく お願いします。

斎　藤：食堂は ここです。夕食は 八時半まででです。

中　村：間に合わない 時、どう したら いいんですか。

斎　藤：夕方までに 電話で 連絡して ください。それから、おふろは ここで、洗濯機は この 隣です。洗剤は この 中です。洗濯機は 今 ちょっと 調子が 悪いんです。そして、お手洗いは あそこです。洗面所は お手洗いの 隣に あります。それから、ここが 給湯室です。ここから 熱湯が 出ますから、気を つけて ください。

2. Tanabata

七夕は 七月七日に 行う 行事です。この 夜、二つの 星※1、牽牛※2と 織女※3が 天の川で 会います。子どもたちは 願い事※4を 短冊※5に 書いて、笹※6の 枝※7に 結び※8付けます。

※1 star　※2 Altair　※3 Vega　※4 wish　※5 strip of paper
※6 bamboo grass　※7 branch　※8 tie

Writing Practice 26

1. Ms. Saito Is Very Busy

松本：斎藤さん、すみません。この□(せん)濯□(き)は□(うご)かないんですが、ちょっと□(み)てくださいませんか。

斎藤：わかりました。すぐ□(い)きます。

阿部：斎藤さん、おふろのお□(ゆ)が□(あつ)くないんですが。

斎藤：□(ひだり)側の蛇※1□(ぐち)をひ※2ねると、□(くだ)からお□(ゆ)が□(で)ます。

2. Holiday Plans

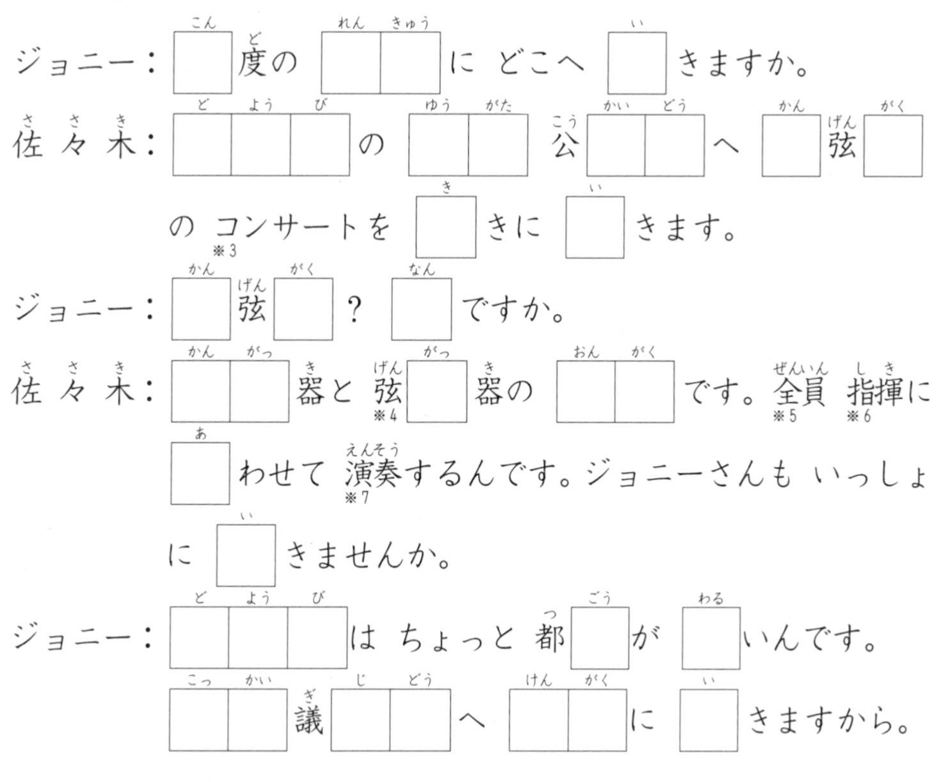

ジョニー：□(こん)度の□□(れんきゅう)にどこへ□(い)きますか。

佐々木：□□□(どようび)の□□(ゆうがた)公□□(かいどう)へ□(かん)弦□(がく)のコンサート※3を□(き)きに□(い)きます。

ジョニー：□(かん)弦□(がく)？□(なん)ですか。

佐々木：□□(かんがっ)器と弦※4□(がっ)器の□□(おんがく)です。全員※5指揮※6に□(あ)わせて演奏※7するんです。ジョニーさんもいっしょに□(い)きませんか。

ジョニー：□□□(どようび)はちょっと都□(ごう)が□(わる)いんです。□□(こっかい)議□□(じどう)へ□□(けんがく)に□(い)きますから。

※1 tap ※2 turn ※3 concert ※4 stringed instrument
※5 all the members ※6 conducting ※7 perform

(261) 角　**意味**　angle, corner, horn
音　カク・ガク
訓　かど、つの

部首: 角

Strokes (7): ノ ク 广 角 角 角 角

四角い（しかくい）rectangular
方角（ほうがく）direction
六角形（ろっかっけい）hexagon
角（かど）a corner
角（つの）horn

角 角 角 角 角 角

(262) 声　**意味**　voice
音　セイ
訓　こえ

部首: 士

Strokes (7): 一 十 士 声 声 声 声

音声（おんせい）sound
発声（はっせい）elocution
歓声（かんせい）cry of joy
声（こえ）a voice
大声（おおごえ）loud voice
鳴き声（なきごえ）cry（of an animal）

声 声 声 声 声 声

(263) 向　**意味**　turn toward
音　コウ
訓　むく、む**ける**、む**かう**、む**こう**

部首: ロ

Strokes (6): ノ 丿 门 向 向 向

向上（こうじょう）improvement
方向（ほうこう）direction
向く（むく）turn toward
向ける（むける）turn（something）
向かう（むかう）face toward
向こう（むこう）over there

向 向 向 向 向 向

(264) 打　**意味**　hit
音　ダ
訓　う**つ**

部首: 扌

Strokes (5): 一 十 扌 扌 打

打撃（だげき）a hit
打者（だしゃ）hitter
打倒（だとう）overthrow
打つ（うつ）hit
打ち込む（うちこむ）be absorbed in, drive in

打 打 打 打 打 打

(265) 信　**意味**　believe, trust, correspondence
音　シン
訓

亻

信 9

信用（しんよう）trust
自信（じしん）confidence
通信（つうしん）correspondence
不信（ふしん）insincerity, distrust
信じる（しんじる）believe, trust

(266) 号　**意味**　number, name, symbol
音　ゴウ
訓

口

号 5

信号（しんごう）traffic lights
番号（ばんごう）number
電話番号（でんわばんごう）telephone number
ひかり号（ひかりごう）Hikari Shinkansen
記号（きごう）symbol
号令（ごうれい）a command

(267) 側　**意味**　side
音　ソク
訓　かわ

亻

側 11

側面（そくめん）side
側近（そっきん）close associate
左側（ひだりがわ）left side
内側（うちがわ）inside
裏側（うらがわ）the back side
反対側（はんたいがわ）opposite side

(268) 操　**意味**　manipulate, principle
音　ソウ
訓　（みさお、あやつる）

扌

操 16

操作（そうさ）manipulation, operation
体操（たいそう）exercises, gymnastics
操（みさお）chastity
操る（あやつる）manipulate
操り人形（あやつりにんぎょう）puppet

Reading Practice 27

1. Showing the Way

山崎（やまざき）：あのう、すみません。体（　）操（　）競（きょう）技（　）会（　）の会（　）場（　）へ行（　）きたいんですが、どちらの方（　）角（　）ですか。

男（　）の人（　）：あちらです。向（　）こうに信（　）号（　）が見（　）えますね。

山崎（やまざき）：はい。

男（　）の人（　）：あそこを渡（わた）って、二（　）つ目（　）の角（　）を右（　）へ曲（　）がると、左（　）側（　）にありますよ。二（　）、三（　）分（　）で行（　）けます。

山崎（やまざき）：二（　）つ目（　）の角（　）を右（　）ですね。どうもありがとうございました。

※1 競技会　※2 会場

2. Baseball Game

ここは東（　）京（　）ドームです。今日（　）わたしたちは野球（やきゅう）の試（し）合（　）を見（　）に来（　）ました。球（きゅう）場（　）の中（　）には観客（かんきゃく）がたくさんいて、すごい歓（かん）声（　）です。わたしたちは外（　）野（や）席（せき）に座（すわ）りました。ここからは打（　）者（しゃ）がよく見（　）えませんから、面（おも）白（　）くないです。わたしが好（　）きなチームは、打（　）撃（げき）はうまいですが、守備（しゅび）は下手（　）です。

※3 東京　※4 野球　※5 球場　※6 観客　※7 外野席　※8 守備

※1 competition　※2 hall　※3 Tokyo Dome　※4 baseball
※5 baseball stadium　※6 spectator(s)　※7 outfield seats
※8 defence

Writing Practice 27

1. How to Use a Computer

わたしは コンピューターが □□(そうさ) できます。ワープロを □(う) ったり、いろいろな □(けい)算(さん)を したり します。去□(きょねん)と 比(くら)べて※1 ワープロを □(う)つ 能(のう)※2□(りょく)が だいぶ※3 □□(こうじょう)しました。ただし※4 わたしの ワープロでは、普通(ふつう)※5の 記□(きごう)は □(う)てますが、数(すう)※6□(がく)記□(きごう)、化(か)※7□(がく)記□(きごう)や □□□(ろっかっけい)などの 図(ず)※8□(けい)は □(う)てません。また※9、わたしは パソコン※10□□(つうしん)も して います。パソコン□□(つうしん)は とても □□(べんり)で、※11□(ち)球(きゅう)の 裏(うら)□(がわ)に □(す)んで いる □(ひと)とも □□(てがみ)の やり※12□(と)りが できます。

2. Beginning of a Lecture

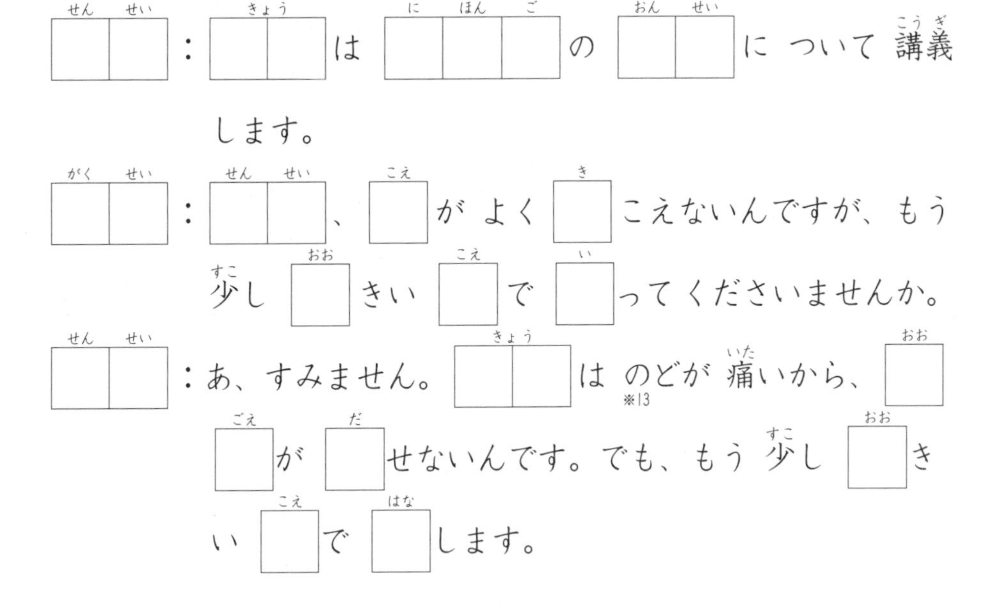

□□(せんせい)：□□(きょう)は □□□(にほんご)の □□(おんせい)に ついて 講義(こうぎ)します。

□□(がくせい)：□□(せんせい)、□(こえ)が よく □(き)こえないんですが、もう少(すこ)し □(おお)きい □(こえ)で □(い)ってくださいませんか。

□□(せんせい)：あ、すみません。□□(きょう)は のど※13が 痛(いた)いから、□(おお)□(ごえ)が □(だ)せないんです。でも、もう少(すこ)し □(おお)きい □(こえ)で □(はな)します。

※1 compare ※2 ability ※3 a lot ※4 nevertheless
※5 normal ※6 mathematics ※7 chemistry ※8 diagram
※9 also ※10 personal computer ※11 the earth ※12 exchange
※13 throat

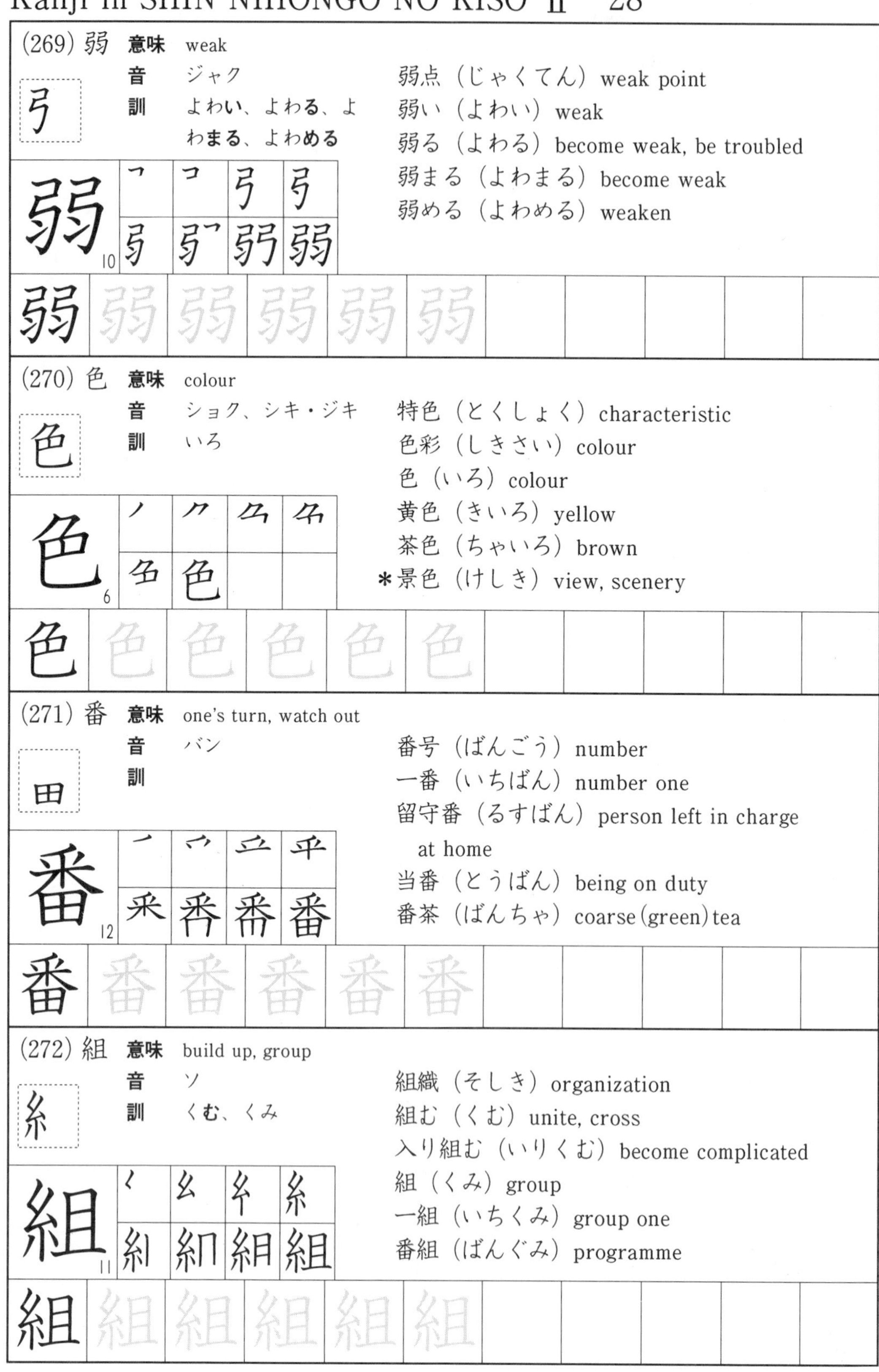

(269) 弱　**意味**　weak
音　ジャク
訓　よわい、よわる、よわまる、よわめる

弓

弱 10

弱点（じゃくてん）weak point
弱い（よわい）weak
弱る（よわる）become weak, be troubled
弱まる（よわまる）become weak
弱める（よわめる）weaken

弱 弱 弱 弱 弱 弱

(270) 色　**意味**　colour
音　ショク、シキ・ジキ
訓　いろ

色

色 6

特色（とくしょく）characteristic
色彩（しきさい）colour
色（いろ）colour
黄色（きいろ）yellow
茶色（ちゃいろ）brown
*景色（けしき）view, scenery

色 色 色 色 色 色

(271) 番　**意味**　one's turn, watch out
音　バン
訓

田

番 12

番号（ばんごう）number
一番（いちばん）number one
留守番（るすばん）person left in charge at home
当番（とうばん）being on duty
番茶（ばんちゃ）coarse (green) tea

番 番 番 番 番 番

(272) 組　**意味**　build up, group
音　ソ
訓　くむ、くみ

糸

組 11

組織（そしき）organization
組む（くむ）unite, cross
入り組む（いりくむ）become complicated
組（くみ）group
一組（いちくみ）group one
番組（ばんぐみ）programme

組 組 組 組 組 組

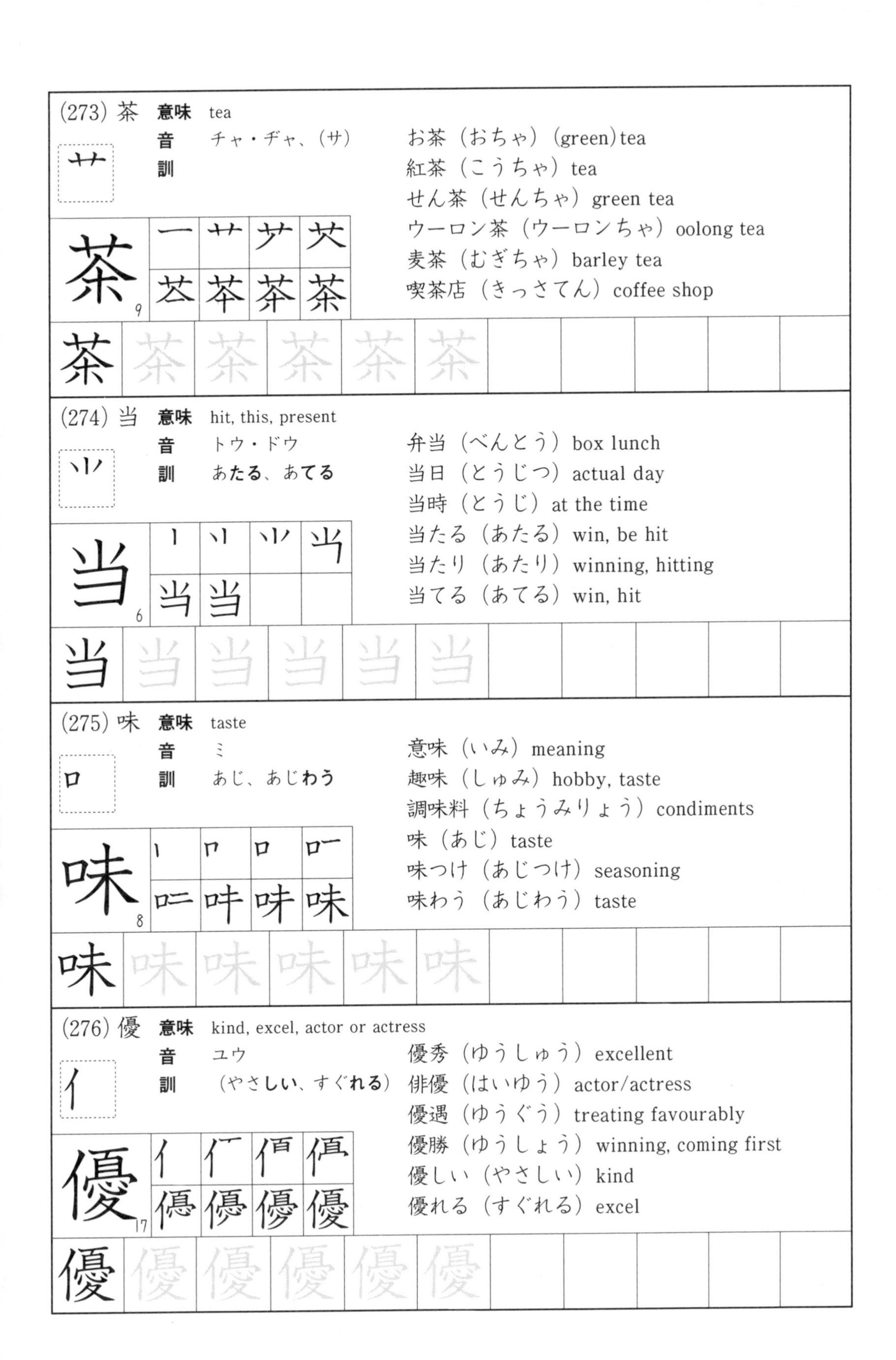

(273) 茶 **意味** tea
音 チャ・ヂャ、(サ)
訓

お茶（おちゃ）(green)tea
紅茶（こうちゃ）tea
せん茶（せんちゃ）green tea
ウーロン茶（ウーロンちゃ）oolong tea
麦茶（むぎちゃ）barley tea
喫茶店（きっさてん）coffee shop

(274) 当 **意味** hit, this, present
音 トウ・ドウ
訓 あ**たる**、あ**てる**

弁当（べんとう）box lunch
当日（とうじつ）actual day
当時（とうじ）at the time
当たる（あたる）win, be hit
当たり（あたり）winning, hitting
当てる（あてる）win, hit

(275) 味 **意味** taste
音 ミ
訓 あじ、あじ**わう**

意味（いみ）meaning
趣味（しゅみ）hobby, taste
調味料（ちょうみりょう）condiments
味（あじ）taste
味つけ（あじつけ）seasoning
味わう（あじわう）taste

(276) 優 **意味** kind, excel, actor or actress
音 ユウ
訓 (やさ**しい**、すぐ**れる**)

優秀（ゆうしゅう）excellent
俳優（はいゆう）actor/actress
優遇（ゆうぐう）treating favourably
優勝（ゆうしょう）winning, coming first
優しい（やさしい）kind
優れる（すぐれる）excel

Reading Practice 28

1 . Oden

わたしは おでん[※1]が 好きです。味も いいし、栄養[※2]も あるし、毎日 食べたいです。おでんは こんにゃく[※3]・ちくわ[※4]・芋[※5]などを、だし汁[※6]で 煮込んで[※7] 作ります。だし汁が 煮立ったら[※8]、火を 弱めます。駅の 近くの おでん屋は いい 調味料で 味つけを して いるから、とても おいしいです。

2 . Baseball Teams

あした わたしたちの 野球チームは イーグルス[※9]と 試合を します。イーグルスは 弱点も ないし、いい 選手も たくさん います。けれども、わたしたちは 力も 弱いし、人数[※10]も 少ないから、たぶん 勝てない[※11]と 思います。イーグルスの キャプテン[※12]の 中島さんは センス[※13]も いいし、体力[※14]も 優れて いるし、すばらしい[※15] 選手です。でも、野球を しない 時は 優しくて 面白い人です。

3 . My Son's Elementary School

わたしの 息子[※16]は 小学生です。クラス[※17]は 一年二組です。毎朝 茶色の 帽子を かぶって、学校へ 行きます。息子の 学校では 生徒[※18]が 掃除当番・給食[※19]当番などを やります。

※1 Japanese stew　※2 nutrition　※3 food made from devil's tongue　※4 fish paste
※5 potato　※6 soup stock　※7 simmer　※8 boiled　※9 Eagles　※10 number of people　※11 cannot win　※12 captain　※13 natural ability　※14 physical strength
※15 wonderful　※16 son　※17 class　※18 student(s)　※19 school dinner(s)

Writing Practice 28

1 . Tea

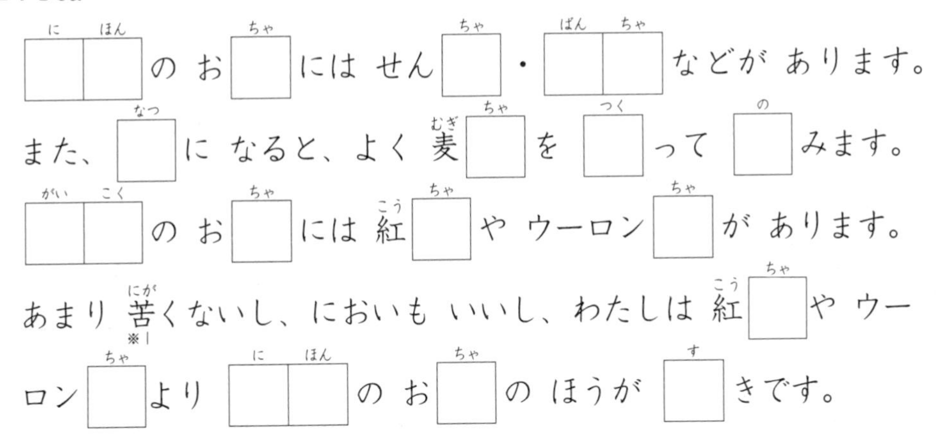
[にほん]の お[ちゃ]には せん[ちゃ]・[ばんちゃ]などが あります。
また、[なつ]に なると、よく 麦(むぎ)[ちゃ]を [つく]って [の]みます。
[がいこく]の お[ちゃ]には 紅(こう)[ちゃ]や ウーロン[ちゃ]が あります。
あまり 苦(にが)※1くないし、においも いいし、わたしは 紅(こう)[ちゃ]や ウーロン[ちゃ]より [にほん]の お[ちゃ]の ほうが [す]きです。

2 . Diary

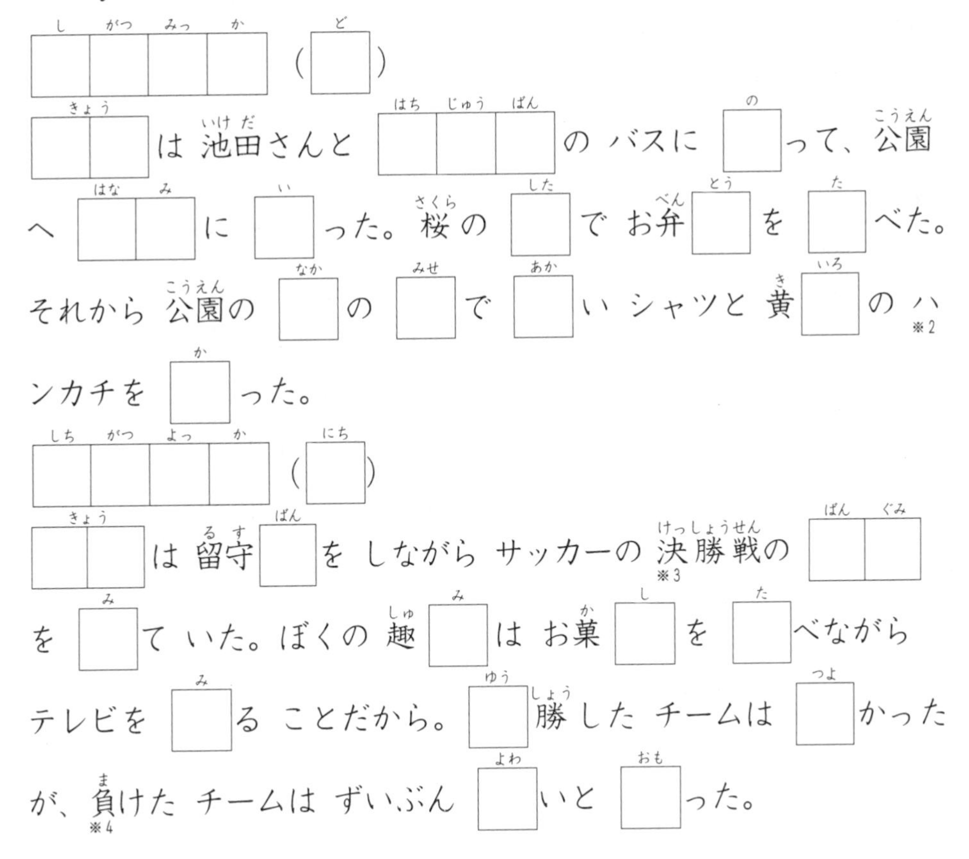
[しがつみっか]([ど])
[きょう]は 池田(いけだ)さんと [はちじゅうばん]の バスに [の]って、公園(こうえん)へ [はなみ]に [い]った。桜(さくら)の [した]で お弁(べん)[とう]を [た]べた。それから 公園(こうえん)の [なか]の [みせ]で [あか]い シャツと 黄(き)[いろ]の ハ※2ンカチを [か]った。
[しちがつよっか]([にち])
[きょう]は 留守(るす)[ばん]を しながら サッカーの 決勝戦(けっしょうせん)※3の [ばんぐみ]を [み]て いた。ぼくの 趣(しゅ)[み]は お菓(か)[し]を [た]べながら テレビを [み]る ことだから。[ゆう]勝(しょう)した チームは [つよ]かったが、負(ま)※4けた チームは ずいぶん [よわ]いと [おも]った。

※1 not bitter　※2 handkerchief　※3 final match　※4 lost

(277) 定　**意味** fixed
音 テイ、ジョウ
訓 さだ**める**、さだ**まる**、（さだ**か**）

宀

定 8

丶 丷 宀 宀 宁 宇 定 定

予定（よてい）schedule
指定席（していせき）reserved seat
定規（じょうぎ）ruler
定める（さだめる）fix
定まる（さだまる）be fixed
定か（さだか）certain

定 定 定 定 定 定

(278) 期　**意味** time, expectation
音 キ
訓

月

期 12

一 廾 甘 甘 其 期 期 期

定期（ていき）fixed period, commuter pass
期間中（きかんちゅう）during the period
時期（じき）time
後期（こうき）latter period
期待（きたい）expectation
期する（きする）expect

期 期 期 期 期 期

(279) 帳　**意味** notebook
音 チョウ
訓

巾

帳 11

巾 巾 巾 巾 帳 帳 帳 帳

手帳（てちょう）notebook
帳簿（ちょうぼ）account book
日記帳（にっきちょう）diary
通帳（つうちょう）bankbook
メモ帳（メモちょう）notebook

帳 帳 帳 帳 帳 帳

(280) 両　**意味** both, carriage
音 リョウ
訓

一

両 6

一 丅 冂 币 両 両

両方（りょうほう）both
両手（りょうて）both hands
両親（りょうしん）parents
車両（しゃりょう）a carriage
一両（いちりょう）one carriage
一両目（いちりょうめ）first carriage

両 両 両 両 両 両

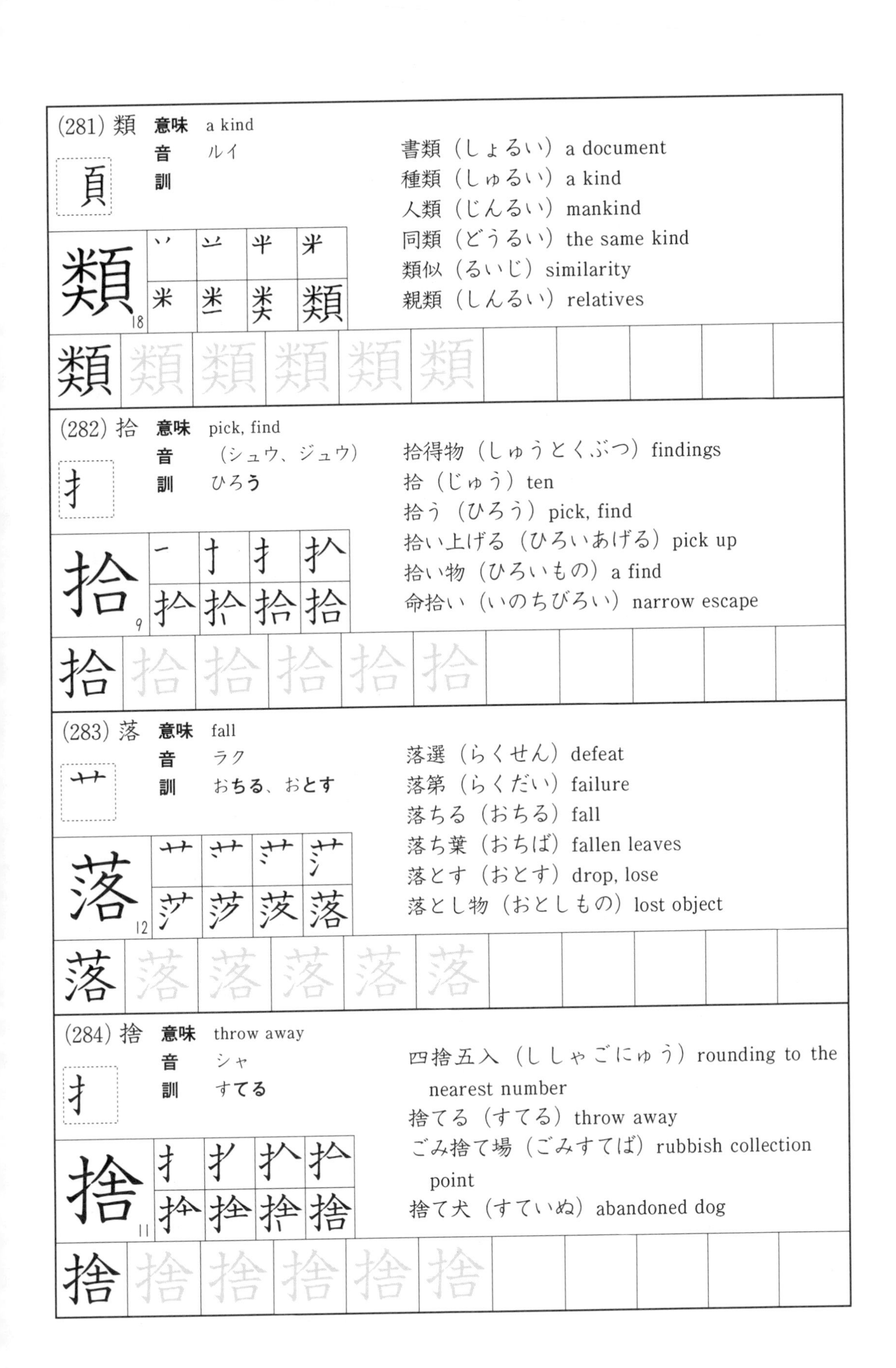

(281) 類 **意味** a kind
音 ルイ
訓

頁

類 18

書類（しょるい）a document
種類（しゅるい）a kind
人類（じんるい）mankind
同類（どうるい）the same kind
類似（るいじ）similarity
親類（しんるい）relatives

(282) 拾 **意味** pick, find
音 （シュウ、ジュウ）
訓 ひろ**う**

扌

拾 9

拾得物（しゅうとくぶつ）findings
拾（じゅう）ten
拾う（ひろう）pick, find
拾い上げる（ひろいあげる）pick up
拾い物（ひろいもの）a find
命拾い（いのちびろい）narrow escape

(283) 落 **意味** fall
音 ラク
訓 お**ちる**、お**とす**

艹

落 12

落選（らくせん）defeat
落第（らくだい）failure
落ちる（おちる）fall
落ち葉（おちば）fallen leaves
落とす（おとす）drop, lose
落とし物（おとしもの）lost object

(284) 捨 **意味** throw away
音 シャ
訓 す**てる**

扌

捨 11

四捨五入（ししゃごにゅう）rounding to the nearest number
捨てる（すてる）throw away
ごみ捨て場（ごみすてば）rubbish collection point
捨て犬（すていぬ）abandoned dog

Reading Practice 29

1. My Winter Holiday Plan

冬休み※1の 予(よ)定は もう 決(き)まって※2 います。休みの 期間中に 後期の 試験(しけん)の 準備(じゅんび)※3を するんです。落第(だい)したくないですから。きのう 新しい 日記(き)帳を 買いました。来年は 一月一日から 毎日 日記(き)※4を 書きます。

2. Shinkansen

今 新幹(かん)線には 「のぞみ」※5・「ひかり」※6・「こだま」※7・「やまびこ」※8・「あおば」※9・「あさひ」※10・「とき」※11・「つばさ」※12の 八種(しゅ)類が あります。これは 「のぞみ」です。車両が 十六両 つながって※13 います。全(ぜん)部の 車両が 指(し)定席(せき)で、八両目から 十両目まで グリーン※14車です。「のぞみ」は 新幹(かん)線の 中で いちばん 速(はや)いです。東京から 博多(はかた)※15まで 五時間ぐらいしか かかりません。

←博多 1	2	3	4	5	6	7	8	9	10	11	12	13	14	15	16 東京→
指⊘	指⊘	指	指	指	指	指⊘	☒⊘	☒	☒	指	指⊘	指⊘	指⊘	指	指

3. Street Litter

道に 新聞が 落ちて いたから、拾ったが、汚(きたな)※16かったから、すぐに 捨てた。道に 落ちて いる 物にも いろいろな 種(しゅ)類が あって、落とし物も あるが、だれか※17が 捨てた ごみ※18も ある。

※1 winter holiday　※2 be decided　※3 preparation　※4 diary
※5～※12 names of Shinkansen trains　※13 join　※14 green car (first class)　※15 Hakata　※16 dirty　※17 someone　※18 rubbish

Writing Practice 29

Diary

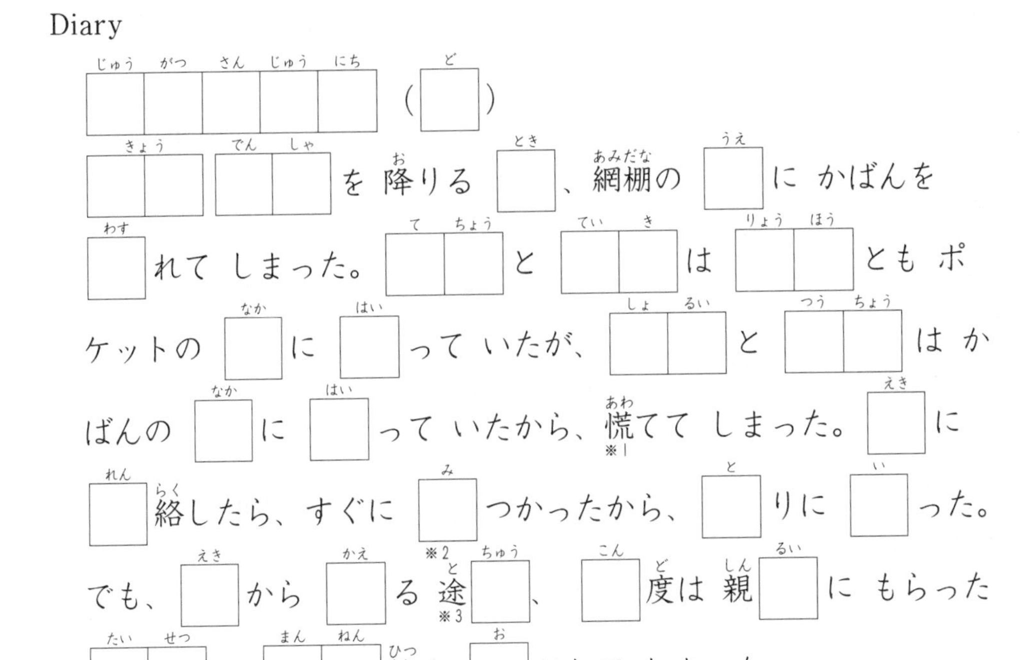

□□□□□（□）
□□ □□を 降りる □、網棚の □に かばんを
□れて しまった。□□と □□は □□とも ポ
ケットの □に □って いたが、□□と □□は か
ばんの □に □って いたから、慌てて しまった。□に
□絡したら、すぐに □つかったから、□りに □った。
でも、□から □る 途□、□度は 親□に もらった
□□な □□筆を □として しまった。

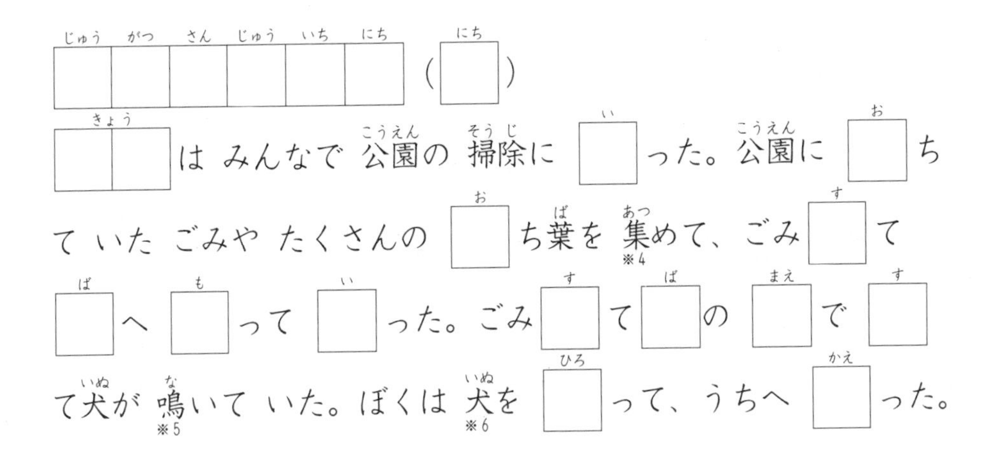

□□□□□□（□）
□□は みんなで 公園の 掃除に □った。公園に □ち
て いた ごみや たくさんの □ち葉を 集めて、ごみ□て
□へ □って □った。ごみ□て□の □で □
て犬が 鳴いて いた。ぼくは 犬を □って、うちへ □った。

※1 panic ※2 be found ※3 on the way ※4 gather
※5 whine ※6 dog

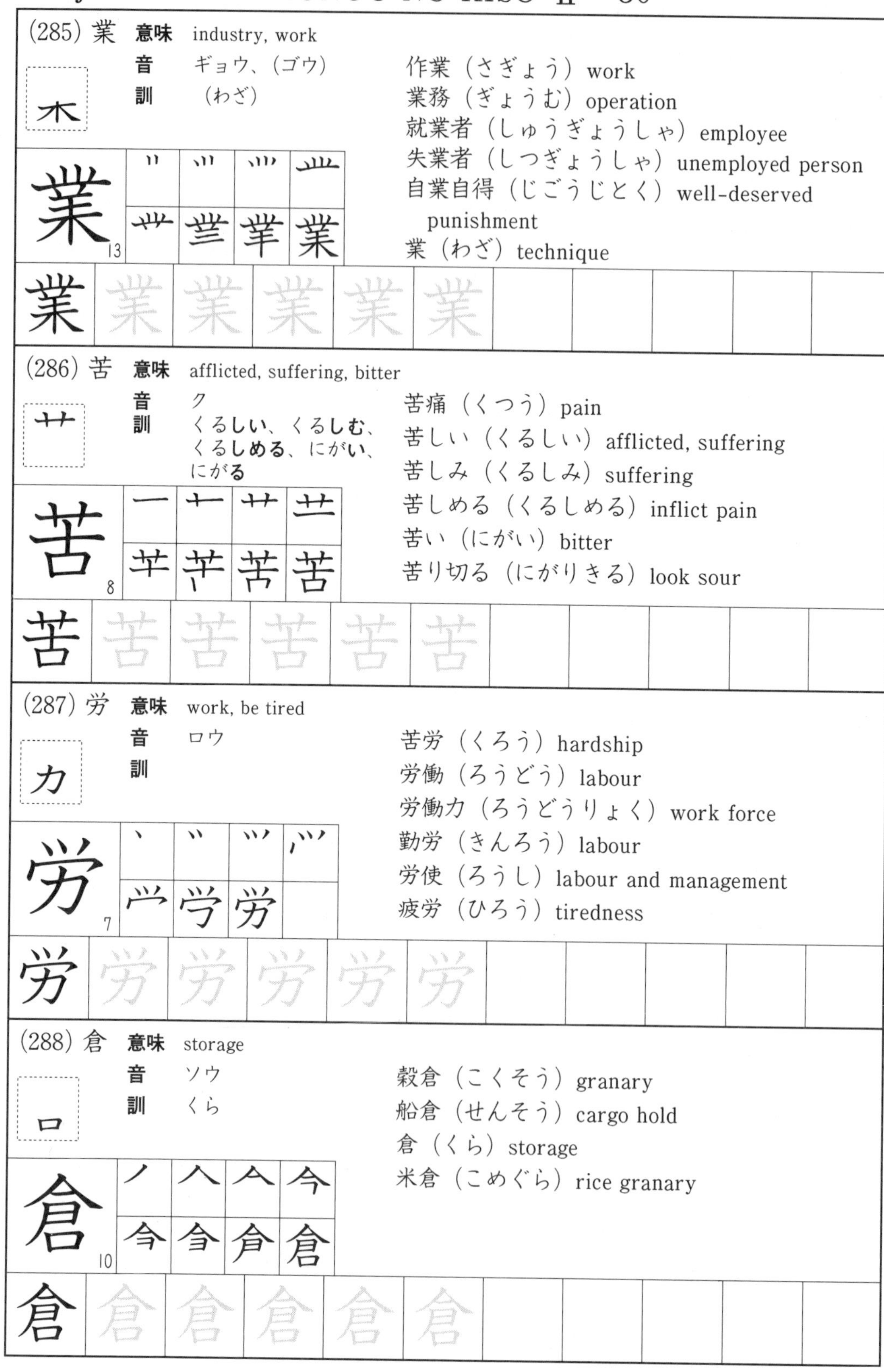

(285) 業 **意味** industry, work
音 ギョウ、（ゴウ）
訓 （わざ）

作業（さぎょう）work
業務（ぎょうむ）operation
就業者（しゅうぎょうしゃ）employee
失業者（しつぎょうしゃ）unemployed person
自業自得（じごうじとく）well-deserved punishment
業（わざ）technique

(286) 苦 **意味** afflicted, suffering, bitter
音 ク
訓 くる**しい**、くる**しむ**、くる**しめる**、にが**い**、にが**る**

苦痛（くつう）pain
苦しい（くるしい）afflicted, suffering
苦しみ（くるしみ）suffering
苦しめる（くるしめる）inflict pain
苦い（にがい）bitter
苦り切る（にがりきる）look sour

(287) 労 **意味** work, be tired
音 ロウ
訓

苦労（くろう）hardship
労働（ろうどう）labour
労働力（ろうどうりょく）work force
勤労（きんろう）labour
労使（ろうし）labour and management
疲労（ひろう）tiredness

(288) 倉 **意味** storage
音 ソウ
訓 くら

穀倉（こくそう）granary
船倉（せんそう）cargo hold
倉（くら）storage
米倉（こめぐら）rice granary

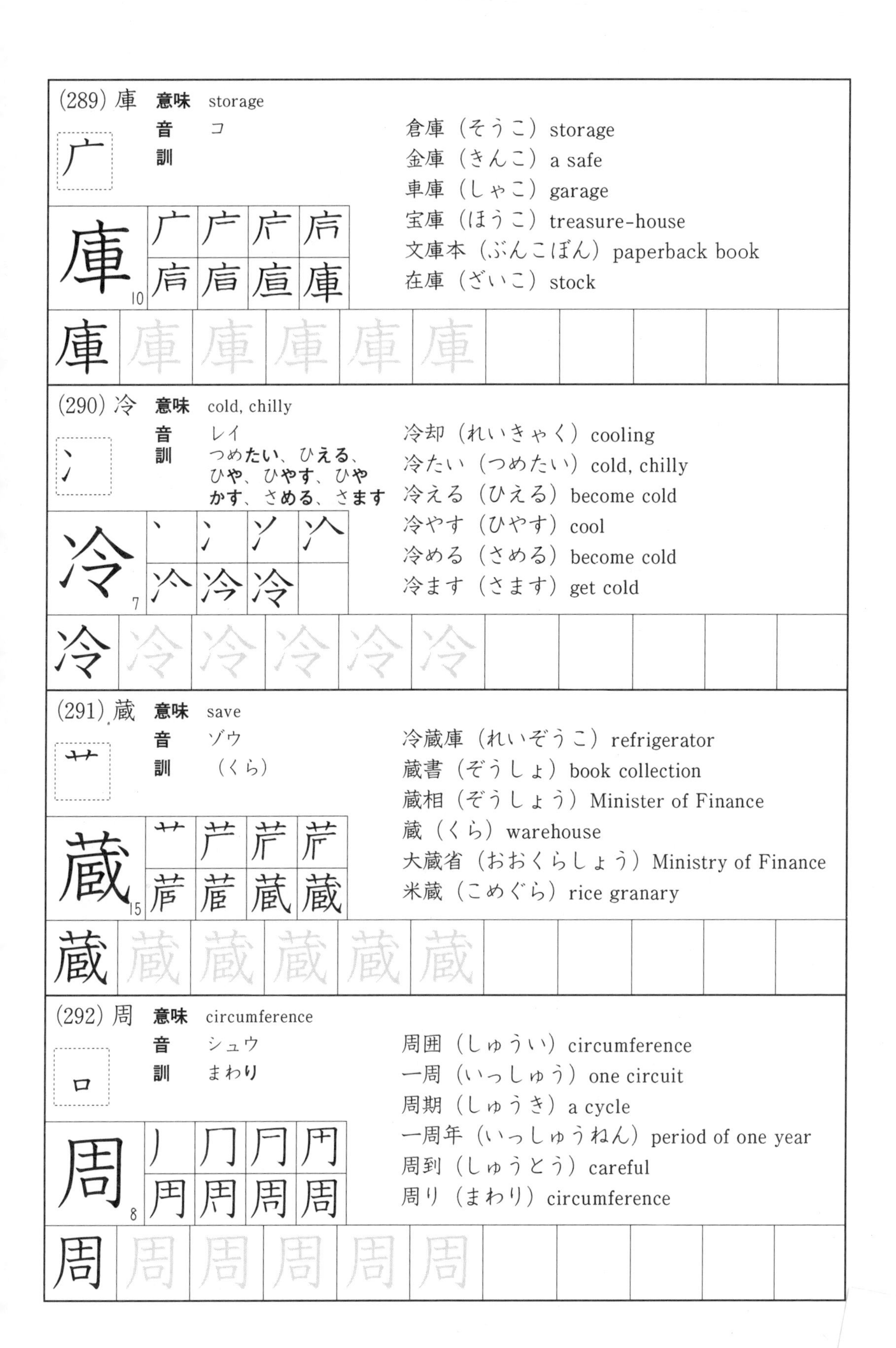

(289) 庫 **意味** storage
音 コ
訓

部首: 广 — 画数: 10

倉庫（そうこ）storage
金庫（きんこ）a safe
車庫（しゃこ）garage
宝庫（ほうこ）treasure-house
文庫本（ぶんこぼん）paperback book
在庫（ざいこ）stock

(290) 冷 **意味** cold, chilly
音 レイ
訓 つめ**たい**、ひ**える**、ひ**や**、ひ**やす**、ひ**やかす**、さ**める**、さ**ます**

部首: 冫 — 画数: 7

冷却（れいきゃく）cooling
冷たい（つめたい）cold, chilly
冷える（ひえる）become cold
冷やす（ひやす）cool
冷める（さめる）become cold
冷ます（さます）get cold

(291) 蔵 **意味** save
音 ゾウ
訓 （くら）

部首: 艹 — 画数: 15

冷蔵庫（れいぞうこ）refrigerator
蔵書（ぞうしょ）book collection
蔵相（ぞうしょう）Minister of Finance
蔵（くら）warehouse
大蔵省（おおくらしょう）Ministry of Finance
米蔵（こめぐら）rice granary

(292) 周 **意味** circumference
音 シュウ
訓 まわ**り**

部首: 口 — 画数: 8

周囲（しゅうい）circumference
一周（いっしゅう）one circuit
周期（しゅうき）a cycle
一周年（いっしゅうねん）period of one year
周到（しゅうとう）careful
周り（まわり）circumference

Reading Practice 30

1. Storage Places

倉庫……いろいろな 物を しまって おきます。

車庫……自(じ)動車を 入れて おきます。

金庫……お金や 大切な 物を 入れて おきます。

倉……荷(に)物・品(しな)物・家具などを しまって おきます。

米(こめ)蔵……米(こめ)※1を 蓄(たくわ)※2えて おきます。

冷蔵庫……食べ物を 冷やして、保存(ほぞん)※3して おきます。

2. At the Chemist's

薬局(やっきょく)※4の 人：いらっしゃいませ。

井上(いのうえ)：あのう、胸(むね)※5が 苦しくて、心臓(ぞう)※6の 周囲(い)が 痛(いた)いんですが。

薬局(やっきょく)の 人：そうですか。では、この 薬(くすり)が いいと 思います。

ちょっと 苦いですが、すぐに 苦痛(つう)は 治(おさ)※7まります。

井上(いのうえ)：わかりました。では、それを ください。

3. Work and Unemployment

労働力は 働く 意(い)※8思と 能(のう)力を 持っている 人々※9が 供(きょう)※10給(きゅう)できる 労働能(のう)力です。仕事に ついて※11 いる 人は 就(しゅう)業者(しゃ)、つきたくても つけない 人は 失(しつ)業者(しゃ)です。

※1 rice　※2 save　※3 keep　※4 chemist's　※5 chest
※6 heart　※7 go away　※8 will　※9 people　※10 supply
※11 be engaged in

Writing Practice 30

1. Preparing for a Party

石井(いしい)：□□(らいしゅう)は 設(せつ)※1□□□□(りついっしゅうねん)記念(きねん)※2パーティーですが。

佐藤(さとう)：□(しゅう)到(とう)な □(けい)画(かく)が □(た)※3ててありますから、□(だい)丈夫(じょうぶ)です。

石井(いしい)：そうですか。よろしく お□(ねが)いします。

（パーティーの □□(とうじつ)）

佐藤(さとう)：□(つめ)たい ジュースを たくさん □(か)って おきました。

石井(いしい)：そうですか。果物(くだもの)は □□□(れいぞうこ)に □(い)れて ありますか。

佐藤(さとう)：はい。ビールも よく □(ひ)えて いるし、デザート※4も よく □(ひ)やして おきました。

石井(いしい)：では、そろそろ □(た)べ□(もの)の □(まわ)りに 皿(さら)を 並(なら)べて おいて ください。スープ※5が □(さ)めたら、もう □(いち)度(ど) 温(あたた)めて おいて ください。

2. When Work Is Over

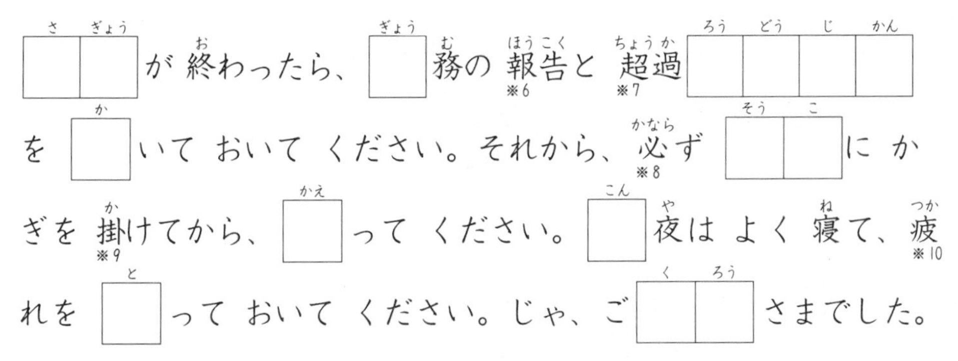

□□(さぎょう)が 終(お)わったら、□(ぎょう)務(む)の 報告(ほうこく)※6と 超過(ちょうか)※7□□□□(ろうどうじかん)を □(か)いて おいて ください。それから、必(かなら)ず※8 □□(そうこ)に かぎを 掛(か)け※9てから、□(かえ)って ください。□(こん)夜(や)は よく 寝(ね)て、疲(つか)※10れを □(と)って おいて ください。じゃ、ご□□(くろう)さまでした。

※1 foundation　※2 anniversary　※3 make　※4 dessert
※5 soup　※6 report　※7 overtime　※8 without fail　※9 lock
※10 tiredness

(293) 空 **意味** sky, air, empty
音 クウ
訓 そら、あく、あける、から

部首: 穴

空 8

Stroke order: 丶 ハ 宀 穴 穴 空 空 空

空気（くうき）air
上空（じょうくう）in the sky
空（そら）sky
空く（あく）become vacant
空ける（あける）make a space
空（から）empty

空 空 空 空 空 空

(294) 港 **意味** port
音 コウ
訓 みなと

部首: 氵

港 12

Stroke order: 氵 氵 汁 洲 泄 洪 洪 港

空港（くうこう）airport
入港（にゅうこう）arrival in port
横浜港（よこはまこう）port of Yokohama
港（みなと）port

港 港 港 港 港 港

(295) 相 **意味** phase, mutual, minister
音 ソウ、(ショウ)
訓 あい

部首: 目

相 9

Stroke order: 一 十 才 木 朴 相 相 相

世相（せそう）aspect of life
真相（しんそう）actual facts
首相（しゅしょう）prime minister
外相（がいしょう）Minister of Foreign Affairs
相手（あいて）partner
*相撲（すもう）sumo

相 相 相 相 相 相

(296) 談 **意味** talk
音 ダン
訓

部首: 言

談 15

Stroke order: 言 言 言 訁 訟 談 談 談

相談（そうだん）consultation
会談（かいだん）conference
談話（だんわ）talk, conversation
対談（たいだん）dialogue, conversation

談 談 談 談 談 談

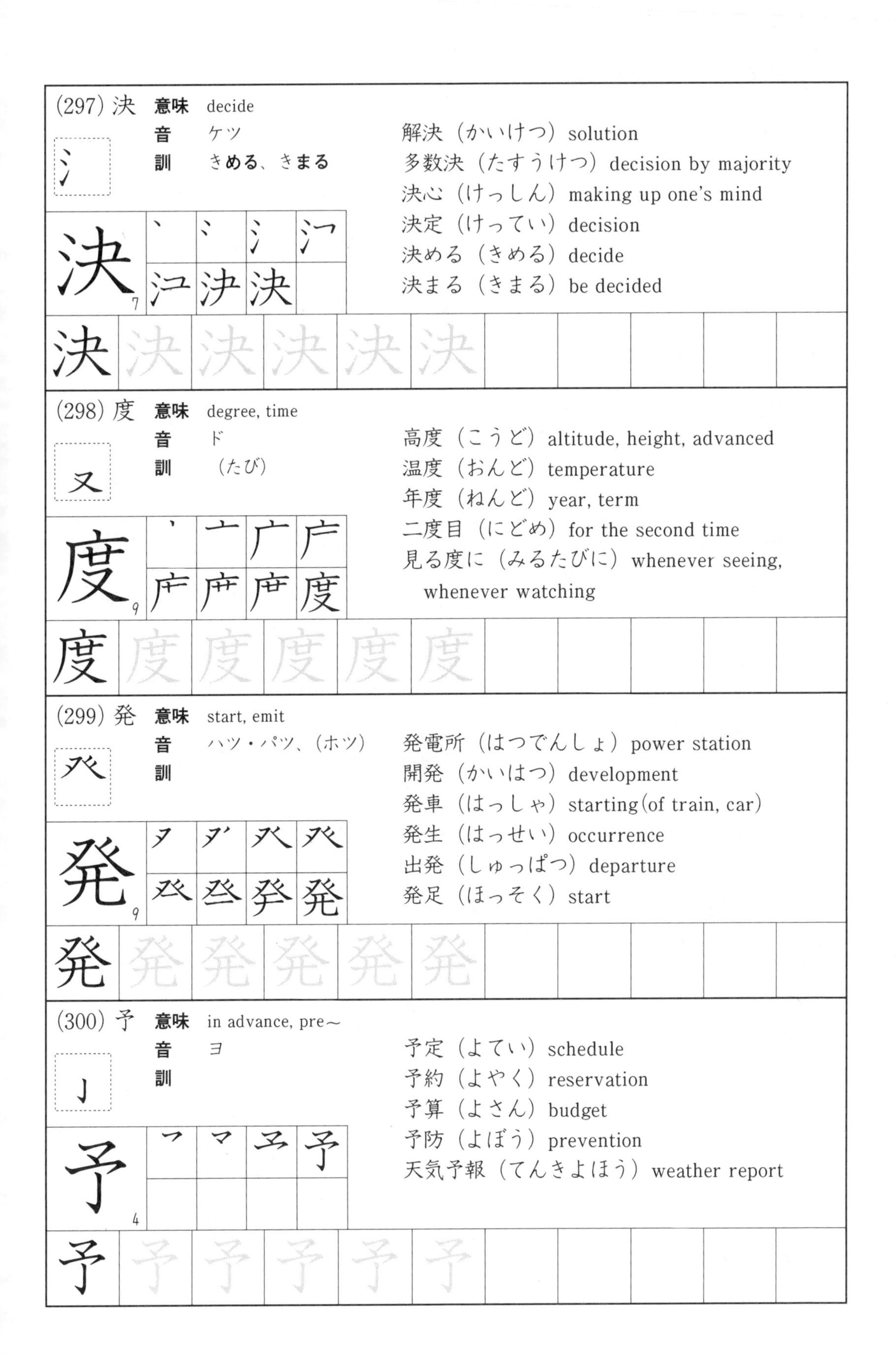

(297) 決　**意味** decide
音 ケツ
訓 きめる、きまる

部首: 氵

筆順 (7): 丶 氵 氵 氵 汀 沪 決

解決（かいけつ）solution
多数決（たすうけつ）decision by majority
決心（けっしん）making up one's mind
決定（けってい）decision
決める（きめる）decide
決まる（きまる）be decided

決 決 決 決 決 決

(298) 度　**意味** degree, time
音 ド
訓 （たび）

部首: 又

筆順 (9): 丶 亠 广 广 庐 庐 庐 度

高度（こうど）altitude, height, advanced
温度（おんど）temperature
年度（ねんど）year, term
二度目（にどめ）for the second time
見る度に（みるたびに）whenever seeing, whenever watching

度 度 度 度 度 度

(299) 発　**意味** start, emit
音 ハツ・パツ、（ホツ）
訓

部首: 癶

筆順 (9): ヲ ヲ' 癶 癶 癶 癶 癸 発

発電所（はつでんしょ）power station
開発（かいはつ）development
発車（はっしゃ）starting(of train, car)
発生（はっせい）occurrence
出発（しゅっぱつ）departure
発足（ほっそく）start

発 発 発 発 発 発

(300) 予　**意味** in advance, pre～
音 ヨ
訓

部首: 亅

筆順 (4): フ マ 予 予

予定（よてい）schedule
予約（よやく）reservation
予算（よさん）budget
予防（よぼう）prevention
天気予報（てんきよほう）weather report

予 予 予 予 予 予

Reading Practice 31

1 . A Newspaper Article

○×国の マーク・ヨック首相が 来月五日から 四日間、エーム・ダグ外相と 来日する。今回が 二度目の 来日。東京で 二回 首脳※1会談を 行う。また 晩さん会※2、昼食会などに 出席する。

首脳会談の テーマは 日本の 技術開発協力※3。外相会談の テーマは 両国の 交流。これらの 計画を 決定する 研究会が 発足する。そのほか ヨ首相は、相撲見物や 工場見学、テレビ記者会見※4などを 行う 予定。また、横浜で 港の 近くの 発電所や ベイブリッジ※5を 見学する。ダ外相は Kデパートで ○×国フェア※6の テープカット※7を 行う。七日 午前、新幹線で 京都へ。八日 午後、大阪空港から 帰国する。

2 . Change of Plan

わたしの 妹が 来月三日 来日します。六日に 横浜へ 行って、港や ベイブリッジを 見学する つもりでしたが、○×国の 首相と 同じ 日ですから、七日に しようと 思います。

※1 leader(s)　※2 dinner party　※3 cooperation
※4 press conference　※5 Bay Bridge　※6 fair
※7 cutting the tape

Writing Practice 31

1 . A Memo

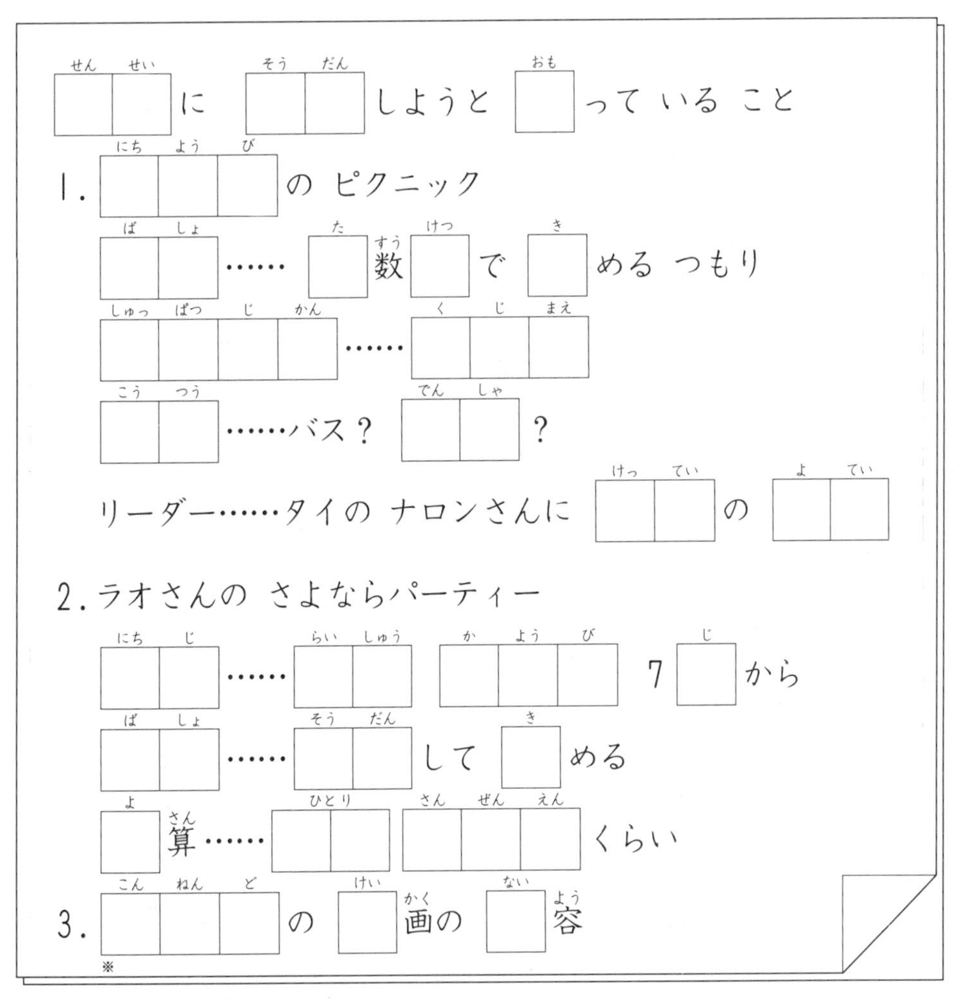

せん せい
に
そう だん
しようと
おも
って いる こと
にち よう び
1. の ピクニック
ば しょ
た
すう
数
けつ
で
き
める つもり
しゅっ ぱつ じ かん
く じ まえ
こう つう
……バス？
でん しゃ
？
リーダー……タイの ナロンさんに
けっ てい
の
よ てい
2. ラオさんの さよならパーティー
にち じ
らい しゅう
か よう び
7
じ
から
ば しょ
そう だん
して
き
める
よ
さん
算
ひとり
さん ぜん えん
くらい
こん ねん ど
3. の
けい
かく
画の
ない
よう
容
※

2 . Returning Home

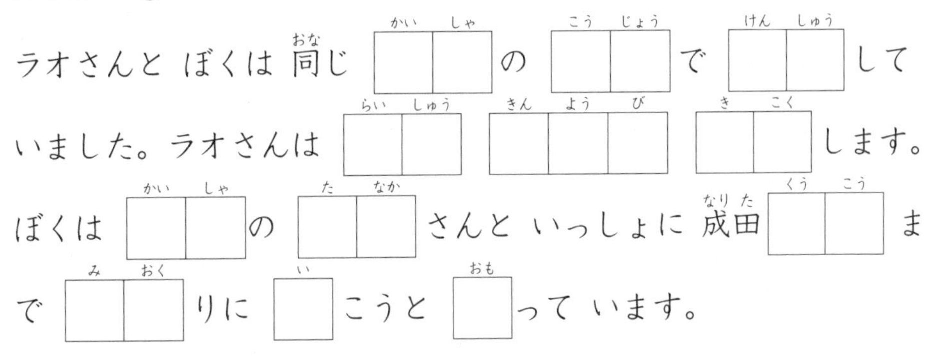

ラオさんと ぼくは 同じ
おな
かい しゃ
の
こう じょう
で
けん しゅう
して
いました。ラオさんは
らい しゅう
きん よう び
き こく
します。
ぼくは
かい しゃ
の
た なか
さんと いっしょに 成田
なり た
くう こう
ま
で
み おく
りに
い
こうと
おも
って います。

※ this year

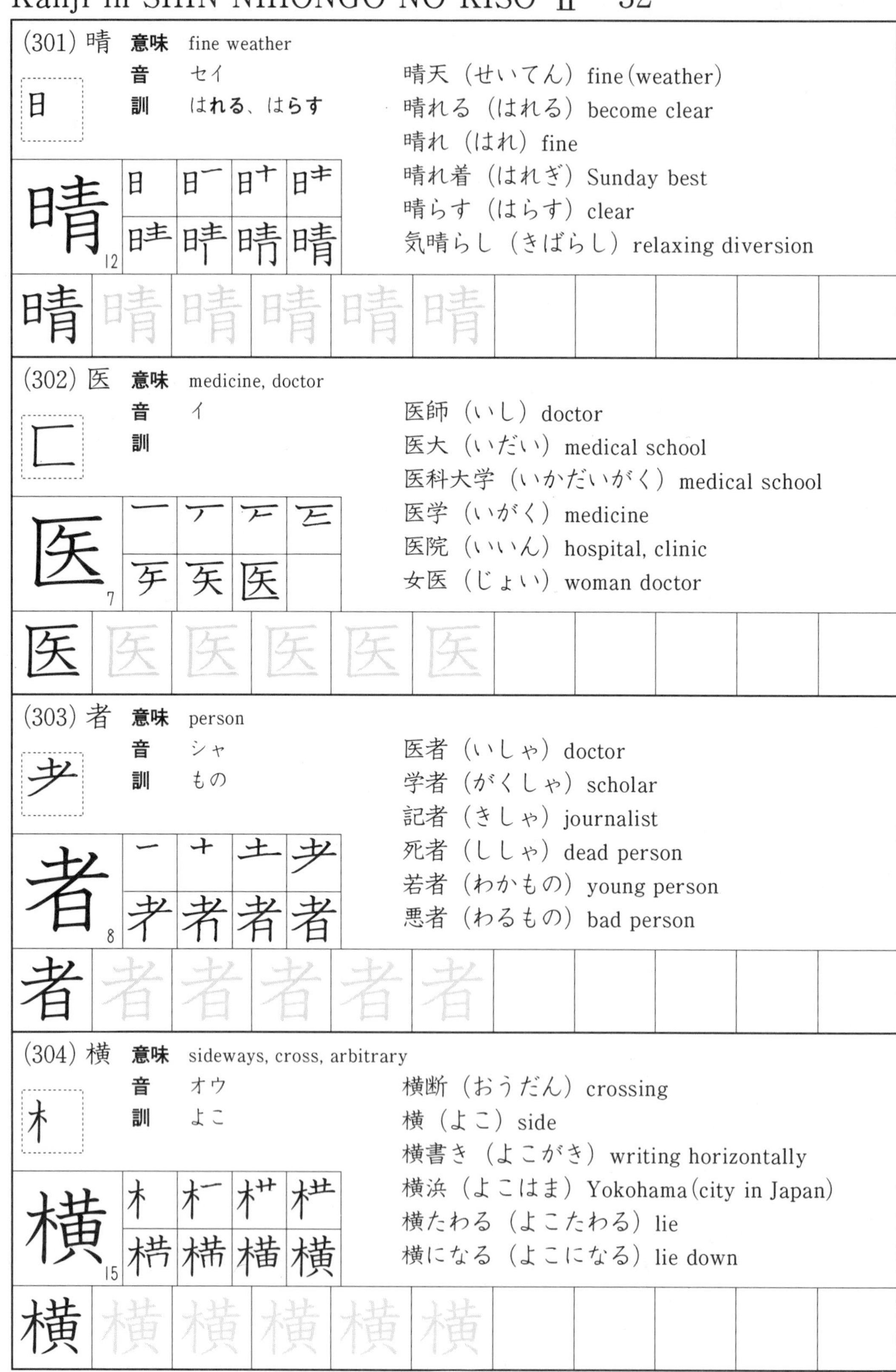

(301) 晴　意味 fine weather
音 セイ
訓 はれる、はらす
部首: 日　画数: 12
筆順: 日 日一 日十 日‡ 日⺷ 昨 晴 晴

晴天（せいてん）fine (weather)
晴れる（はれる）become clear
晴れ（はれ）fine
晴れ着（はれぎ）Sunday best
晴らす（はらす）clear
気晴らし（きばらし）relaxing diversion

(302) 医　意味 medicine, doctor
音 イ
訓
部首: 匚　画数: 7
筆順: 一 ア 七 匸 午 矢 医

医師（いし）doctor
医大（いだい）medical school
医科大学（いかだいがく）medical school
医学（いがく）medicine
医院（いいん）hospital, clinic
女医（じょい）woman doctor

(303) 者　意味 person
音 シャ
訓 もの
部首: 耂　画数: 8
筆順: 一 十 土 耂 者 者 者 者

医者（いしゃ）doctor
学者（がくしゃ）scholar
記者（きしゃ）journalist
死者（ししゃ）dead person
若者（わかもの）young person
悪者（わるもの）bad person

(304) 横　意味 sideways, cross, arbitrary
音 オウ
訓 よこ
部首: 木　画数: 15
筆順: 木 木一 木艹 杜 梺 横 横 横

横断（おうだん）crossing
横（よこ）side
横書き（よこがき）writing horizontally
横浜（よこはま）Yokohama (city in Japan)
横たわる（よこたわる）lie
横になる（よこになる）lie down

(305) 薬 **意味** drug, medicine

音 ヤク

訓 くすり

艹

医薬（いやく）medicine
薬局（やっきょく）chemist's
農薬（のうやく）agricultural chemicals
火薬（かやく）gunpowder
薬（くすり）medicine
薬屋（くすりや）chemist, chemist's

薬 16

薬 薬 薬 薬 薬 薬

(306) 治 **意味** govern, administer, rule

音 ジ、チ

訓 おさ**める**、おさ**まる**、なお**る**、なお**す**

氵

政治（せいじ）politics
自治（じち）self-governing
治める（おさめる）govern
治まる（おさまる）be put down
治る（なおる）be cured
治す（なおす）cure

治 8

治 治 治 治 治 治

(307) 測 **意味** measure, conjecture, survey

音 ソク

訓 はか**る**

氵

測定（そくてい）measurement
測量（そくりょう）measurement
予測（よそく）prediction
観測（かんそく）observation
実測（じっそく）survey
測る（はかる）measure

測 12

測 測 測 測 測 測

(308) 痛 **意味** pain, ache, keenly

音 ツウ

訓 いた**い**、いた**む**、いた**める**

疒

苦痛（くつう）pain
頭痛（ずつう）headache
痛感（つうかん）feeling strongly
痛い（いたい）painful
痛む（いたむ）be painful
痛める（いためる）injure

痛 12

痛 痛 痛 痛 痛 痛

Reading Practice 32

At the Hospital Reception Desk

インフルエンザ※1の 予防注射に 病院へ 行きました。先に 受付で 問診票※2を もらいました。いろいろな 質問が 書いて ありました。

わたしは 体温※3を 測りました。36度 5分でしたから、けさの 体温の 所に 書き入れました。

わたしは 1960年に 生まれましたから、生年月日の 所に 昭和35年と 書きました。わたしは 入院した ことが ありません。また、重い 病気も して いません。かぜを ひいても すぐ 治りました。アレルギーも ありませんから、予防注射を しました。少し 痛かったです。

お医者さんは たいへん 親切な 人でした。やさしい 日本語で 質問しました。

わたしは 病気では ありませんから、薬は もらいませんでした。病院を 出て 空を 見上げました。晴れて たいへん いい 天気でしたから、電車で 横浜まで 行きました。そして 山下公園を 散歩しました。

※1 influenza　※2 symptom form　※3 body temperature

Writing Practice 32

At the Hospital

□(あさ)、□(あたま)が □(いた)くて □(さむ)□(け)が しました。□(ねつ)を □(はか)り
ました。37□(ど)5□(ぶ)ありました。かぜかも しれません。わた
しは すぐ □(ちか)くの □(びょう)□(いん)へ □(い)きました。□(びょう)□(いん)の
□(もん)の □(よこ)に ケヤキ※1の □(たい)□(ぼく)が ありますから、□(ちか)くの
□(ひと)□(びと)は「ケヤキ□(びょう)□(いん)」と □(い)って います。□(うけ)□(つけ)
で □(て)□(つづ)きを してから、□(ない)※2科(か)へ □(い)きました。お□(い)□(しゃ)
さんは いろいろ 質(しつ)□(もん)してから わたしに □(い)いました。
「かぜですね。□(いえ)に □(かえ)って すぐ □(くすり)を □(の)んで 寝(ね)て
ください。たぶん □(ねつ)は すぐ □(さ)がるでしょう。」
□(うけ)□(つけ)で お□(かね)を 払(はら)って、□(くすり)の □(な)□(まえ)が □(か)いて あ
る □(かみ)を □(う)け□(と)りました。看護婦(かんごふ)さんが「もうすぐ ゴー※3
ルデンウィークですね。よく □(やす)んで □(はや)く □(なお)って くださ
い。ゴールデンウィークは、たぶん □(は)れるでしょう。□(き)□(ば)
らしに □(うみ)や □(やま)へ □(い)って いらっしゃい」と □(い)いまし
た。

※1 keyakitree　※2 internal medicine　※3 Golden Week

(309) 用　**意味**　employ, use, apply
音　ヨウ
訓　もちいる

用 (5)

使用（しよう）usage
用紙（ようし）form, paper
用事（ようじ）errand
用心（ようじん）carefulness
信用（しんよう）trust
用いる（もちいる）use

(310) 注　**意味**　pour, concentrate
音　チュウ
訓　そそぐ

注 (8)

注（ちゅう）notes
注射（ちゅうしゃ）injection
注文（ちゅうもん）order
注目（ちゅうもく）attention
注記（ちゅうき）notes
注ぐ（そそぐ）pour

(311) 意　**意味**　mind, meaning, intention
音　イ
訓

意 (13)

意見（いけん）opinion
意思（いし）intention
好意（こうい）goodwill
決意（けつい）determination
注意（ちゅうい）attention, warning
用意（ようい）preparation

(312) 守　**意味**　protect, defend, guard
音　シュ、ス
訓　まもる、(もり)

守 (6)

守備（しゅび）defence
守衛（しゅえい）guard
留守（るす）not being at home
守る（まもる）protect
見守る（みまもる）watch over
子守（こもり）babysitting

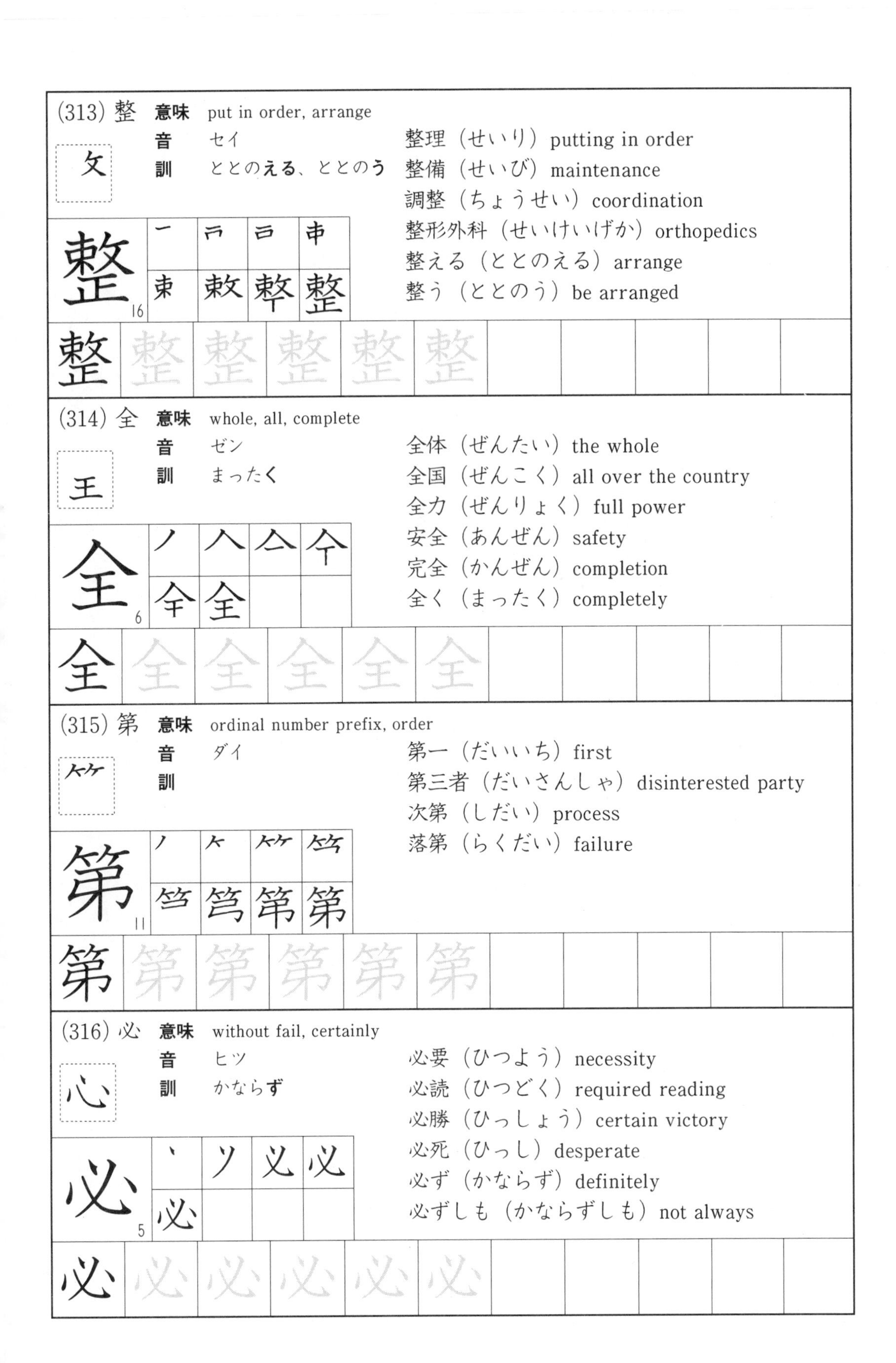

(313) 整 **意味** put in order, arrange
音 セイ
訓 ととの**える**、ととの**う**
部首: 攵
整 16

整理（せいり）putting in order
整備（せいび）maintenance
調整（ちょうせい）coordination
整形外科（せいけいげか）orthopedics
整える（ととのえる）arrange
整う（ととのう）be arranged

(314) 全 **意味** whole, all, complete
音 ゼン
訓 まったく
部首: 王
全 6

全体（ぜんたい）the whole
全国（ぜんこく）all over the country
全力（ぜんりょく）full power
安全（あんぜん）safety
完全（かんぜん）completion
全く（まったく）completely

(315) 第 **意味** ordinal number prefix, order
音 ダイ
訓
部首: ⺮
第 11

第一（だいいち）first
第三者（だいさんしゃ）disinterested party
次第（しだい）process
落第（らくだい）failure

(316) 必 **意味** without fail, certainly
音 ヒツ
訓 かなら**ず**
部首: 心
必 5

必要（ひつよう）necessity
必読（ひつどく）required reading
必勝（ひっしょう）certain victory
必死（ひっし）desperate
必ず（かならず）definitely
必ずしも（かならずしも）not always

Reading Practice 33

1. Slogans

今、東京は ビル工事※1ラッシュです。工事中の ビルの 近くや すぐ 横を 通る 時、上下左右に 気を つけて 用心しながら 通った ほうが いいです。工事中の ビルの 前などに、「頭上注意」や、「安全第一」などの 標(ひょう)語※2が あります。上で 工事して いるから、よく 注意しろ、また、安全を 第一に 考えろと いう 意味ですから、工事を して いる 人は 必ず 守らなければ なりません。

2. Morning Meeting

わたしの 会社は 毎朝 必ず 15分間の ミーティング※3を してから 仕事を 始めます。ミーティングの 内容(よう)は、第一に 前の 日の 仕事の 整理、第二に その 日の 仕事の 打※4ち合わせと 注意※5事項(こう)、第三に 意見の 調整などです。この ミーティングは 短いですが、内容(よう)は 全部 たいへん 重要で、必要な ことですから、わたしは いつも メモ用紙に 書いて 持って います。

※1 a lot of construction work　※2 slogan　※3 meeting
※4 preparatory meeting　※5 attention

Writing Practice 33

1. Dealing with Data

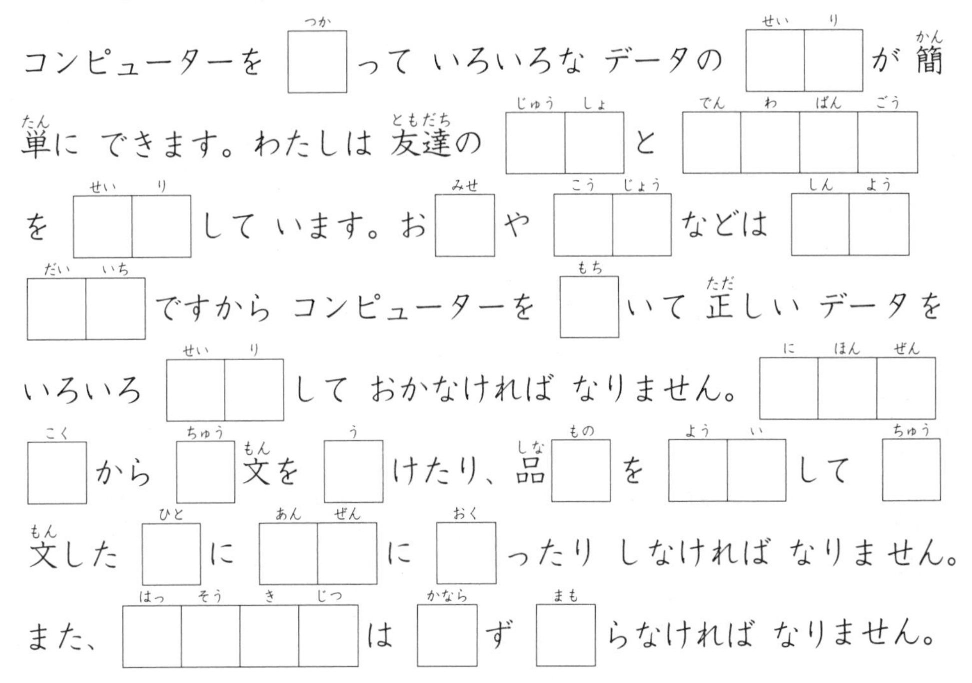

コンピューターを □(つか)って いろいろな データの □□(せいり)が 簡(かん)単(たん)に できます。わたしは 友達(ともだち)の □□(じゅうしょ)と □□□□(でんわばんごう)を □□(せいり)して います。お□(みせ)や □□(こうじょう)などは □□(しんよう)□□(だいいち)ですから コンピューターを □(もち)いて 正(ただ)しい データを いろいろ □□(せいり)して おかなければ なりません。□□□(にほんぜん)□(こく)から □(ちゅう)文(もん)を □(う)けたり、品(しな)□(もの)を □□(ようい)して □(ちゅう)文(もん)した □(ひと)に □□(あんぜん)に □(おく)ったり しなければ なりません。また、□□□□(はっそうきじつ)は □(かなら)ず □(まも)らなければ なりません。

2. Various Slogans

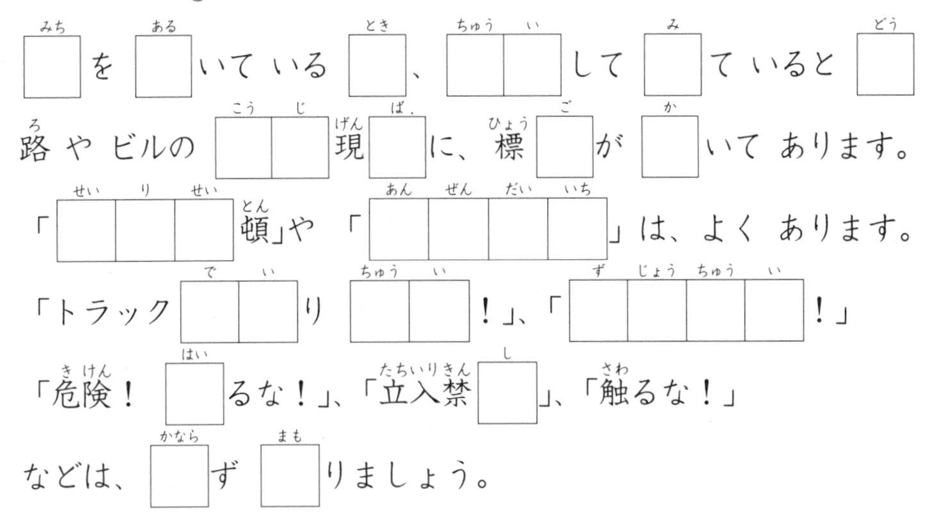

□(みち)を □(ある)いて いる □(とき)、□□(ちゅうい)して □(み)て いると □(どう)路(ろ)や ビルの □□(こうじ)現(げん)□(ば)に、標(ひょう)□(ご)が □(か)いて あります。

「□□□(せいりせい)頓(とん)」や 「□□□□(あんぜんだいいち)」は、よく あります。

「トラック□□(でい)り □□(ちゅうい)！」、「□□□□(ずじょうちゅうい)！」

「危険(きけん)！ □(はい)るな！」、「立入禁(たちいりきん)□(し)」、「触(さわ)るな！」

などは、□(かなら)ず □(まも)りましょう。

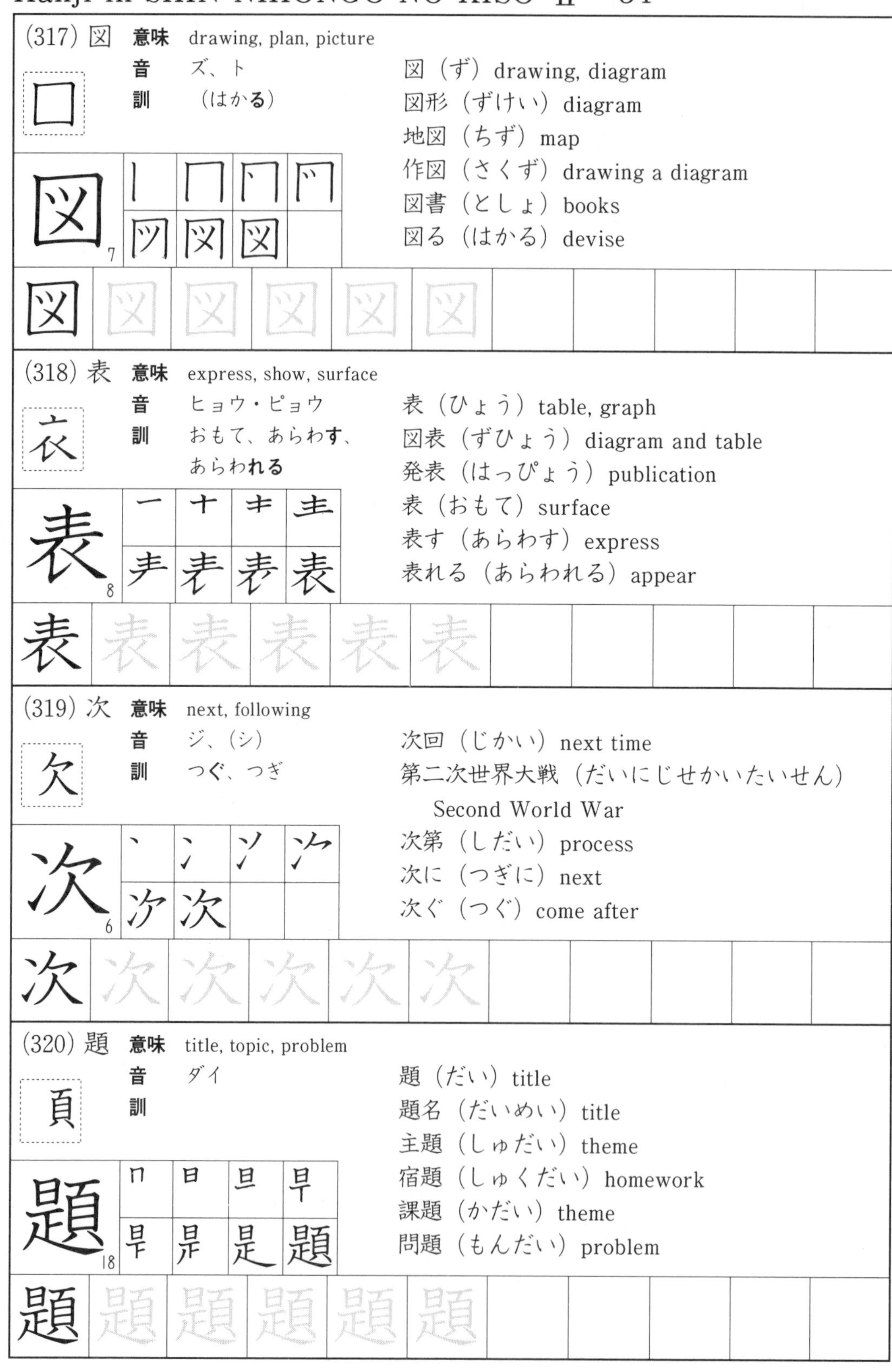

(317) 図　**意味**　drawing, plan, picture
音　ズ、ト
訓　（はかる）

図（ず）drawing, diagram
図形（ずけい）diagram
地図（ちず）map
作図（さくず）drawing a diagram
図書（としょ）books
図る（はかる）devise

(318) 表　**意味**　express, show, surface
音　ヒョウ・ピョウ
訓　おもて、あらわ**す**、あらわ**れる**

表（ひょう）table, graph
図表（ずひょう）diagram and table
発表（はっぴょう）publication
表（おもて）surface
表す（あらわす）express
表れる（あらわれる）appear

(319) 次　**意味**　next, following
音　ジ、（シ）
訓　つぐ、つぎ

次回（じかい）next time
第二次世界大戦（だいにじせかいたいせん）Second World War
次第（しだい）process
次に（つぎに）next
次ぐ（つぐ）come after

(320) 題　**意味**　title, topic, problem
音　ダイ
訓

題（だい）title
題名（だいめい）title
主題（しゅだい）theme
宿題（しゅくだい）homework
課題（かだい）theme
問題（もんだい）problem

(321) 品 **意味** article, thing, goods

口

音 ヒン

訓 しな

品質（ひんしつ）quality of products
作品（さくひん）work
製品（せいひん）product
食品（しょくひん）food
部品（ぶひん）parts
品物（しなもの）goods

品 9

(322) 順 **意味** order, obey

頁

音 ジュン

訓

順番（じゅんばん）order
順次（じゅんじ）in successive order
道順（みちじゅん）route
手順（てじゅん）procedure
順に（じゅんに）successively
順調（じゅんちょう）smooth

順 12

(323) 序 **意味** introductory part, order

广

音 ジョ

訓

序文（じょぶん）introduction
序曲（じょきょく）overture
序の口（じょのくち）the start
序列（じょれつ）ranking, order
順序（じゅんじょ）order

序 7

(324) 解 **意味** take apart, dissolve, resolve

刀

音 カイ、(ゲ)

訓 と**く**、と**かす**、と**ける**

分解（ぶんかい）dissolution
解説（かいせつ）explanation
解熱（げねつ）alleviation of fever
解く（とく）solve
解かす（とかす）melt
解ける（とける）melt, solve

解 13

Reading Practice 34

1. Homework

コンピューターは たいへん 便利です。たくさんの 図表の 整理も、作図も 簡単(かんたん)に できます。

わたしは 今 工場で 作図の 実習を しています。時々 宿(しゅく)題が 出ます。コンピューター作図は 楽しいですが、問題は 手順です。手順よく 速(はや)く 作図を したいです。この間、新しい 部品の 作図の 宿(しゅく)題が 出ました。わたしは 次の 日、みんなの 前で 順序よく 解説しながら 発表しました。

2. Map of the World

わたしは 地図を 見る ことが 好きです。新聞などに 知らない 地名が あったら、必ず 地図を 調べます。

この 二、三年の 間に、世界地図は 大きく 変(か)わりました。新しい 国が たくさん できました。

小学生の 時、学校で 大きい 世界地図を 作った ことが あります。第二次世界大戦(せん)の 前と 後の 二枚の 世界地図を 作りました。第二次世界大戦(せん)の 前より 後の ほうが ずっと 国が 多く なりました。そして 今は もっと 多いです。

※ during

Writing Practice 34

Factory Training

□□(きょう)、□(ず)を □(み)ながら モーターを □□(ぶんかい)したり
□(く)み□(た)てたり する □□(じっしゅう)を しました。初(はじ)めに □□(せんせい)
が やって □(み)せて くれました。□(つぎ)に わたしたちは □□(せんせい)
が □(い)った とおりに □□(ぶんかい)して、□□(ぶひん)を □□(じゅんばん)に
並(なら)べました。わたしは □(ず)の □(よこ)に □□(せんせい)の □□(せつめい)を
メモしました。しかし、わたしは □(ず)を □(み)て、メモを □(よ)
みながら、□□(ちゅうい)して やったのですが、□□(じゅんばん)を まちがえ
て □(く)み□(た)てる ことが できませんでした。□□(せんせい)は「わ
たしが やった とおりに □(く)み□(た)てるんですよ。もう □(いち)
□(ど)よく □(み)て ください」と □□(ちゅうい)しました。
□□(きょう)の □□(じっしゅう)は □□(ぜんぶ) 宿(しゅく)□(だい)に なりました。
□□(みょうにち) わたしたちは □□(ひとり)ずつ □□(せんせい)の □(まえ)で □(く)
み□(た)てて 宿(しゅく)□(だい)の 成果(せいか)を □□(はっぴょう)しなければ なりません。
□□(へや)へ □(かえ)ってから、わたしは □(ず)と メモを □(み)ながら、
□□(ぶひん)の □(く)み□(た)ての □□(じゅんじょ)を 復(ふく)□(しゅう)しました。□(つぎ)
は たぶん □(だい)丈夫(じょうぶ) でしょう。……もちろん □(だい)丈夫(じょうぶ)です。

※ result

(325) 売　**意味** sell, sale
音 バイ
訓 うる、うれる

士

売 7

一 十 士 声 壱 声 売

売店（ばいてん）stand, stall
発売（はつばい）sale
売買（ばいばい）buying and selling
売る（うる）sell
安売り（やすうり）bargain sale
売れる（うれる）be sold

売 売 売 売 売 売

(326) 種　**意味** variety, seed, kind
音 シュ
訓 たね

禾

種 14

禾 禾 禾 禾 秆 稍 種 種

種子（しゅし）seed
種目（しゅもく）event
種類（しゅるい）kind
品種（ひんしゅ）kind
人種（じんしゅ）race
種（たね）seed

種 種 種 種 種 種

(327) 達　**意味** attain, reach, arrive
音 タツ
訓

辶

達 12

一 十 土 去 去 幸 幸 達

速達（そくたつ）express mail
達成（たっせい）achievement
上達（じょうたつ）improvement
発達（はったつ）development
達する（たっする）reach
＊友達（ともだち）friend

達 達 達 達 達 達

(328) 約　**意味** promise, contract, approximately, economization
音 ヤク
訓

糸

約 9

𠃋 幺 幺 糸 糸 糸 約 約

約束（やくそく）promise
予約（よやく）reservation
規約（きやく）regulation
要約（ようやく）summary
節約（せつやく）economization
約半年（やくはんとし）about half a year

約 約 約 約 約 約

(329) 講　**意味** lecture, speaking in public
音 コウ
訓

言

講 17

講習会（こうしゅうかい）short course
講師（こうし）lecturer
講堂（こうどう）lecture hall
講演（こうえん）lecture

(330) 義　**意味** justice, right, meaning, relatives by marriage
音 ギ
訓

義 13

講義（こうぎ）lecture
民主主義（みんしゅしゅぎ）democracy
義務（ぎむ）duty
有意義（ゆういぎ）useful
義母（ぎぼ）mother-in-law
義足（ぎそく）artificial leg

(331) 質　**意味** quality, matter, question
音 シツ、(シチ)・(ジチ)
訓

貝

質 15

本質（ほんしつ）essence
物質（ぶっしつ）substance
体質（たいしつ）physical constitution
性質（せいしつ）quality, character
質問（しつもん）question
人質（ひとじち）hostage

(332) 欲　**意味** desire, craving
音 ヨク
訓 (ほっする)、(ほしい)

欠

欲 11

欲（よく）greediness
食欲（しょくよく）appetite
意欲（いよく）will
欲求（よっきゅう）desire
欲する（ほっする）want
欲しい（ほしい）want

Reading Practice 35

Bargain Sale

ぎんざ ゆう( )
銀座の 有名な デパートで、今日から バーゲンセール[※1]が 始まりました。一週間 やって います。セールの 間、いろいろな 品物が たいへん 安く なります。

わたしも その デパートへ 行きました。一階の 売り場で セーターを 買いました。その セーターは 一週間前 一万円でした。それを 七千六百円で 売って いました。約25パー[※2]セント 安く なって いました。これは 国の 妹に 送ります。

次に キッチン[※3]用品売り場へ 行きました。いろいろな 種類の ナイフを 安売りして いました。わたしは グレープフルーツ[※4]用[※5]の ナイフを 買いました。その 売り場で 新発売[※6]の なべを 使って 料理の 講習会を やって いました。しばらく 見てから、講習会の 先生に わからない ことを 質問しました。なべも いろいろな 種類が ありますが、この なべなら 一つで 何でも できます。そして、その 日だけ 約5パーセント 安く 売って いましたから、欲しく なって 買いました。これで 料理が 上達します。

ゆう
いい 品物を 安く 買う ことが できましたから、たいへん 有意義な 一日でした。

※1 bargain sale　※2 percent　※3 kitchen　※4 grapefruit
※5 for　※6 now on sale

Writing Practice 35

1. A Lecture

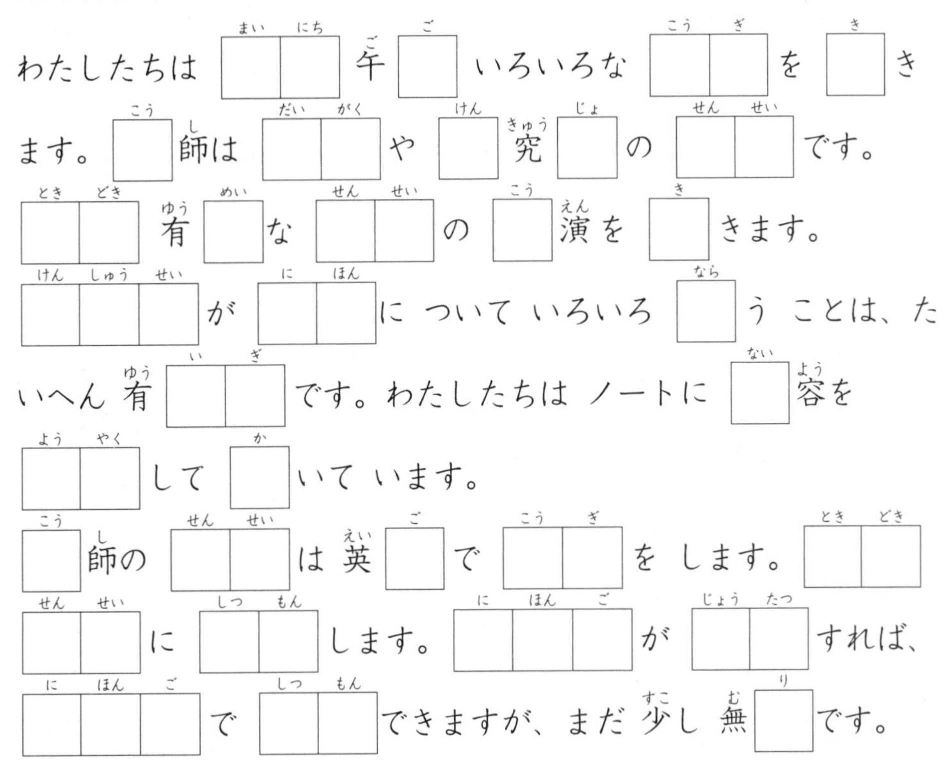

わたしたちは［まいにち］午(ご)［ご］いろいろな［こうぎ］を［き］きます。［こう］師(し)は［だいがく］や［けん］究(きゅう)［じょ］の［せんせい］です。［ときどき］有(ゆう)［めい］な［せんせい］の［こう］演(えん)を［き］きます。［けんしゅうせい］が［にほん］に ついて いろいろ［なら］う ことは、たいへん 有(ゆう)［いぎ］です。わたしたちは ノートに［ない］容(よう)を［ようやく］して［か］いて います。

［こう］師(し)の［せんせい］は 英(えい)［ご］で［こうぎ］を します。［ときどき］［せんせい］に［しつもん］します。［にほんご］が［じょうたつ］すれば、［にほんご］で［しつもん］できますが、まだ 少(すこ)し 無(む)［り］です。

2. Ordering a Dictionary

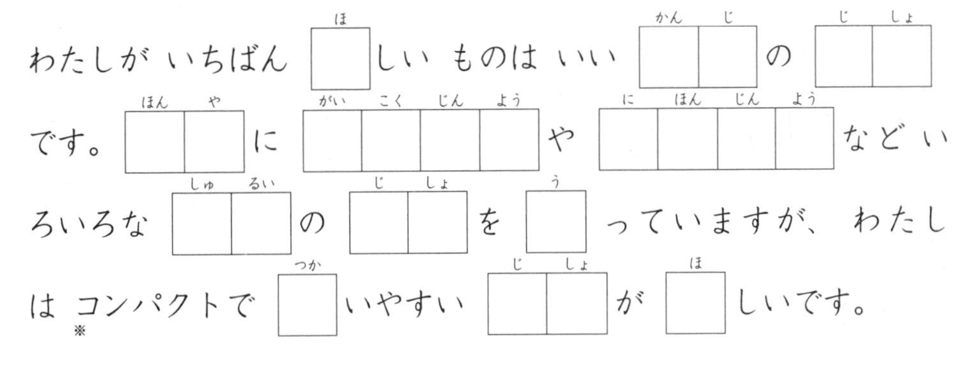

わたしが いちばん［ほ］しい ものは いい［かんじ］の［じしょ］です。［ほんや］に［がいこくじんよう］や［にほんじんよう］など いろいろな［しゅるい］の［じしょ］を［う］っていますが、わたしは コンパクト※で［つか］いやすい［じしょ］が［ほ］しいです。

※ compact

(333) 活　**意味** active, live
音 カツ
訓

氵

活 9

氵 氵 氵 汘 汘 活 活

活動（かつどう）activity
活躍（かつやく）playing an active role
活発な（かっぱつな）active
生活（せいかつ）life
自活（じかつ）independent life

活 活 活 活 活 活

(334) 感　**意味** sense, feel, be affected
音 カン
訓

心

感 13

丿 厂 厂 后 咸 咸 咸 感

感心（かんしん）admirable
感動（かんどう）deeply affecting
感謝（かんしゃ）appreciation
感じる（かんじる）feel
責任感（せきにんかん）sense of responsibility
流感（りゅうかん）influenza

感 感 感 感 感 感

(335) 想　**意味** conceive
音 ソウ、(ソ)
訓

心

想 13

一 十 才 木 朩 朩 相 想

想像（そうぞう）imagination
空想（くうそう）fantasy
感想（かんそう）impression, opinion
思想（しそう）thought
理想（りそう）ideal
愛想（あいそ）amiability

想 想 想 想 想 想

(336) 絶　**意味** break off, come to an end
音 ゼツ
訓 たえる、たやす、たつ

糸

絶 12

幺 糸 糸 糸 糸 糸 絶 絶

絶望（ぜつぼう）despair
断絶（だんぜつ）breaking off
気絶（きぜつ）falling down
絶える（たえる）be extinct
絶やす（たやす）die out
絶つ（たつ）give up

絶 絶 絶 絶 絶 絶

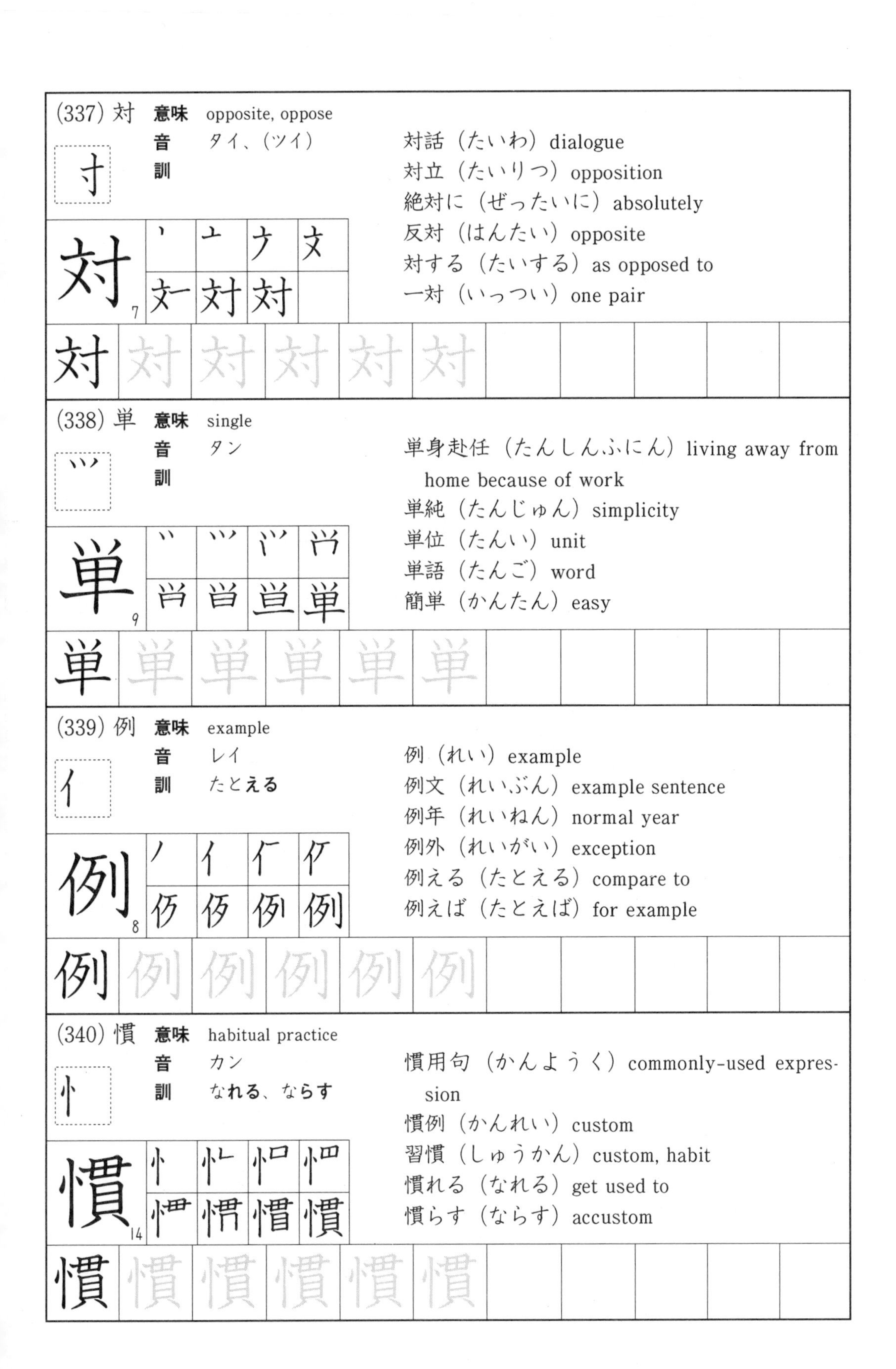

(337) 対　**意味** opposite, oppose
音 タイ、(ツイ)
訓

対話（たいわ）dialogue
対立（たいりつ）opposition
絶対に（ぜったいに）absolutely
反対（はんたい）opposite
対する（たいする）as opposed to
一対（いっつい）one pair

(338) 単　**意味** single
音 タン
訓

単身赴任（たんしんふにん）living away from home because of work
単純（たんじゅん）simplicity
単位（たんい）unit
単語（たんご）word
簡単（かんたん）easy

(339) 例　**意味** example
音 レイ
訓 たと**える**

例（れい）example
例文（れいぶん）example sentence
例年（れいねん）normal year
例外（れいがい）exception
例える（たとえる）compare to
例えば（たとえば）for example

(340) 慣　**意味** habitual practice
音 カン
訓 な**れる**、な**らす**

慣用句（かんようく）commonly-used expression
慣例（かんれい）custom
習慣（しゅうかん）custom, habit
慣れる（なれる）get used to
慣らす（ならす）accustom

Reading Practice 36

1 . Information (1)

定期試験（『新日本語の基礎』[※1] 26課～36課）

7月5日　10時～11時半

習ったことをよく復習するようにしてください。

例えば単語の意味、反対語、動詞の活用、慣用句など。

＊ 絶対に時間に遅れないでください。

＊ 追試[※2]はありません。

2 . Information (2)

日本語スピーチ大会のお知らせ

9月15日（金）　2時～5時

場所：学生食堂

テーマ：何でもかまいません。

例えば、日本について感じたこと

わたしの理想

日本での生活など。

◎ 優勝した人に京都旅行をプレゼントします!!

※1 Shin Nihongo no Kiso　※2 retaking an examination

Writing Practice 36

Impression of Japan

わたしは □□(にほん) へ □(き) て、もうすぐ □□(いちねん) に なります。□□(にほん) の □□(せいかつ) にも □(な) れて、簡(かん) □(たん) な □□□(にほんご) なら、□(はな) せるように なりました。□□(にほん) に ついての □□(かんそう) は いろいろ あります。□(たと) えば、□(あさ) の ラッシュアワー※1には □□(ほんとう) に びっくり※2しました。□□(でんしゃ) に □(の) る □(とき) も、降(お)りる □(とき) も □(たい) 変(へん)です。もちろん 座席(ざせき)※3には □□(ぜったい) に 座(すわ)れません。□(いま) までに □□(なんど) も 死(し)ぬ※4かも しれないと □(おも) いました。□□(ときどき) 降(お)りる □(えき) で 降(お)りられませんでした。□(いま) は 少(すこ)し □(な) れましたから、降(お)りる □(えき) が □(ちか) く なったら、すぐ 降(お)りられるように、ドアの □(ちか) くに □(い) くように して います。※5 □□(ていねん) まで □□(まいにち) 満員(まんいん)※6 □□(でんしゃ) で □□(かいしゃ) に □(かよ) う □□(にほん) の サラリーマンは えらい※7！ と わたしは □(おも) います。

※1 rush hour　※2 be surprised　※3 seat　※4 die
※5 retirement age　※6 packed　※7 amazing

(341) 原　**意味**　plain, original
音　ゲン
訓　はら

厂

原 10　厂 厂 戸 戸 戸 盾 原 原

高原（こうげん）plateau
草原（そうげん、くさはら）grass field
原因（げんいん）cause
原料（げんりょう）raw material
原子力（げんしりょく）nuclear energy
原っぱ（はらっぱ）field

原 原 原 原 原 原

(342) 麦　**意味**　wheat
音　（バク）
訓　むぎ

麦

麦 7　一 十 キ 主 走 麦 麦

麦芽（ばくが）malt
麦（むぎ）wheat
麦畑（むぎばたけ）field of wheat
大麦（おおむぎ）barley
小麦（こむぎ）wheat

麦 麦 麦 麦 麦 麦

(343) 米　**意味**　rice, America
音　ベイ、マイ
訓　こめ

米

米 6　丶 丷 丷 半 米 米

米作（べいさく）rice production
米国（べいこく）U.S.A.
新米（しんまい）①this year's rice ②new-comer
米（こめ）rice
米屋（こめや）rice shop

米 米 米 米 米 米

(344) 油　**意味**　oil
音　ユ
訓　あぶら

氵

油 8　丶 丶 氵 氵 汩 沺 油 油

油田（ゆでん）oil field
石油（せきゆ）petroleum
原油（げんゆ）crude oil
油断（ゆだん）carelessness
油（あぶら）oil
油絵（あぶらえ）oil painting

油 油 油 油 油 油

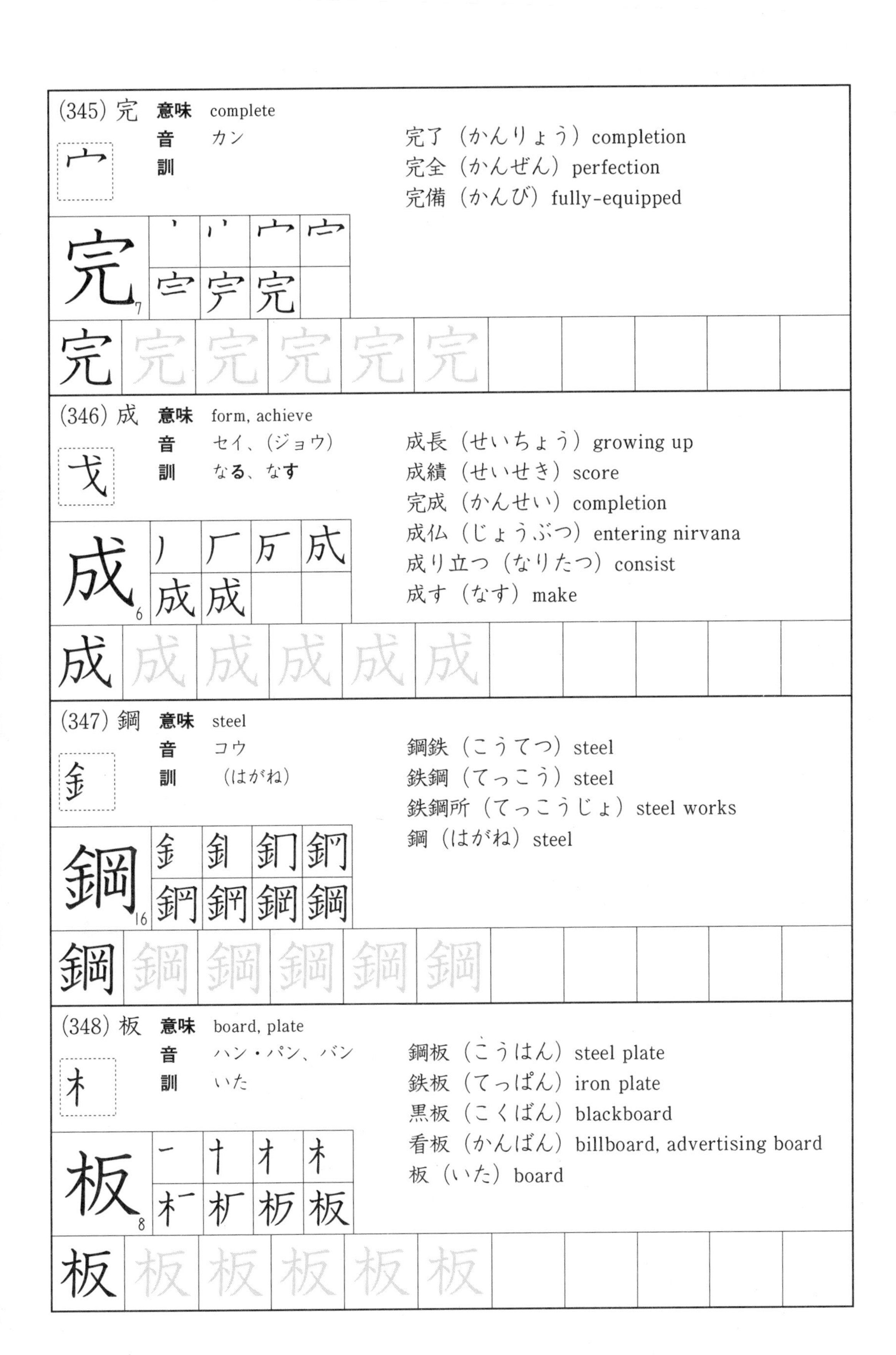

(345) 完 **意味** complete
音 カン
訓

完了（かんりょう）completion
完全（かんぜん）perfection
完備（かんび）fully-equipped

(346) 成 **意味** form, achieve
音 セイ、(ジョウ)
訓 なる、なす

成長（せいちょう）growing up
成績（せいせき）score
完成（かんせい）completion
成仏（じょうぶつ）entering nirvana
成り立つ（なりたつ）consist
成す（なす）make

(347) 鋼 **意味** steel
音 コウ
訓 (はがね)

鋼鉄（こうてつ）steel
鉄鋼（てっこう）steel
鉄鋼所（てっこうじょ）steel works
鋼（はがね）steel

(348) 板 **意味** board, plate
音 ハン・パン、バン
訓 いた

鋼板（こうはん）steel plate
鉄板（てっぱん）iron plate
黒板（こくばん）blackboard
看板（かんばん）billboard, advertising board
板（いた）board

Reading Practice 37

1. A Car Factory

ここは 車の 生産ラインです。ここで 鋼板が 切られて、溶接(ようせつ)されて、ボディーが 組み立てられます。ボディーが 完成したら エンジンが 取り付けられます。作業は ほとんど ロボットが やって います。この 工場では 1日に 1500台 トラックが 生産されて います。

2. Diary

今日 原先生に 呼ばれて、日本の 感想を 聞かれた。わたしが 日本の 生活は 本当に 楽しいし、食べ物にも 慣れて、毎日 お米の ご飯(はん)を 食べて いると 答えたら、先生は 「そうですか」と 言って 笑(わら)った。それから、勉強は 難(むずか)しいけれど おもしろいと 言ったら、先生に 「あなたは、いつも よく 勉強して いますね。日本語が とても 上手に なりましたよ。」と 褒(ほ)められた。うれしかった。けさは たいへん 寒かったから、あした 石油ストーブ※1を 買いに 行こうと 思って いる。安いのが あれば いいが。

3. Harvest Season for Barley

6月は、麦の 取り入れ※2の 季節(きせつ)※3だから、「麦の 秋」と 呼ばれて いる。

※1 stove　※2 harvest　※3 season

Writing Practice 37

1. An Iron Foundry

□(いま)、□(おお)きな □(てっ)□(こう)□(じょ)が □(つく)られて います。□(こう)□(じょう)が □(かん)□(せい)したら、ここで できた □(こう)□(はん)の 50パーセントが □(ちか)くの □(みなと)から □(かい)□(がい)※1 へ 輸(ゆ)□(しゅつ)されます。

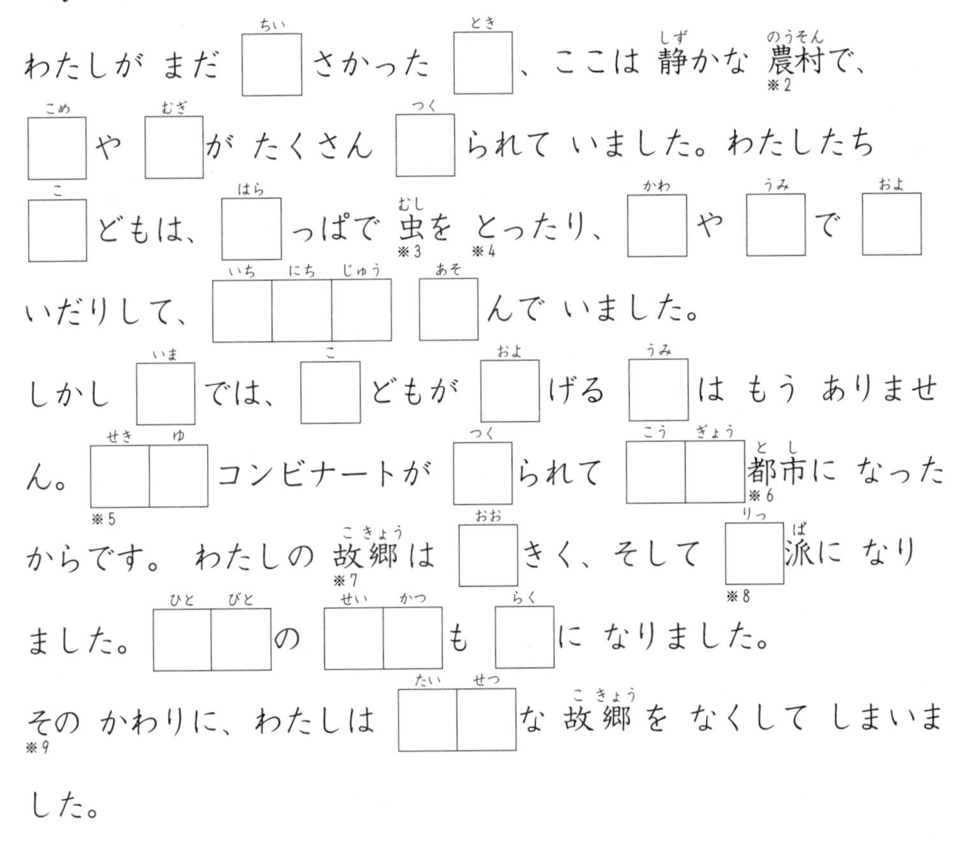

2. My Hometown

わたしが まだ □(ちい)さかった □(とき)、ここは 静(しず)かな 農村(のうそん)※2で、□(こめ)や □(むぎ)が たくさん □(つく)られて いました。わたしたち □(こ)どもは、□(はら)っぱで 虫(むし)※3を とったり※4、□(かわ)や □(うみ)で □(およ)いだりして、□(いち)□(にち)□(じゅう) □(あそ)んで いました。

しかし □(いま)では、□(こ)どもが □(およ)げる □(うみ)は もう ありません。□(せき)□(ゆ)※5 コンビナートが □(つく)られて □(こう)□(ぎょう)都市(とし)※6に なったからです。わたしの 故郷(こきょう)※7は □(おお)きく、そして □(りっ)派(ぱ)※8に なりました。□(ひと)□(びと)の □(せい)□(かつ)も □(らく)に なりました。

その かわりに※9、わたしは □(たい)□(せつ)な 故郷(こきょう)を なくして しまいました。

※1 overseas　※2 farming village　※3 insect　※4 catch
※5 oil complex　※6 city　※7 hometown　※8 imposing
※9 instead

(349) 算 **意味** calculate
音 サン・ザン
訓

⺮

算 14

⺮ 竹 竹 筲 筲 笪 算 算

算数（さんすう）arithmetic
計算（けいさん）calculation
予算（よさん）budget
精算所（せいさんじょ）fare adjustment office
足し算（たしざん）addition
電算機（でんさんき）electronic calculator

算 算 算 算 算 算

(350) 夜 **意味** night
音 ヤ
訓 よ、よる

亠

夜 8

丶 亠 广 疒 疒 疖 疖 夜

夜間（やかん）night
夜行（やこう）nocturnal, moving at night
今夜（こんや）tonight
夜中（よなか）in the middle of the night
夜明け（よあけ）dawn
夜（よる）night

夜 夜 夜 夜 夜 夜

(351) 野 **意味** field
音 ヤ
訓 の

里

野 11

冂 日 甲 里 野 野 野 野

野外（やがい）outdoor
野菜（やさい）vegetable
野党（やとう）nongovernment party
野鳥（やちょう）wild bird
平野（へいや）plain
野原（のはら）field

野 野 野 野 野 野

(352) 球 **意味** ball
音 キュウ
訓 たま

王

球 11

王 王 玎 玎 玎 球 球 球

球形（きゅうけい）sphere
球場（きゅうじょう）ball park
地球（ちきゅう）earth
電球（でんきゅう）light bulb
野球（やきゅう）baseball
球（たま）ball

球 球 球 球 球 球

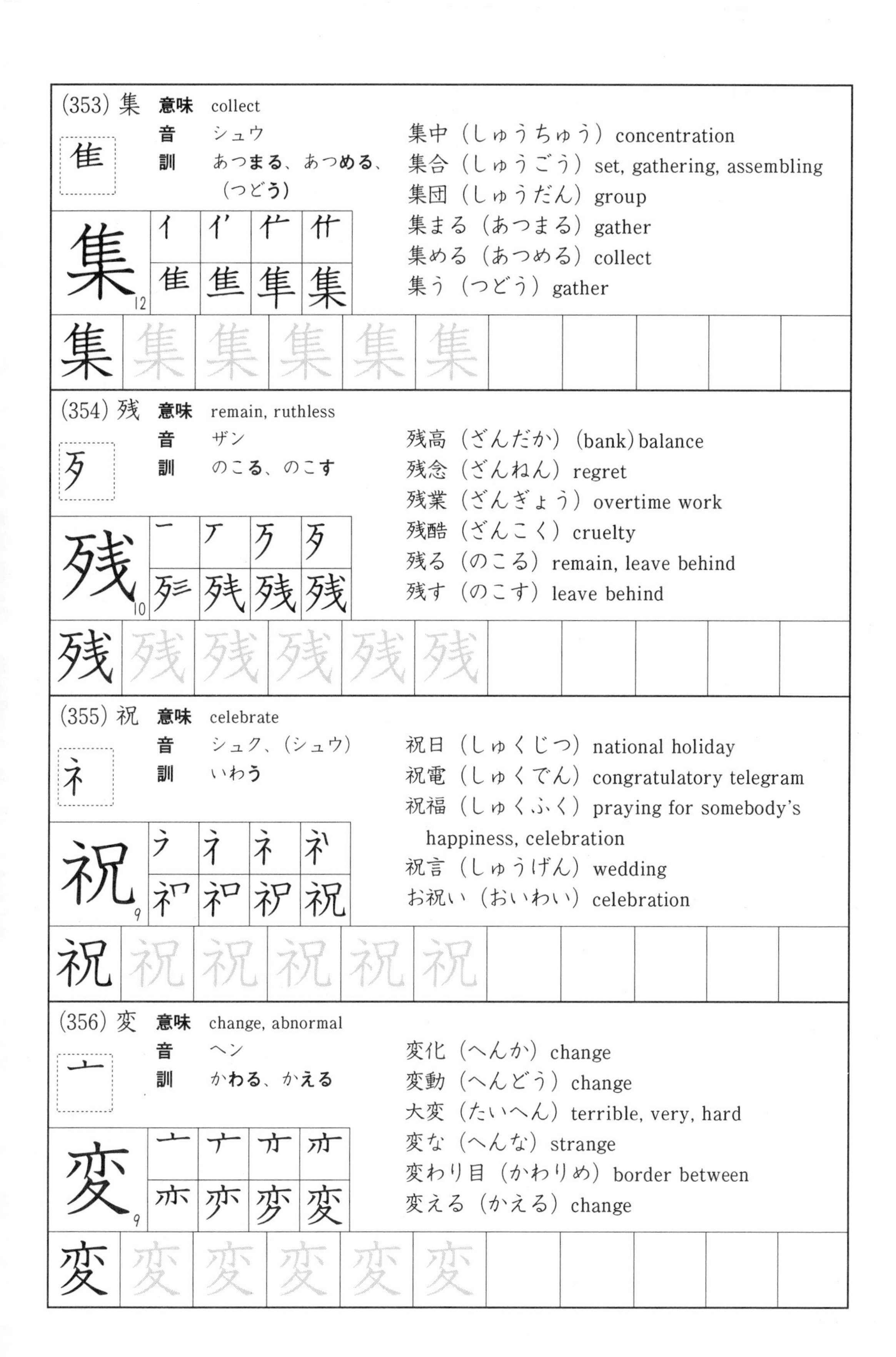

(353) 集 **意味** collect
音 シュウ
訓 あつまる、あつめる、（つどう）

集中（しゅうちゅう）concentration
集合（しゅうごう）set, gathering, assembling
集団（しゅうだん）group
集まる（あつまる）gather
集める（あつめる）collect
集う（つどう）gather

(354) 残 **意味** remain, ruthless
音 ザン
訓 のこる、のこす

残高（ざんだか）(bank) balance
残念（ざんねん）regret
残業（ざんぎょう）overtime work
残酷（ざんこく）cruelty
残る（のこる）remain, leave behind
残す（のこす）leave behind

(355) 祝 **意味** celebrate
音 シュク、（シュウ）
訓 いわう

祝日（しゅくじつ）national holiday
祝電（しゅくでん）congratulatory telegram
祝福（しゅくふく）praying for somebody's happiness, celebration
祝言（しゅうげん）wedding
お祝い（おいわい）celebration

(356) 変 **意味** change, abnormal
音 ヘン
訓 かわる、かえる

変化（へんか）change
変動（へんどう）change
大変（たいへん）terrible, very, hard
変な（へんな）strange
変わり目（かわりめ）border between
変える（かえる）change

Reading Practice 38

1. My Baseball Team

会社に 野球の チームが できたのを 聞いて、わたしも すぐ チームに 入りました。みんな 仕事が 忙(いそが)しいですから、野球の 練習を するのは 日曜日とか 祝日だけです。夜 遅(おそ)くまで 残業を した 時は、朝 起きるのが 大変です。でも、みんな 必ず 集まります。野球が 大好きだし、それに 野球の 後で ビールを 飲むのが 楽しみ※1だからです。

2. The Office Computer

このごろ※2 わたしの オフィス※3でも コンピューターが 使われるように なりました。わたしは 初(はじ)めは 使い方を 覚(おぼ)えるのが 大変でしたが、今は 上手に 使えるように なりました。コンピューターは 書類の 整理や 計算を するのが 速(はや)いですから、本当に 便利だと 思います。

※1 pleasure　※2 recently　※3 office

Writing Practice 38

1. Information

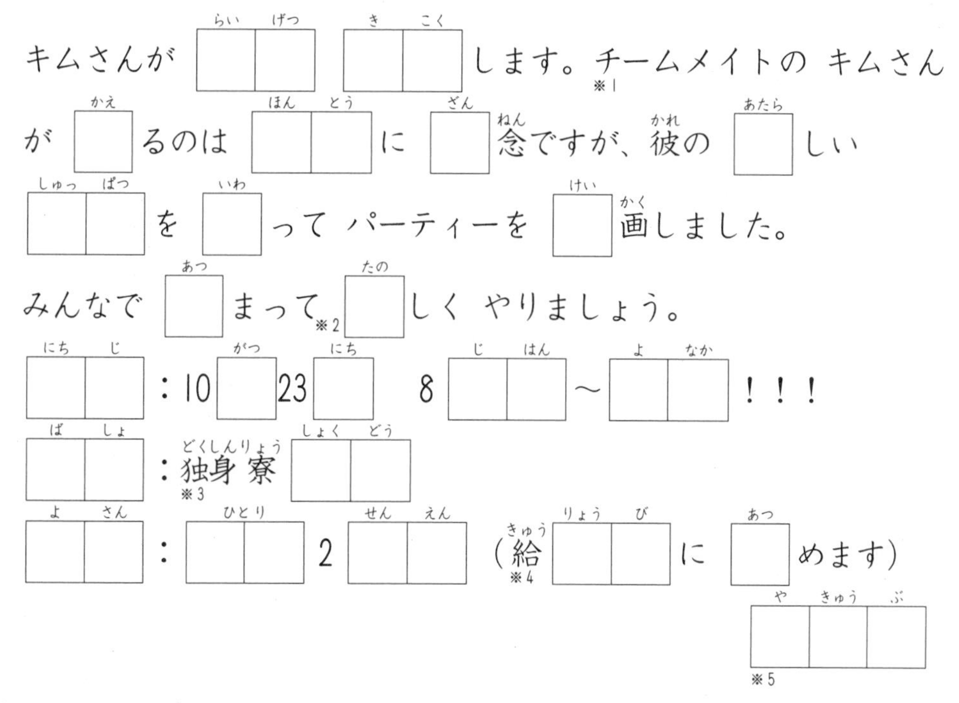
キムさんが　　　します。チームメイトの キムさん
が　るのは　　に　念ですが、彼の　しい
　　を　って パーティーを　画しました。
みんなで　まって　しく やりましょう。
　　：10　23　8　　～　　！！！
　　：独身寮
　　：　　2　　（給　　に　めます）
※1 ※2 ※3 ※4 ※5

2. Oh, Work !

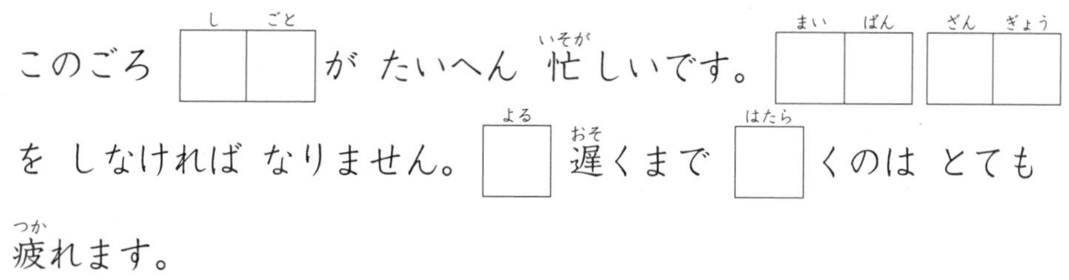
このごろ　　が たいへん 忙しいです。
を しなければ なりません。　遅くまで　くのは とても
疲れます。

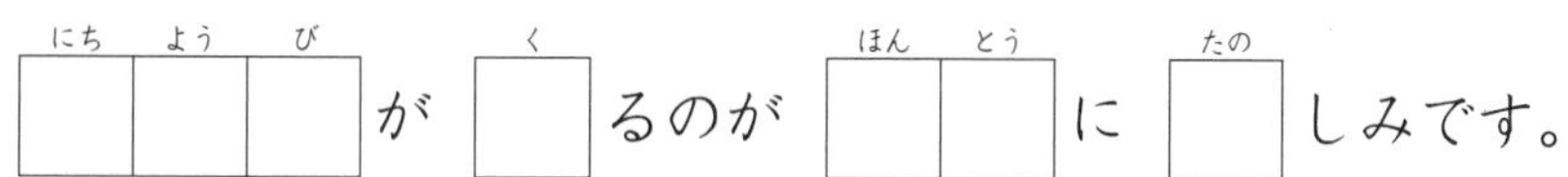
が　るのが　　に　しみです。

※1 teammate　※2 enjoyably　※3 dormitory for single people
※4 payday　※5 baseball club

(357) 死　**意味**　die
音　シ
訓　しぬ

歹

死 6
一 ㄏ 歹 歹 歹' 死

死亡（しぼう）death
死者（ししゃ）dead person
死体（したい）dead body
事故死（じこし）accidental death
必死（ひっし）desperate
死ぬ（しぬ）die

死 死 死 死 死 死

(358) 結　**意味**　tie, conclude
音　ケツ
訓　むすぶ、(ゆう)、(ゆわえる)

糸

結 12
幺 糸 糸一 糸十 結 結 結 結

結婚（けっこん）marriage
結論（けつろん）consequence, conclusion
結果（けっか）result
結ぶ（むすぶ）tie, unite
結う（ゆう）tie
結わえる（ゆわえる）tie

結 結 結 結 結 結

(359) 式　**意味**　style, ceremony
音　シキ
訓

弋

式 6
一 二 丅 工 式 式

式（しき）①ceremony ②formula
洋式（ようしき）Western style
正式（せいしき）formal
卒業式（そつぎょうしき）graduation ceremony
結婚式（けっこんしき）wedding ceremony

式 式 式 式 式 式

(360) 州　**意味**　state
音　シュウ
訓　(す)

川

州 6
丶 リ 小 州 州 州

州知事（しゅうちじ）state governor
本州（ほんしゅう）Honshu (main island of Japan)
九州（きゅうしゅう）Kyushu (Japanese island)
三角州（さんかくす）delta

州 州 州 州 州 州

(361) 泣 意味 cry
音 （キュウ）
訓 なく
氵
号泣（ごうきゅう）crying out loud
泣く（なく）cry, weep
泣き虫（なきむし）cry baby
泣き声（なきごえ）sob

(362) 焼 意味 burn
音 （ショウ）
訓 やく、やける
火
燃焼（ねんしょう）burning
焼く（やく）burn
焼き鳥（やきとり）grilled pieces of chicken
焼き肉（やきにく）barbecued meat
焼ける（やける）get tanned, be cooked
夕焼け（ゆうやけ）red sky

(363) 笑 意味 laugh
音 （ショウ）
訓 わらう、（えむ）
⺮
苦笑（くしょう）bitter smile
笑う（わらう）laugh
笑い声（わらいごえ）laughing voice
笑い話（わらいばなし）funny story, joke
ほほ笑む（ほほえむ）smile
*笑顔（えがお）smiling face

(364) 故 意味 old, the late～
音 コ
訓 （ゆえ）
攵
故郷（こきょう）hometown
故事（こじ）historic event
故人（こじん）the deceased
故障（こしょう）trouble, breakdown
事故（じこ）accident
故に（ゆえに）thus, therefore

Reading Practice 39

1 . Driving

今度の 連休は 山田君と 四国を 旅(りょ)行しようと 思って います。

本州と 四国が 橋で 結ばれて 便利に なったので、車で 行く つもりです。

交通事故に 気を つけて 行って 来ます。お土産(みやげ)を 待って いて ください。

2 . Memories

今日は 卒(そつ)業式だった。式で 先生の 話を 聞きながら、いろいろな ことを 思い出した。

日本語を 必死に 勉強した こと。

日本の 習慣が わからなくて、友達(ともだち)に 笑われた こと。

夕焼けを 見て、故郷(きょう)を 思い出して 泣いた こと。

今では いい 思い出だ。
※

あしたから 新しい 生活が 始まる。

いい 仕事が できるように 頑張(がんば)ろう。

※　now

Writing Practice 39

1 . News

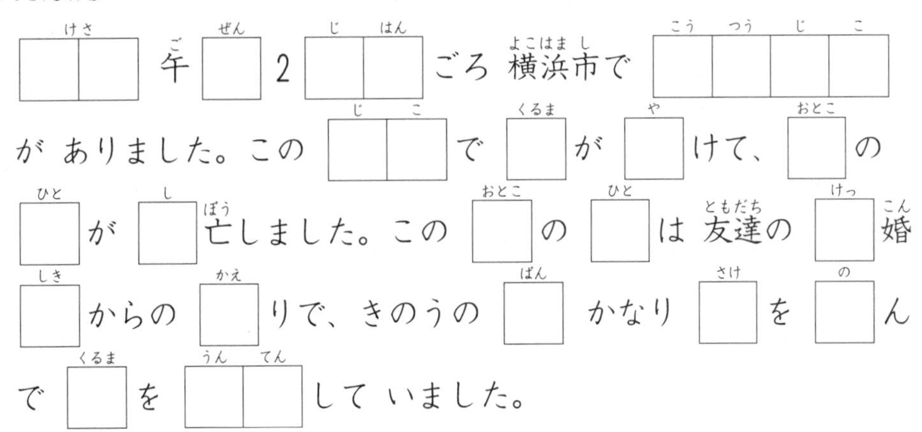

2 . A Letter

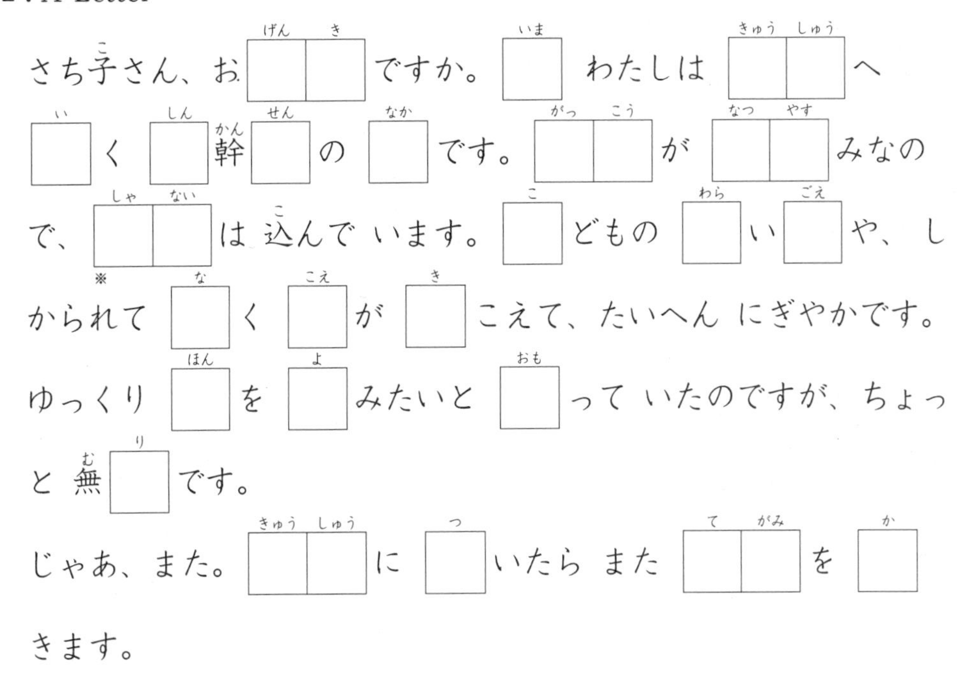

※　in the train

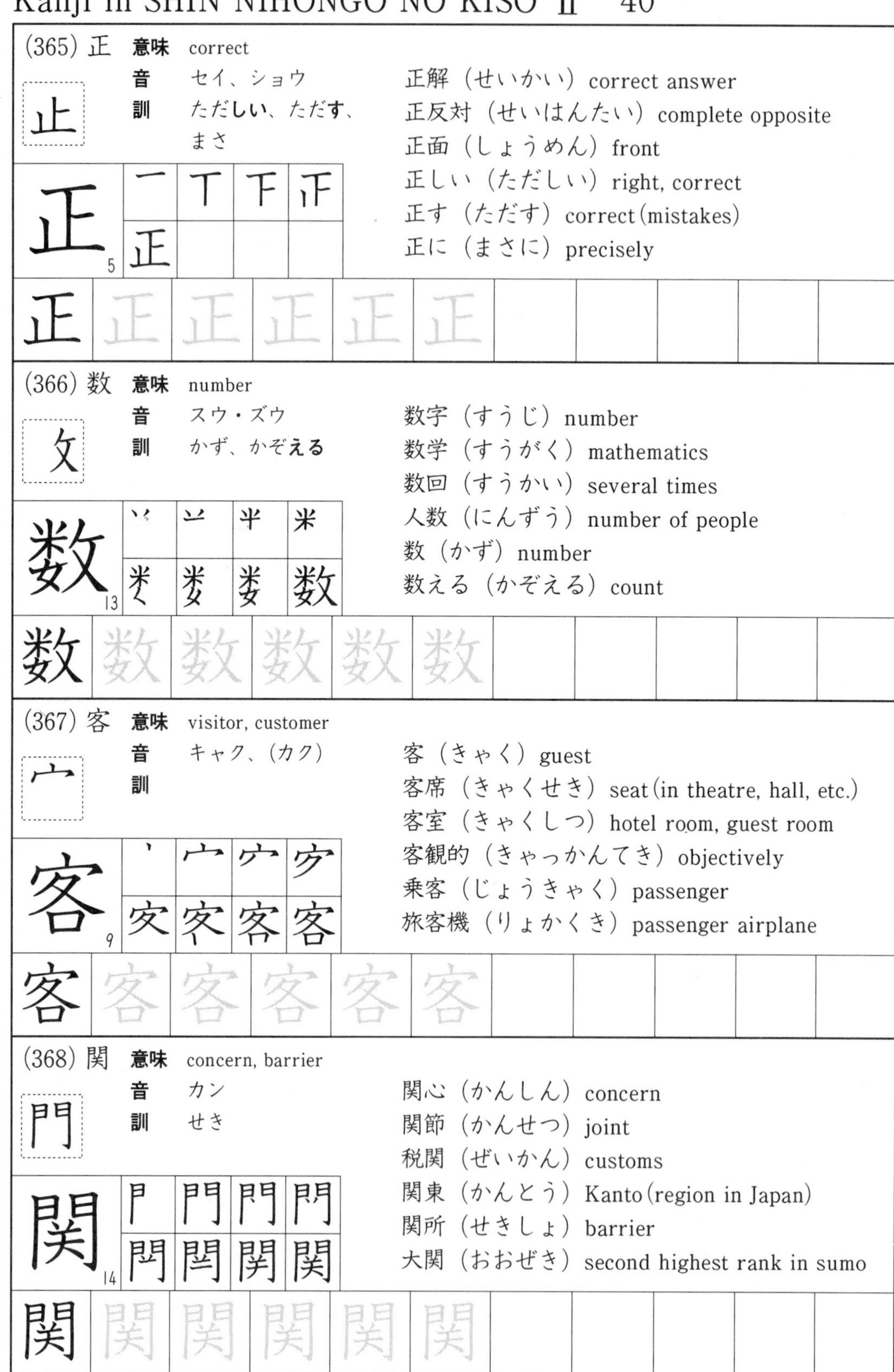

(365) 正　意味　correct
音　セイ、ショウ
訓　ただしい、ただす、まさ

正解（せいかい）correct answer
正反対（せいはんたい）complete opposite
正面（しょうめん）front
正しい（ただしい）right, correct
正す（ただす）correct (mistakes)
正に（まさに）precisely

(366) 数　意味　number
音　スウ・ズウ
訓　かず、かぞえる

数字（すうじ）number
数学（すうがく）mathematics
数回（すうかい）several times
人数（にんずう）number of people
数（かず）number
数える（かぞえる）count

(367) 客　意味　visitor, customer
音　キャク、（カク）
訓

客（きゃく）guest
客席（きゃくせき）seat (in theatre, hall, etc.)
客室（きゃくしつ）hotel room, guest room
客観的（きゃっかんてき）objectively
乗客（じょうきゃく）passenger
旅客機（りょかくき）passenger airplane

(368) 関　意味　concern, barrier
音　カン
訓　せき

関心（かんしん）concern
関節（かんせつ）joint
税関（ぜいかん）customs
関東（かんとう）Kanto (region in Japan)
関所（せきしょ）barrier
大関（おおぜき）second highest rank in sumo

(369) 係　**意味**　connect, person in charge
音　ケイ
訓　かか**る**、かかり

亻

係 9

関係（かんけい）relationship, relation
連係プレー（れんけいプレー）working closely together
係る（かかる）be involved in (with)
係（かかり）person in charge
係長（かかりちょう）section chief
案内係（あんないがかり）guide

係

(370) 希　**意味**　rare, aspire
音　キ
訓

巾

希 7

希少価値（きしょうかち）rarity value
古希（こき）70 years of age

希

(371) 望　**意味**　hope, look after
音　ボウ、(モウ)
訓　のぞ**む**

月

望 11

希望（きぼう）hope
失望（しつぼう）disappointment
望遠鏡（ぼうえんきょう）telescope
本望（ほんもう）long-cherished desire
望む（のぞむ）hope
望み（のぞみ）hope, wish, desire

望

(372) 個　**意味**　individual, general counter
音　コ
訓

亻

個 10

個室（こしつ）single room, private room
個人（こじん）individual
個性（こせい）personality
別個（べっこ）separate
個展（こてん）exhibition of a person's work
一個（いっこ）one piece, one item

個

Reading Practice 40

The Work of a Stewardess

わたしは スチュワーデス※1です。

飛(ひ)行機の 中で 乗客の 皆(みな)さんが 楽しく 旅(りょ)行できるように いろいろな 仕事を して います。

出発の 時、新聞や 雑誌(ざっし)や キャンデー※2を 配ったり します。

食事の 時、肉(にく)と 魚(さかな)と どちらが いいか、希望を 聞きます。

そして 人数と 料理の 数が 正しいか どうか、確(たし)かめながら 連係プレーで 運びます。体の 調子が 悪い 人には 別(べっ)個に 用意します。

今 どこを 飛(と)※3んで いるか、関心が ある 方も いるので、いつでも 答えられるように 準備(じゅんび)して おかなければ なりません。

その ほかに、客室を 掃除(そうじ)したり、荷(に)物を 片付(かたづ)けたり する 係も あります。

けれども わたしたちの いちばん 大切な 仕事は 乗客の 皆(みな)さんを 安全に 運ぶ ことです。

※1 stewardess　※2 candy　※3 fly

Writing Practice 40

1. Research

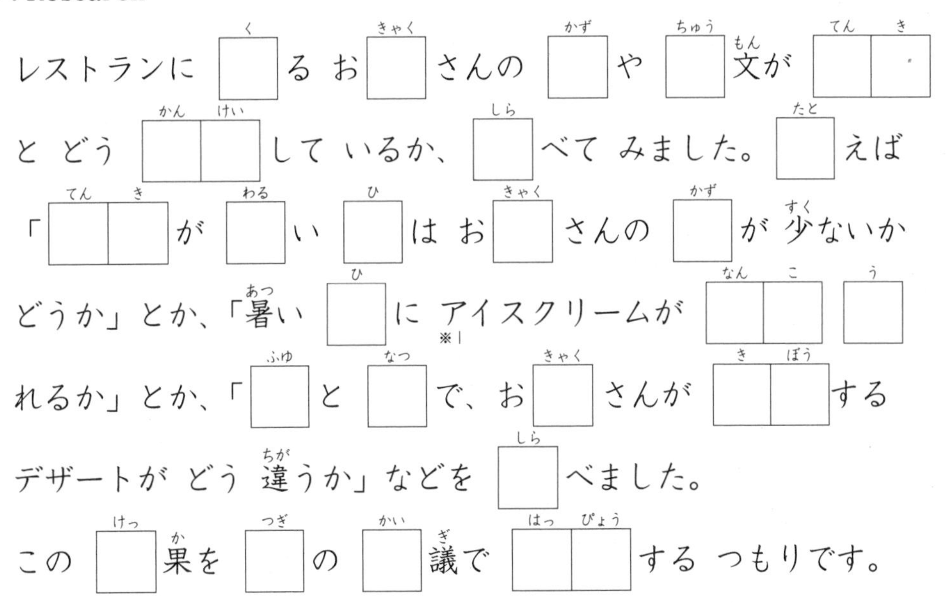

レストランに □（く）る お□（きゃく）さんの □（かず）や □（ちゅう）文（もん）が □□（てんき）
と どう □□（かんけい）して いるか、□（しら）べて みました。□（たと）えば
「□□（てんき）が □（わる）い □（ひ）は お□（きゃく）さんの □（かず）が 少（すく）ないか
どうか」とか、「暑（あつ）い □（ひ）に アイスクリーム※1が □□（なんこ） □（う）
れるか」とか、「□（ふゆ）と □（なつ）で、お□（きゃく）さんが □□（きぼう）する
デザートが どう 違（ちが）うか」などを □（しら）べました。
この □（けっ）果（か）を □（つぎ）の □（かい）議（ぎ）で □□（はっぴょう）する つもりです。

2. Brain Exercise

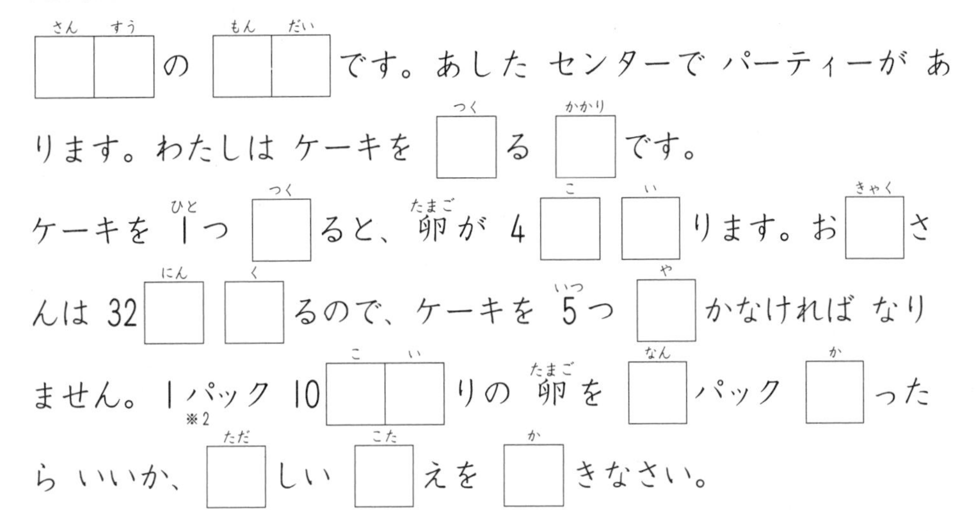

□□（さんすう）の □□（もんだい）です。あした センターで パーティーが あ
ります。わたしは ケーキを □（つく）る □（かかり）です。
ケーキを 1（ひと）つ □（つく）ると、卵（たまご）が 4□（こ） □（い）ります。お□（きゃく）さ
んは 32□（にん） □（く）るので、ケーキを 5（いつ）つ □（や）かなければ なり
ません。1パック※2 10□□（こい）りの 卵（たまご）を □（なん）パック □（か）った
ら いいか、□（ただ）しい □（こた）えを □（か）きなさい。

※1 ice cream　※2 packet

(373) 犬 **意味** dog
音 ケン
訓 いぬ

犬 4
一 ナ 大 犬

日本犬（にほんけん）Japanese dog
番犬（ばんけん）watchdog
野犬（やけん）wild dog
犬（いぬ）dog
犬小屋（いぬごや）kennel
小犬（こいぬ）small dog

犬 犬 犬 犬 犬 犬

(374) 寺 **意味** Buddhist temple
音 ジ
訓 てら

寺 6
一 十 土 𡈽 寺 寺

寺院（じいん）temple
古寺（こじ）old temple
金閣寺（きんかくじ）Kinkaku Temple (Temple of the Golden Pavilion)
東大寺（とうだいじ）Todai Temple
寺（てら）temple

寺 寺 寺 寺 寺 寺

(375) 自 **意味** self
音 ジ、シ
訓 みずから

自 6
′ 丨 门 白 自 自

自分（じぶん）oneself
自動（じどう）automatic
自由に（じゆうに）freely
各自（かくじ）every person
自然（しぜん）nature
自ら（みずから）by oneself

自 自 自 自 自 自

(376) 親 **意味** parent, relatives, intimate
音 シン
訓 おや、したしい、したしむ

親 16
丶 亠 亣 立 立 辛 亲 親

親友（しんゆう）close friend
親切（しんせつ）kind
親指（おやゆび）thumb, big toe
父親（ちちおや）father
親しい（したしい）close
親しむ（したしむ）become familiar

親 親 親 親 親 親

(377) 息 **意味** breath, son
音 ソク
訓 いき

心

息 10

丿 亻 白 白 自 自 息 息

休息（きゅうそく）rest
消息（しょうそく）how things stand
子息（しそく）one's son
息切れ（いきぎれ）breathlessness
ため息（ためいき）sigh
＊息子（むすこ）son

息 息 息 息 息 息

(378) 族 **意味** family
音 ゾク
訓

方

族 11

方 方 方 方 方 方 族 族

家族（かぞく）family
一族（いちぞく）one's whole family
親族（しんぞく）kinsman
民族（みんぞく）race
水族館（すいぞくかん）aquarium
暴走族（ぼうそうぞく）reckless driver(s)

族 族 族 族 族 族

(379) 礼 **意味** etiquette, rite
音 レイ、（ライ）
訓

ネ

礼 5

丶 ラ ネ ネ 礼

礼儀（れいぎ）manner
失礼（しつれい）excuse
朝礼（ちょうれい）morning meeting
謝礼（しゃれい）monetary remuneration
お礼（おれい）bow, thanks
礼賛（らいさん）praise

礼 礼 礼 礼 礼 礼

(380) 招 **意味** invite
音 ショウ
訓 まねく

扌

招 8

一 十 扌 扌 扌 扌 招 招

招待（しょうたい）invitation
招集（しょうしゅう）call, summon
招く（まねく）invite
手招き（てまねき）beckoning

招 招 招 招 招 招

Reading Practice 41

1. A Letter

木村さん、お元気ですか。先日は わたしたちを 招待して くださって ありがとう ございました。お寺を 見物したり、おいしい ごちそう※1を 食べたり、本当に いい 一日でした。木村さんが 作って くださった 焼きそば※2、とても おいしかったです。作り方を 教えて いただいたので、今度 自分で 作って みようと 思って います。奥さん、息子さん、ご※3両親にも 親切に して いただいて、うれしかったです。本当に すてきな※4 ご家族ですね。どうぞ 皆さんにも よろしく※5 言って ください。それでは また。ありがとう ございました。　リー

2. A Visit

1週間 海外旅行を した。犬を 親友の 田中君に 預かっ※6て もらったので、今日は お土産の ウイスキーを 持って、田中君の 家へ お礼に 行った。田中君の 両親には しばらく※7 会って いなかったが、ぼくを 覚えて いて くださって、遠足の 時の 写真などを 見せて くださった。夕食を ごちそう※8に なって、9時ごろ 家へ 帰った。

※1 treat　※2 fried noodles　※3 (prefix used to show respect)
※4 wonderful　※5 say hello to ～　※6 keep
※7 for a long time　※8 treat to

Writing Practice 41

1 . Illness

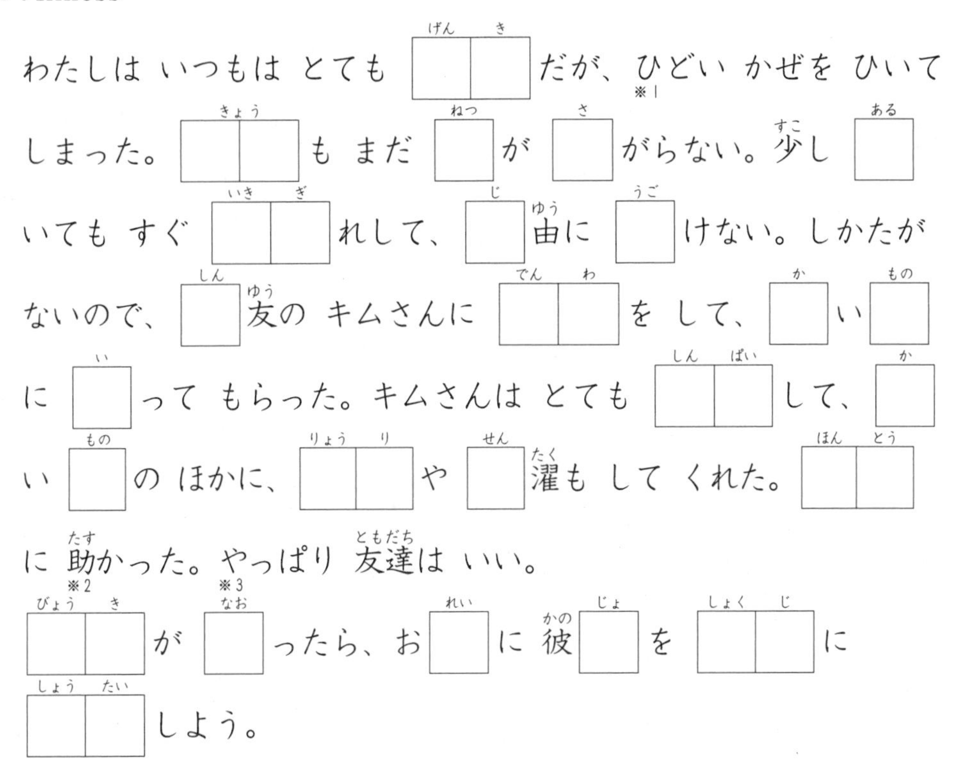

わたしは いつもは とても □□(げんき)だが、ひどい※1 かぜを ひいて しまった。□□(きょう)も まだ □(ねつ)が □(さ)がらない。少(すこ)し □(ある)いても すぐ □□(いきぎ)れして、□(じ)由(ゆう)に □(うご)けない。しかたがないので、□(しん)友(ゆう)の キムさんに □□(でんわ)を して、□(か)い□(もの)に □(い)って もらった。キムさんは とても □□(しんぱい)して、□(か)い□(もの)の ほかに、□□(りょうり)や □(せん)濯(たく)も して くれた。□□(ほんとう)に 助(たす)※2かった。やっぱり※3 友達(ともだち)は いい。

□□(びょうき)が □(なお)ったら、お□(れい)に 彼(かの)□(じょ)を □□(しょくじ)に □□(しょうたい)しよう。

2 . A Small Dog

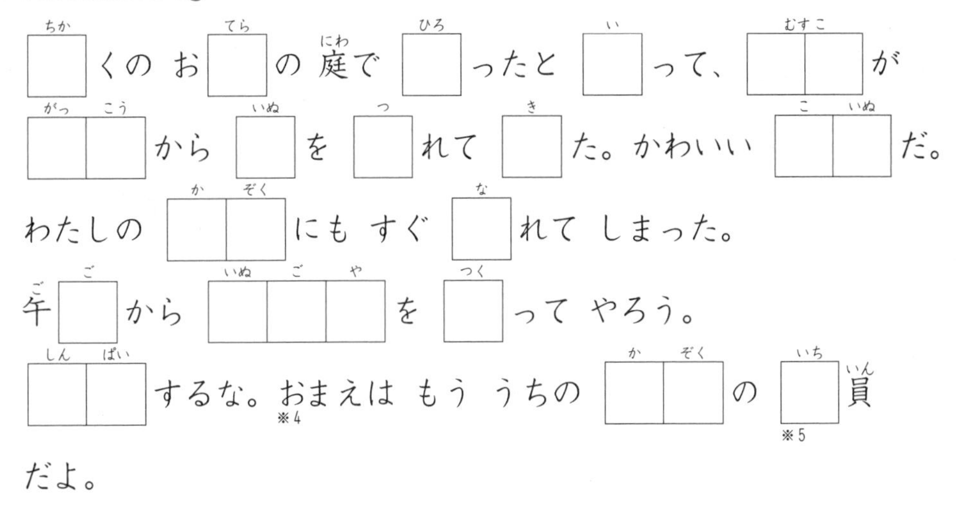

□(ちか)くの お□(てら)の 庭(にわ)で □(ひろ)ったと □(い)って、□□(むすこ)が □□(がっこう)から □(いぬ)を □(つ)れて □(き)た。かわいい □□(こいぬ)だ。

わたしの □□(かぞく)にも すぐ □(な)れて しまった。

午(ご)□(ご)から □□□(いぬごや)を □(つく)って やろう。

□□(しんぱい)するな。おまえ※4は もう うちの □□(かぞく)の □(いち)員(いん)※5だよ。

※1 terrible　※2 be helped　※3 as expected　※4 you
※5 a member

(381) 員　**意味** member
音 イン
訓

口

員 10

口 尸 只 冐 員 員 員 員

社員（しゃいん）company staff
係員（かかりいん）person in charge
公務員（こうむいん）civil servant
定員（ていいん）number of people allowed
満員（まんいん）full
全員（ぜんいん）all the members

(382) 湖　**意味** lake
音 コ
訓 みずうみ

氵

湖 12

氵 汁 汁 沽 沽 洂 湖 湖

湖水（こすい）lake(water)
湖上（こじょう）on the lake
火口湖（かこうこ）lake in a crater
琵琶湖（びわこ）Lake Biwa
湖（みずうみ）lake

(383) 季　**意味** season
音 キ
訓

禾

季 8

一 二 千 禾 禾 秂 季 季

四季（しき）four seasons
雨季（うき）rainy season
乾季（かんき）dry season
夏季（かき）summer
冬季オリンピック（とうきオリンピック）
Winter Olympics

(384) 節　**意味** joint, season of the year
音 セツ
訓 ふし

⺮

節 13

⺮ 笁 笁 笁 笪 笪 節 節

節約（せつやく）economization
季節（きせつ）season
調節（ちょうせつ）control
関節（かんせつ）joint
竹の節（たけのふし）bamboo joint

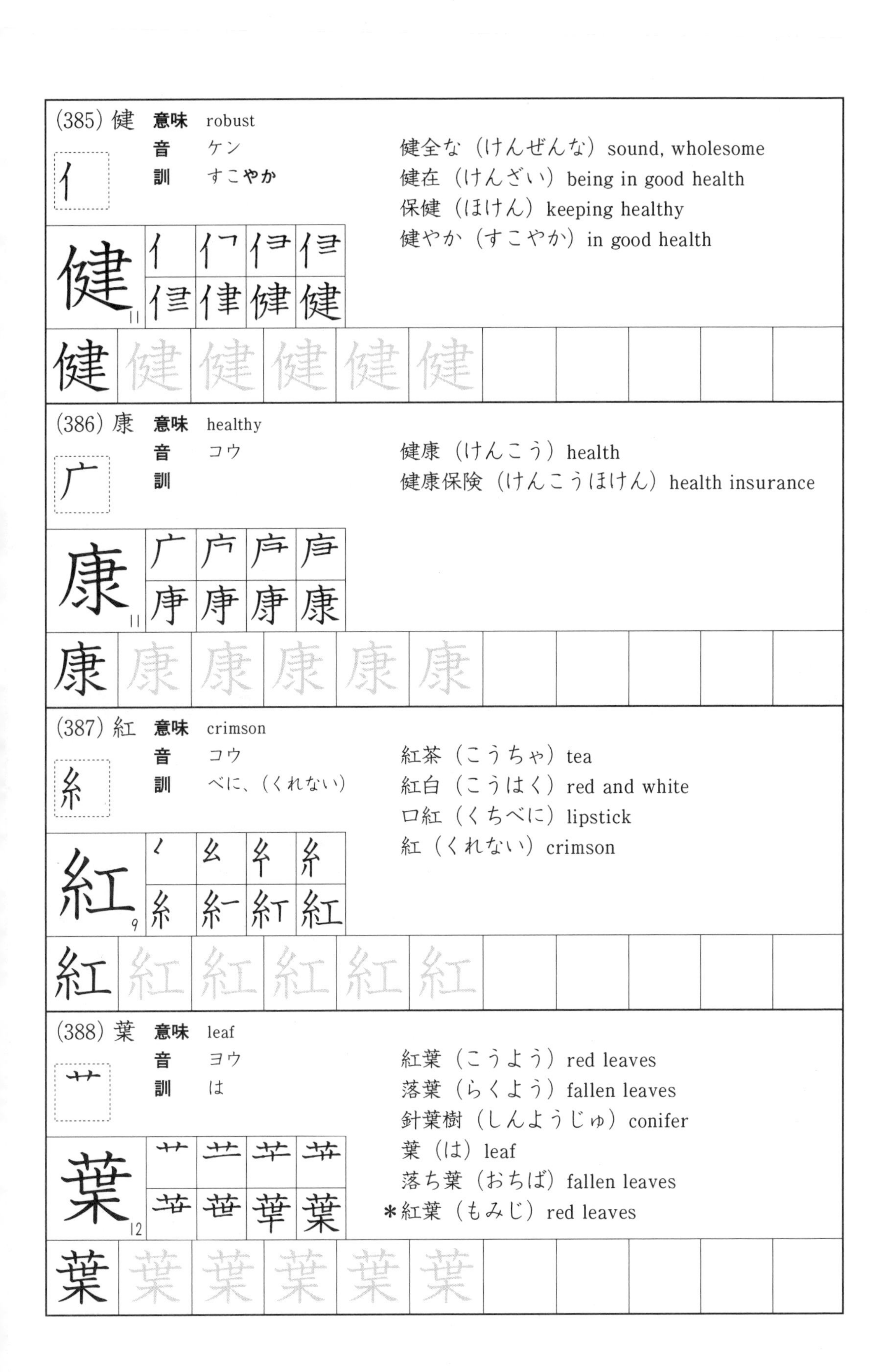

(385) 健 **意味** robust
音 ケン
訓 すこやか

健全な（けんぜんな）sound, wholesome
健在（けんざい）being in good health
保健（ほけん）keeping healthy
健やか（すこやか）in good health

(386) 康 **意味** healthy
音 コウ
訓

健康（けんこう）health
健康保険（けんこうほけん）health insurance

(387) 紅 **意味** crimson
音 コウ
訓 べに、(くれない)

紅茶（こうちゃ）tea
紅白（こうはく）red and white
口紅（くちべに）lipstick
紅（くれない）crimson

(388) 葉 **意味** leaf
音 ヨウ
訓 は

紅葉（こうよう）red leaves
落葉（らくよう）fallen leaves
針葉樹（しんようじゅ）conifer
葉（は）leaf
落ち葉（おちば）fallen leaves
*紅葉（もみじ）red leaves

Reading Practice 42

1．Hiking

きのうと 今日は 連休だったので、わたしは 家族と いっしょに ハイキングに 出かけた。山を 歩くのは 健康に いいし、特(とく)に※1 今の 季節は 紅葉が きれいで、ハイキングには 最(さい)高※2だ。いい 天気に 誘(さそ)われて※3、たくさんの 人が 来て いた。青い 湖と 赤や 黄(き)色の 周りの 山々が すばらしかった。

美(うつく)しい※4 自然(ぜん)の 中で、ゆっくり 体を 休める ことが できた。

いい 休みだった。

2．A Request

この ボートの 定員は 四人です。皆(みな)さんの 安全の ために、必ず 定員を 守って ください。また、ボートの 中で、急※5に 立ったり、危険(きけん)な ことを したり しないように、お願いします。

3．My House

わたしの 家は 東京駅から 電車で 2時間の 所に ある。新しい 町なので、店が 少(すく)なくて、買い物に 不(ふ)便だ。会社へ 行く ために、朝 早く 家を 出なければ ならない。しかし 空気が とても きれいなので、健康には たいへん いい。

※1 especially　※2 best　※3 attract　※4 beautiful
※5 suddenly

Writing Practice 42

Information

オリエンテーリング※1の お□(し)らせ

スポーツを するのに いい □□(きせつ) に なりました。□□(がくせい) の 皆(みな)さんの □□□(けんこうづく)※2 りの ために、オリエンテーリング □□(たいかい) を します。森(もり)※3の □(なか) を □(ある) くのは □□(けんこう) に たいへん いいと □(い) われて います。□(みずうみ) の □(まわ) りの □(やま) □(やま) の □□(こうよう) も きれいです。参加(さんか)を □□(きぼう) する □(ひと) は、□(した) の 申込(もうしこみ)※4 □(しょ) に クラスと □□(なまえ) を □(か) いて、□□(がくせい) 課(か)に 申(もう)し込(こ)んで ください。□□(ていいん) に □(たっ) したら、締(し)※5め □(き) ります。詳(くわ)しい ことは □□(がくせい) 課(か)に □(き) いて ください。

------------------------------ きりとりせん※6 ------------------------------

オリエンテーリングに 参加(さんか)します

クラス：＿＿＿＿＿＿＿＿＿＿

□□(なまえ)：＿＿＿＿＿＿＿＿＿＿

※1 orienteering　※2 to become healthy　※3 forest
※4 application form　※5 close　※6 dotted line

(389) 荷　**意味** baggage
音（カ）
訓 に

Radical: 艹
Stroke order (10): 艹 芀 芢 芢 苻 荷 荷 荷

出荷（しゅっか）sending products to market
入荷（にゅうか）receiving products
負荷（ふか）a load
荷（に）a load
荷物（にもつ）baggage
荷造り（にづくり）packing

荷 荷 荷 荷 荷 荷

(390) 旅　**意味** travel
音 リョ
訓 たび

Radical: 方
Stroke order (10): 亠 方 方 方 方 旅 旅 旅

旅行（りょこう）travel
旅費（りょひ）travel expenses
旅館（りょかん）inn
旅（たび）travel
船旅（ふなたび）travel by ship
旅人（たびびと）tourist

旅 旅 旅 旅 旅 旅

(391) 加　**意味** add
音 カ
訓 く**わえる**、く**わわる**

Radical: カ
Stroke order (5): フ カ カ 加 加

参加（さんか）participation
追加（ついか）adding
加工（かこう）processing
加藤（かとう）Kato (Japanese surname)
加える（くわえる）add
加わる（くわわる）join

加 加 加 加 加 加

(392) 産　**意味** produce, give birth
音 サン・ザン
訓 う**む**、う**まれる**、(うぶ)

Radical: 生
Stroke order (11): 丶 亠 亠 立 立 产 产 産

産地（さんち）producing district
出産祝い（しゅっさんいわい）present to celebrate a birth
産む（うむ）give birth
産まれる（うまれる）be born
産声（うぶごえ）first cry (of a newborn baby)
＊お土産（おみやげ）souvenir

産 産 産 産 産 産

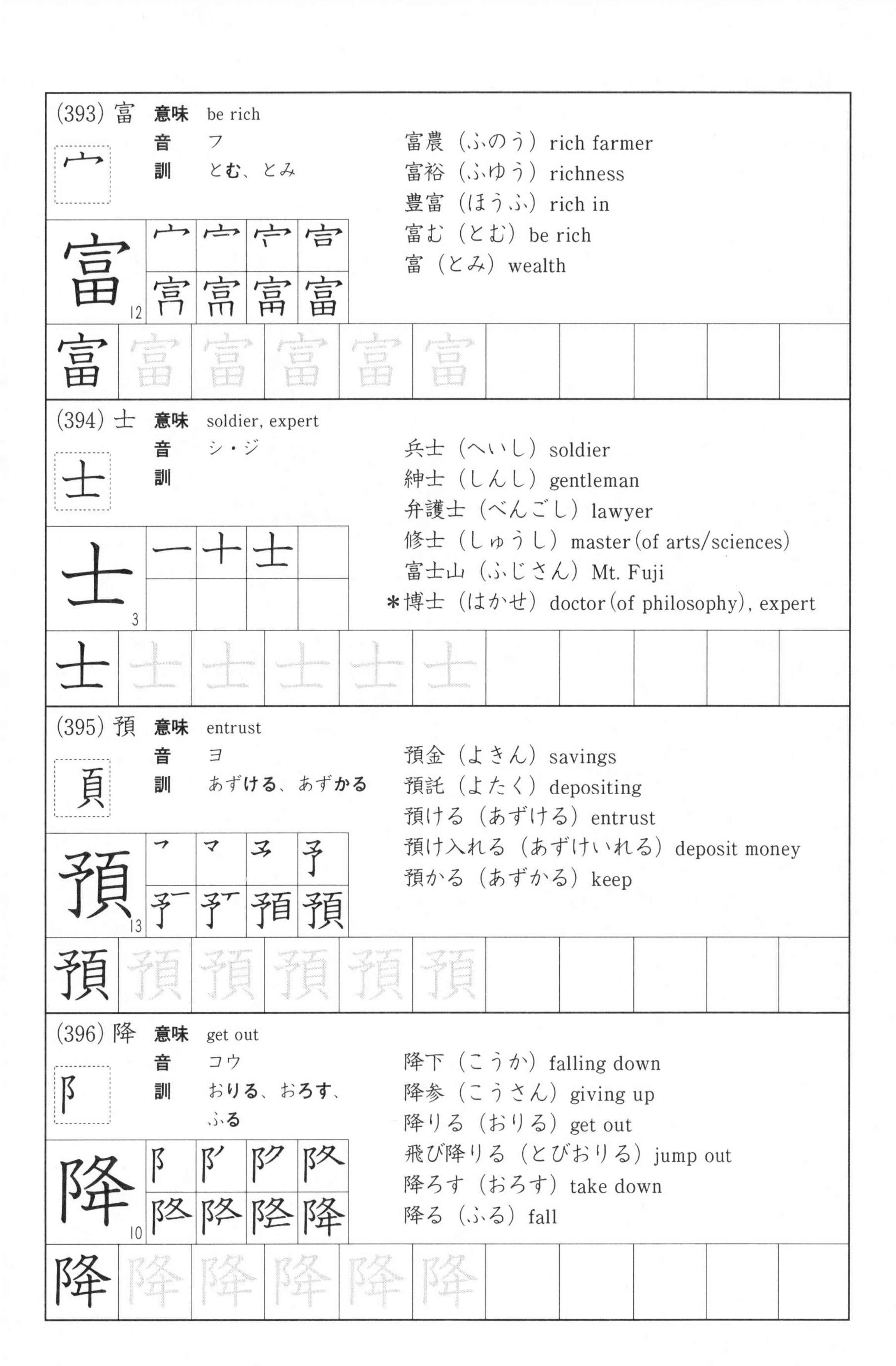

(393) 富　**意味**　be rich
音　フ
訓　と**む**、とみ

宀

富 12

宀 宀 宀 宀 宀 宀 宀 富 (stroke order)

富農（ふのう）rich farmer
富裕（ふゆう）richness
豊富（ほうふ）rich in
富む（とむ）be rich
富（とみ）wealth

富 富 富 富 富 富

(394) 士　**意味**　soldier, expert
音　シ・ジ
訓

士

士 3

一 十 士

兵士（へいし）soldier
紳士（しんし）gentleman
弁護士（べんごし）lawyer
修士（しゅうし）master (of arts/sciences)
富士山（ふじさん）Mt. Fuji
*博士（はかせ）doctor (of philosophy), expert

士 士 士 士 士 士

(395) 預　**意味**　entrust
音　ヨ
訓　あず**ける**、あず**かる**

頁

預 13

預金（よきん）savings
預託（よたく）depositing
預ける（あずける）entrust
預け入れる（あずけいれる）deposit money
預かる（あずかる）keep

預 預 預 預 預 預

(396) 降　**意味**　get out
音　コウ
訓　お**りる**、お**ろす**、ふ**る**

阝

降 10

阝 阝 阝 阝 降 降 降 降

降下（こうか）falling down
降参（こうさん）giving up
降りる（おりる）get out
飛び降りる（とびおりる）jump out
降ろす（おろす）take down
降る（ふる）fall

降 降 降 降 降 降

Reading Practice 43

Travelling

鈴木(すずき)：じゃ、行きましょうか。

マクドナルド：ちょっと 旅館(かん)の 受付に 荷物を 預けて 来ますから、待って いて くださいませんか。

鈴木(すずき)：いいですよ。でも、雨が 降りそうですから、傘(かさ)を 持ち物[※1]に 加えた ほうが いいですよ。

....

マクドナルド：ここは 本当に 富士山が すばらしいですね。

鈴木(すずき)：富士山を バックに して、写真を 撮(と)りましょうか。

マクドナルド：加藤(かとう)さんたちは お土産屋の 方へ 行きましたよ。ちょっと 加藤(かとう)さんたちを 呼んで 来ます。

....

加藤(かとう)：この 店で お土産を 買いませんか。

サンダース：そうですね。商(しょう)品[※2]の 種類も 多いし、品質も よさそうですね。

加藤(かとう)：わたしは この きれいな キーホルダー[※3]を 買います。この 女の 子は 有(ゆう)名な 「伊豆(いず)の 踊(おど)り子(こ)」[※4]です。

※1 thing being carried　※2 product　※3 key holder
※4 The Izu Dancer (title of book by Yasunari Kawabata)

Writing Practice 43

1. Mr. MacDonald's Diary

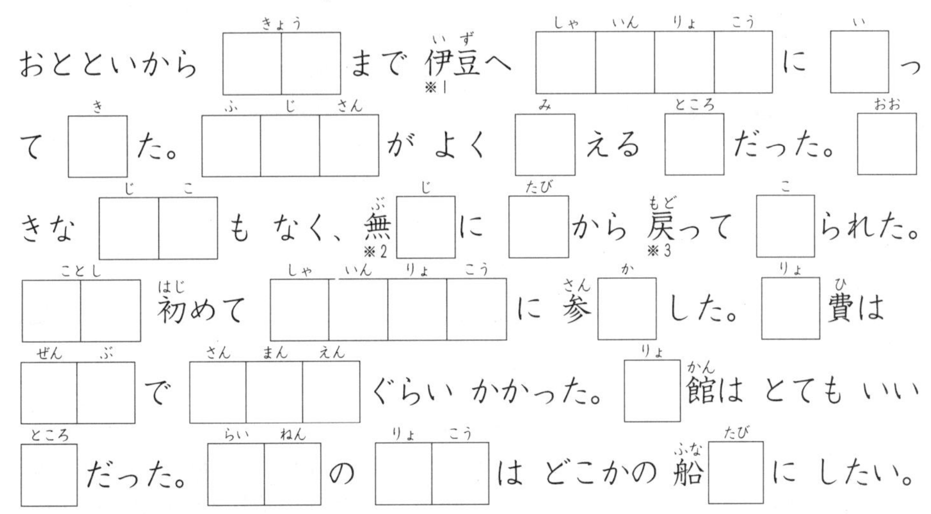

おととい から □□（きょう）まで 伊豆（いず）※1へ □□□□（しゃいんりょこう）に □（い）って □（き）た。□□□（ふじさん）が よく □（み）える □（ところ）だった。□（おお）きな □□（じこ）も なく、無（ぶ）※2□（じ）に □（たび）から 戻（もど）※3って □（こ）られた。□□（ことし）初（はじ）めて □□□□（しゃいんりょこう）に 参（さん）□（か）した。□（りょ）費（ひ）は □□（ぜんぶ）で □□□（さんまんえん）ぐらい かかった。□（りょ）館（かん）は とても いい □（ところ）だった。□□（らいねん）の □□（りょこう）は どこかの 船（ふな）□（たび）に したい。

2. Luggage

渡辺（わたなべ）：棚（たな）から □□（にもつ）が □（お）ちそうですよ。

チャン：あ、すみません。すぐ □（お）ろします。

渡辺（わたなべ）：それ、□（おも）そうですね。

チャン：ええ、□□（やまぐち）さんに 贈（おく）※4る □□□（しゅっさんいわ）いなんです。

3. A Bank Account

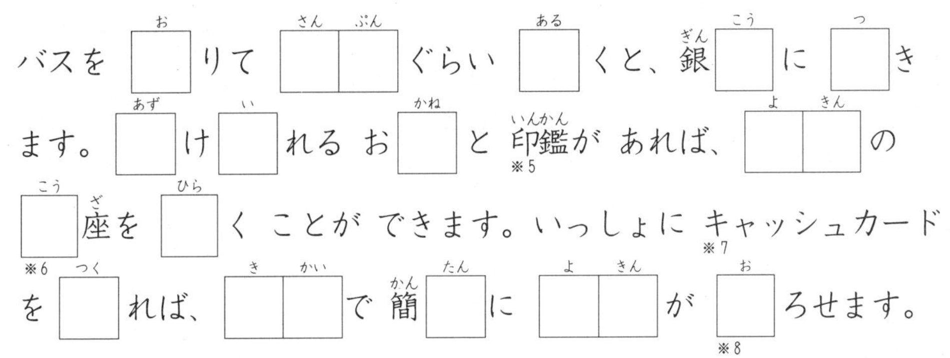

バスを □（お）りて □□（さんぷん）ぐらい □（ある）くと、銀（ぎん）□（こう）に □（つ）きます。□（あず）け□（い）れる お□（かね）と 印鑑（いんかん）※5が あれば、□□（よきん）の □（こう）座（ざ）※6を □（ひら）く ことが できます。いっしょに キャッシュカード※7を □（つく）れば、□□（きかい）で 簡（かん）□（たん）に □□（よきん）が □（お）※8ろせます。

※1 Izu　※2 safely　※3 return　※4 give (a present)
※5 seal　※6 bank account　※7 cash　※8 withdraw

(397) 太　**意味** thick, fat, extremely
音 タイ、タ
訓 ふと**い**、ふと**る**

部首: 大　画数: 4

筆順: 一 ナ 大 太

太陽（たいよう）sun
丸太（まるた）log
太い（ふとい）thick, fat
太さ（ふとさ）thickness
図太い（ずぶとい）bold
太る（ふとる）get fat

太 太 太 太 太 太

(398) 細　**意味** thin, detailed
音 サイ
訓 ほそ**い**、ほそ**る**、こま**か**、こま**かい**

部首: 糸　画数: 11

筆順: 幺 糸 糸 糹 糹 紅 細 細

細心（さいしん）carefulness
細い（ほそい）thin
心細い（こころぼそい）(feel) insecure
やせ細る（やせほそる）become very thin
細か（こまか）detailed, tiny
細かい（こまかい）detailed, tiny

細 細 細 細 細 細

(399) 直　**意味** correct, straight
音 チョク、ジキ
訓 ただ**ちに**、なお**す**、なお**る**

部首: 目　画数: 8

筆順: 一 十 亠 古 有 育 首 直

直線（ちょくせん）straight line
正直（しょうじき）honest
直ちに（ただちに）immediately
直す（なおす）correct
やり直す（やりなおす）do over
直る（なおる）be cured

直 直 直 直 直 直

(400) 半　**意味** half
音 ハン・パン
訓 なか**ば**

部首: 十　画数: 5

筆順: 丶 丷 䒑 兰 半

半分（はんぶん）half
一時半（いちじはん）half past one
半年（はんとし）half a year
半島（はんとう）peninsula
前半（ぜんぱん）first half
半ば（なかば）in the middle

半 半 半 半 半 半

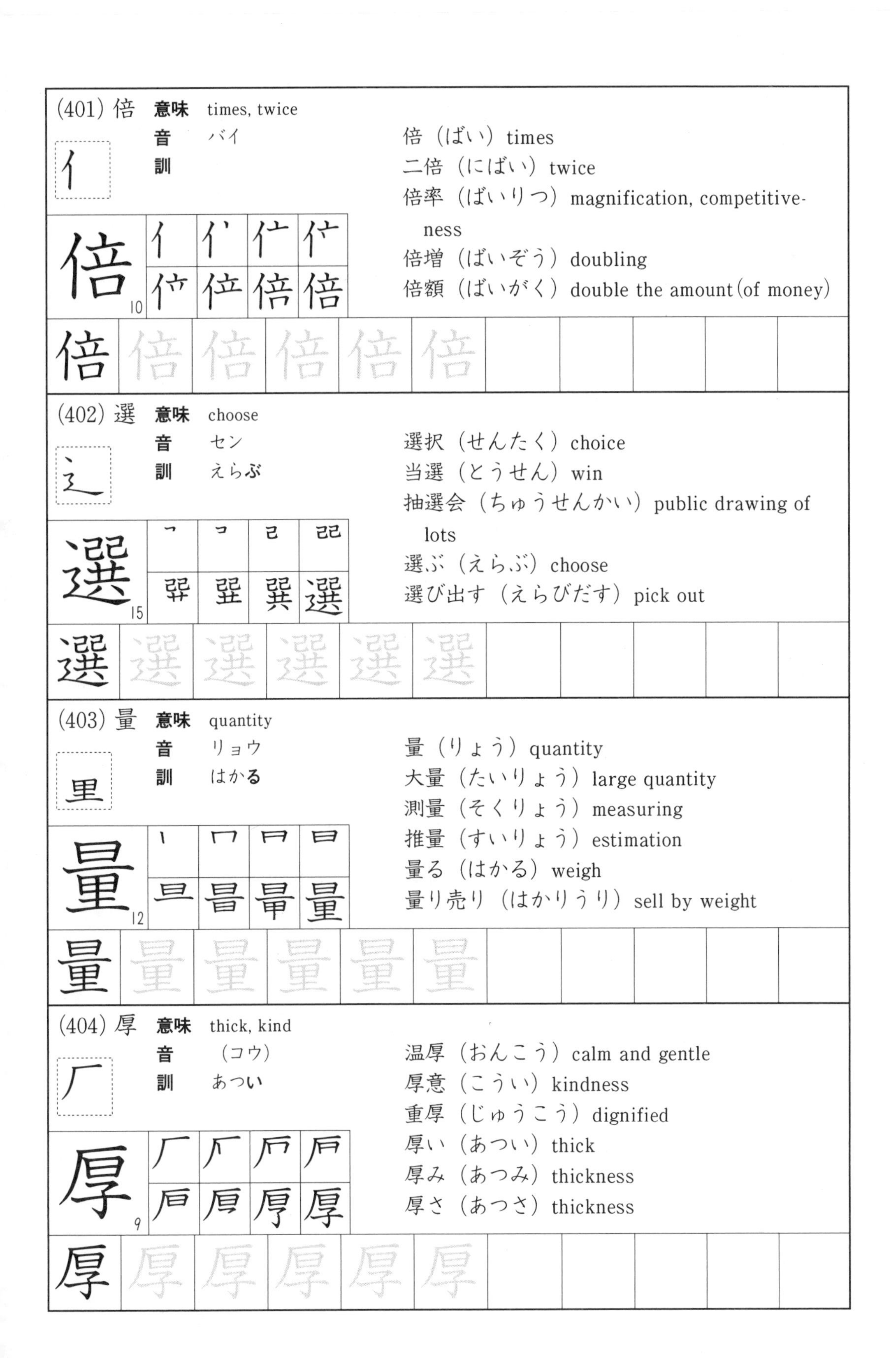

(401) 倍 **意味** times, twice
音 バイ
訓

部首: 亻

倍 (10)

倍（ばい）times
二倍（にばい）twice
倍率（ばいりつ）magnification, competitive-ness
倍増（ばいぞう）doubling
倍額（ばいがく）double the amount (of money)

(402) 選 **意味** choose
音 セン
訓 えらぶ

部首: 辶

選 (15)

選択（せんたく）choice
当選（とうせん）win
抽選会（ちゅうせんかい）public drawing of lots
選ぶ（えらぶ）choose
選び出す（えらびだす）pick out

(403) 量 **意味** quantity
音 リョウ
訓 はかる

部首: 里

量 (12)

量（りょう）quantity
大量（たいりょう）large quantity
測量（そくりょう）measuring
推量（すいりょう）estimation
量る（はかる）weigh
量り売り（はかりうり）sell by weight

(404) 厚 **意味** thick, kind
音 （コウ）
訓 あつい

部首: 厂

厚 (9)

温厚（おんこう）calm and gentle
厚意（こうい）kindness
重厚（じゅうこう）dignified
厚い（あつい）thick
厚み（あつみ）thickness
厚さ（あつさ）thickness

Reading Practice 44

1. Food and Weight

譲(じょう)二(じ)：この 店( )は メニューが 豊(ほう)富( )で、選( )びやすいよ。ステーキ※1も 厚( )いし、注( )文(もん)したら、直( )ちに 持( )って 来( )るし。

真(ま)理(り)：でも、おかず※2の 量( )が 少(すく)なすぎるでしょう？

譲(じょう)二(じ)：いや。量( )が 多( )いから、ぼくは いつも 半( )分( ) 残( )して いるんだよ。

真(ま)理(り)：やっぱり そうね。そんなに※3 やせ細( )って いるのは、ごはんを あまり 食( )べないからよ。

譲(じょう)二(じ)：でも、君( )は 食( )べすぎるから、太( )りすぎて いると 思( )わない？

2. How to Make an Enlarged Copy

拡(かく)大( )※4コピーは 元( )の 原( )稿(こう)※5より 大( )きく コピーする ことです。

1) 原( )稿(こう)と 用( )紙( )の サイズに 合( )った 倍( )率(りつ)を 選( )びます。例( )えば、B5の 原( )稿(こう)を A4に コピーする 時( )は、1.15倍( )に なります。倍( )率(りつ)の 表( )示(じ)部( )※6に 選( )択(たく)した 倍( )率(りつ)が 表( )示(じ)※7されます。

2) 原( )稿(こう)を 置(お)いて、用( )紙( )、コピー枚( )※8数( )などを 確(たし)かめます。スタートボタンを 押(お)して、コピーを 始( )めます。

※1 steak(s)　※2 food accompanying rice　※3 as that
※4 enlarged　※5 manuscript　※6 size indicator　※7 be indicated
※8 number of (sheets)

Writing Practice 44

1. Conversation While Working

譲二（じょうじ）：この 棒（ぼう）※1は □（ふと）すぎて、穴（あな）に □（とお）※2せないね。もう 少（すこ）し □（ほそ）く しよう。

真理（まり）：そうじゃ なくて、穴（あな）を □□（にばい）の □（おお）きさに すれば いいわよ。やり □（なお）さない？

譲二（じょうじ）：うん。……その □（いた）は まだ □（あつ）すぎるね。

真理（まり）：そう？ これぐらい※3 □（あつ）みが あった ほうが いいと □（おも）うわ。それより※4 その 丸（まる）□（た）の □（ほう）が □（おも）すぎるでしょう？ 軽（かる）く してから、もう □□（いちど） □（おも）さを □（はか）らない？

譲二（じょうじ）：うん。……この ひもは □（ほそ）すぎて、すぐ □（き）れそうだな。

2. A Broken Vacuum Cleaner

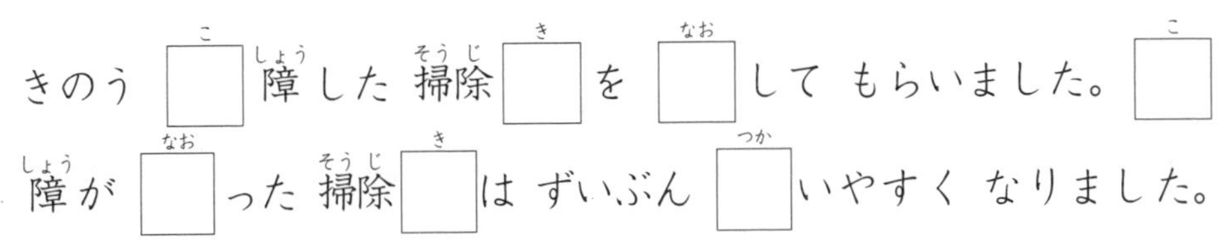

きのう □（こ）障（しょう）した 掃除（そうじ）□（き）を □（なお）して もらいました。□（こ）障（しょう）が □（なお）った 掃除（そうじ）□（き）は ずいぶん □（つか）いやすく なりました。

3. Changing the Schedule

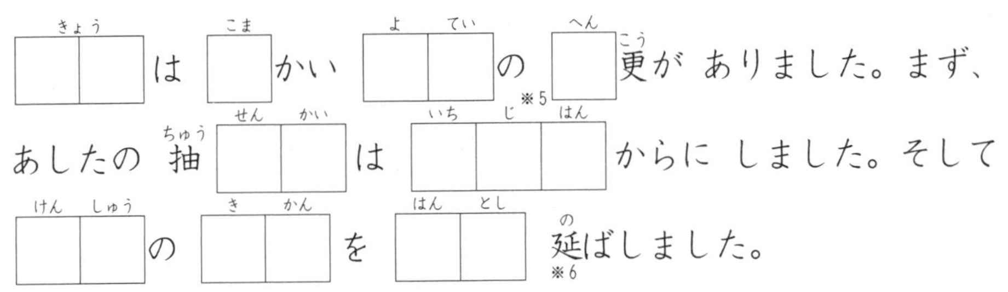

□□（きょう）は □（こま）かい □□（よてい）の □（へん）※5更（こう）が ありました。まず、あしたの 抽（ちゅう）□□（せんかい）は □□□（いちじはん）からに しました。そして □□（けんしゅう）の □□（きかん）を □□（はんとし） 延（の）※6ばしました。

※1 stick　※2 can't put through　※3 this much　※4 instead of that
※5 change　※6 extend

(405) 黄 **意味** yellow
音 オウ、(コウ)
訓 き

黄

黄 11
一 廿 廾 井 帯 带 萧 黄

黄金(おうごん) gold
卵黄(らんおう) yolk
黄河(こうが) Yellow River
黄身(きみ) yolk⇔白身(しろみ) egg white
黄色(きいろ) yellow
黄色い(きいろい) yellow

黄 黄 黄 黄 黄 黄

(406) 緑 **意味** green
音 リョク
訓 みどり

糸

緑 14
糸 糸ᄀ 糸ヨ 紂 紂 紂 紂 緑

緑地帯(りょくちたい) green area
緑茶(りょくちゃ) green tea
新緑(しんりょく) green of early summer
緑化(りょっか) greening
緑(みどり) green
緑色(みどりいろ) green

緑 緑 緑 緑 緑 緑

(407) 法 **意味** principle
音 ホウ
訓

氵

法 8
丶 冫 氵 氵一 汁 注 法 法

法律(ほうりつ) law
法則(ほうそく) law
作法(さほう) manner
方法(ほうほう) method
製法(せいほう) manufacturing method
教授法(きょうじゅほう) teaching method

法 法 法 法 法 法

(408) 非 **意味** un-, non-, in-
音 ヒ
訓

非

非 8
丿 刂 ヨ ヨ 킈 非 非 非

非行(ひこう) misconduct
非科学的(ひかがくてき) unscientific
非公式(ひこうしき) informal
非公開(ひこうかい) not open to the public
非売品(ひばいひん) not for sale

非 非 非 非 非 非

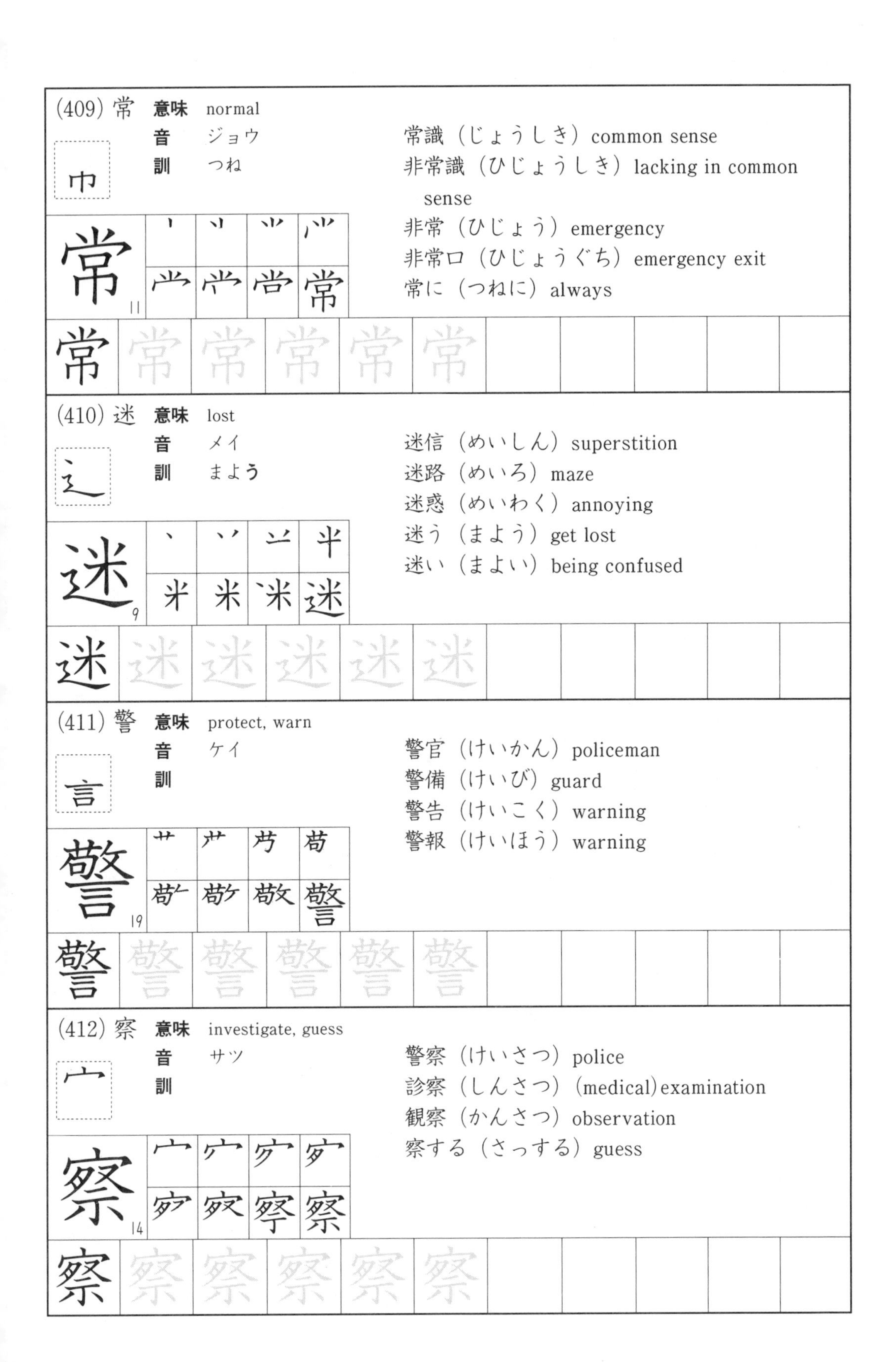

(409) 常　**意味** normal
音 ジョウ
訓 つね
巾

常識（じょうしき）common sense
非常識（ひじょうしき）lacking in common sense
非常（ひじょう）emergency
非常口（ひじょうぐち）emergency exit
常に（つねに）always

常 11

(410) 迷　**意味** lost
音 メイ
訓 まよう
辶

迷信（めいしん）superstition
迷路（めいろ）maze
迷惑（めいわく）annoying
迷う（まよう）get lost
迷い（まよい）being confused

迷 9

(411) 警　**意味** protect, warn
音 ケイ
訓
言

警官（けいかん）policeman
警備（けいび）guard
警告（けいこく）warning
警報（けいほう）warning

警 19

(412) 察　**意味** investigate, guess
音 サツ
訓
宀

警察（けいさつ）police
診察（しんさつ）(medical)examination
観察（かんさつ）observation
察する（さっする）guess

察 14

Reading Practice 45

Symbols and Signs

あなたは 道に 迷った ことが ありませんか。わたしは 去年 ジャカルタで 地図を 持って いたのに、道に 迷って しまいました。道を 歩いて いる 人に 聞いても、分からなかったので、最後[※1]に 警察まで 行きました。

外国人が その 国の 言葉が 分からない 場合、まず 困るのは 鉄道や 道路の 行き先案内です。日本でも 外国人が 増え[※2]て いるので、駅の 名前や、場所などを 漢字と ローマ字で 示[※3]して います。そのほか 実際[※4]の ものを 簡単に した 記号や、いろいろな 標識[※5]で 示すように して います。

あの 青い 標識は 「方面と 方向」を 示します。

緑色の、あれは 「非常電話」です。

あの 黄色い 標識は 「近くに 学校が ある」。

あれは 「駐車禁止」。

あなたは 日本の 地図の 記号や 道路標識が いくつぐらい 分かりますか。

※1 finally　※2 increase　※3 indicate　※4 real　※5 sign

Writing Practice 45

1 . Car Plates

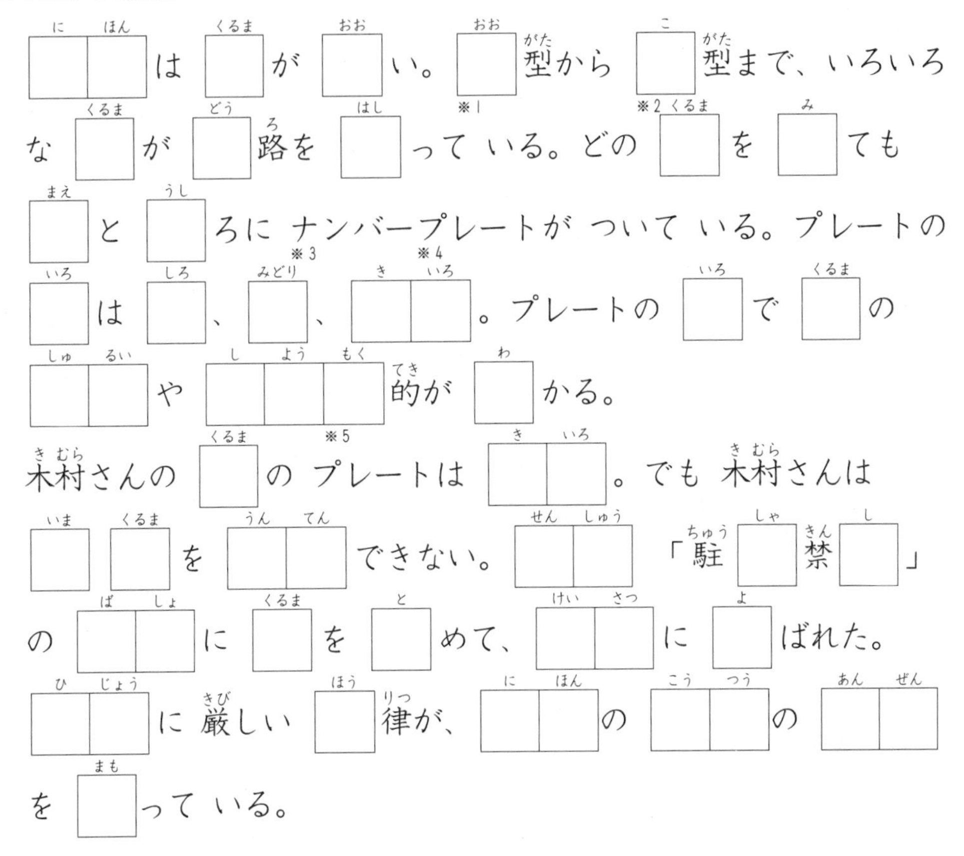

□□(にほん)は□(くるま)が□(おお)い。□(おお)※1型(がた)から□(こ)※2型(がた)まで、いろいろな□(くるま)が□(どう)路(ろ)を□(はし)って いる。どの□(くるま)を□(み)ても□(まえ)と□(うし)ろに ナンバー※3プレート※4が ついて いる。プレートの□(いろ)は□(しろ)、□(みどり)、□□(き いろ)。プレートの□(いろ)で□(くるま)の□□(しゅ るい)や□□□(し よう もく)※5的(てき)が□(わ)かる。

木村(きむら)さんの□(くるま)の プレートは□□(き いろ)。でも 木村(きむら)さんは□(いま)□(くるま)を□□(うん てん)できない。□□(せん しゅう)「駐(ちゅう)□(しゃ)禁(きん)□(し)」の□□(ば しょ)に□(くるま)を□(と)めて、□□(けい さつ)に□(よ)ばれた。□□(ひ じょう)に 厳(きび)しい□(ほう)律(りつ)が、□□(に ほん)の□□(こう つう)の□□(あん ぜん)を□(まも)って いる。

2 . Guess what these map symbols (building, place, landmark) mean.

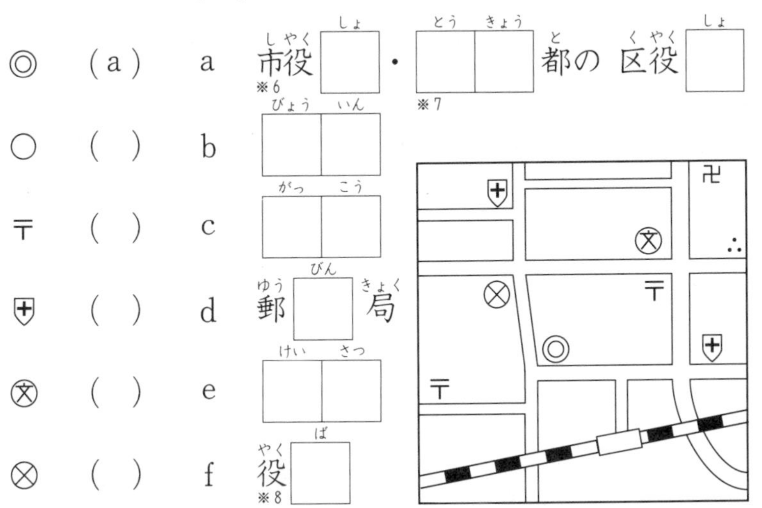

◎	(a)	a	市役(しやく)※6□(しょ)・□□(とう きょう)※7都(と)の 区役(くやく)□(しょ)
○	( )	b	□□(びょう いん)
〒	( )	c	□□(がっ こう)
(shield with cross)	( )	d	郵(ゆう)□(びん)局(きょく)
⊗ (文)	( )	e	□□(けい さつ)
⊗	( )	f	役(やく)※8□(ば)

卍

※1 big size ※2 small size ※3 number ※4 plate
※5 purpose ※6 city council office ※7 ward office in Tokyo
※8 local government

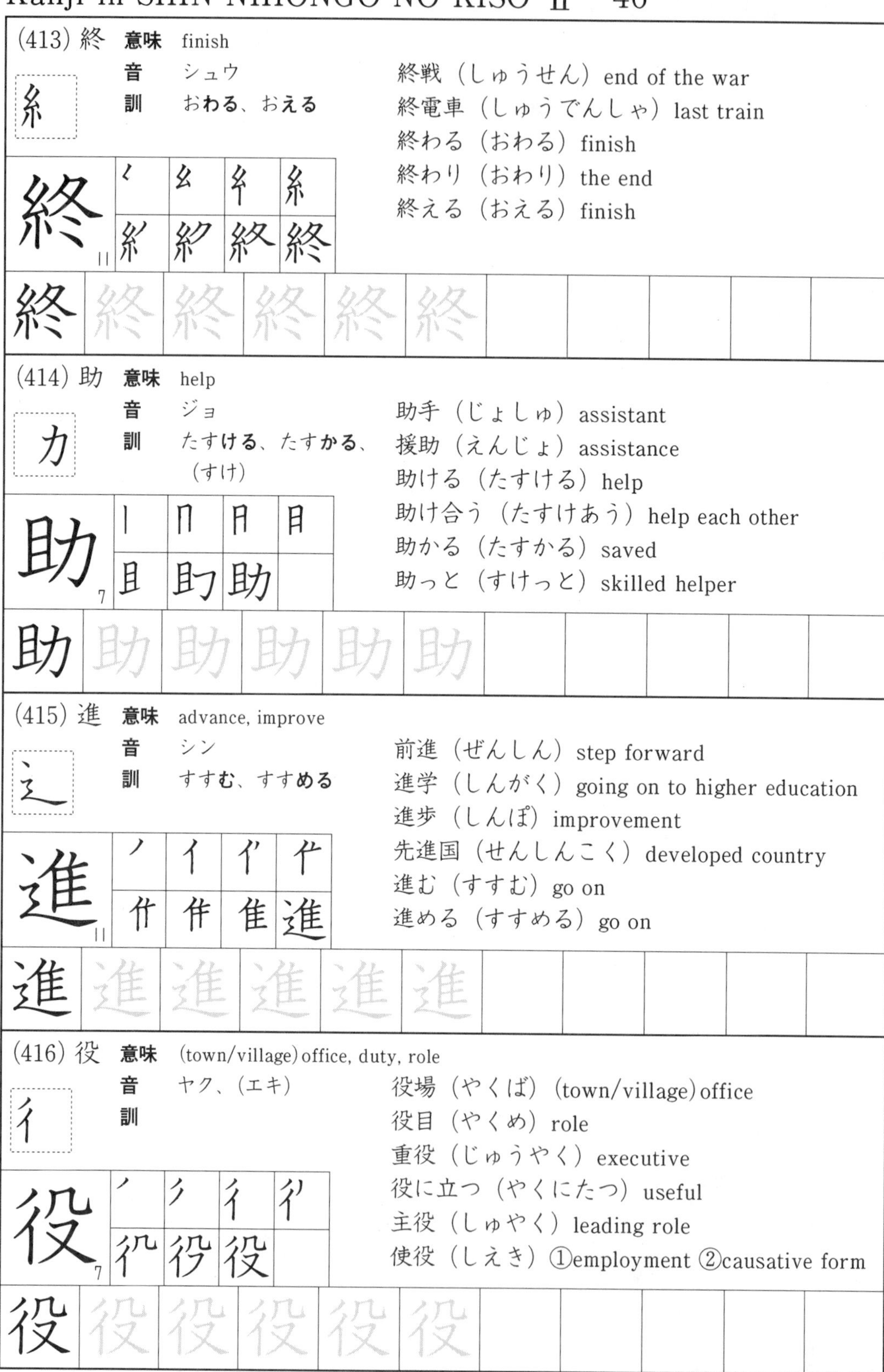

(413) 終　意味　finish
音　シュウ
訓　おわる、おえる
糸
終 11
終戦（しゅうせん）end of the war
終電車（しゅうでんしゃ）last train
終わる（おわる）finish
終わり（おわり）the end
終える（おえる）finish

(414) 助　意味　help
音　ジョ
訓　たすける、たすかる、（すけ）
力
助 7
助手（じょしゅ）assistant
援助（えんじょ）assistance
助ける（たすける）help
助け合う（たすけあう）help each other
助かる（たすかる）saved
助っと（すけっと）skilled helper

(415) 進　意味　advance, improve
音　シン
訓　すすむ、すすめる
辶
進 11
前進（ぜんしん）step forward
進学（しんがく）going on to higher education
進歩（しんぽ）improvement
先進国（せんしんこく）developed country
進む（すすむ）go on
進める（すすめる）go on

(416) 役　意味　(town/village) office, duty, role
音　ヤク、（エキ）
訓
彳
役 7
役場（やくば）(town/village) office
役目（やくめ）role
重役（じゅうやく）executive
役に立つ（やくにたつ）useful
主役（しゅやく）leading role
使役（しえき）①employment ②causative form

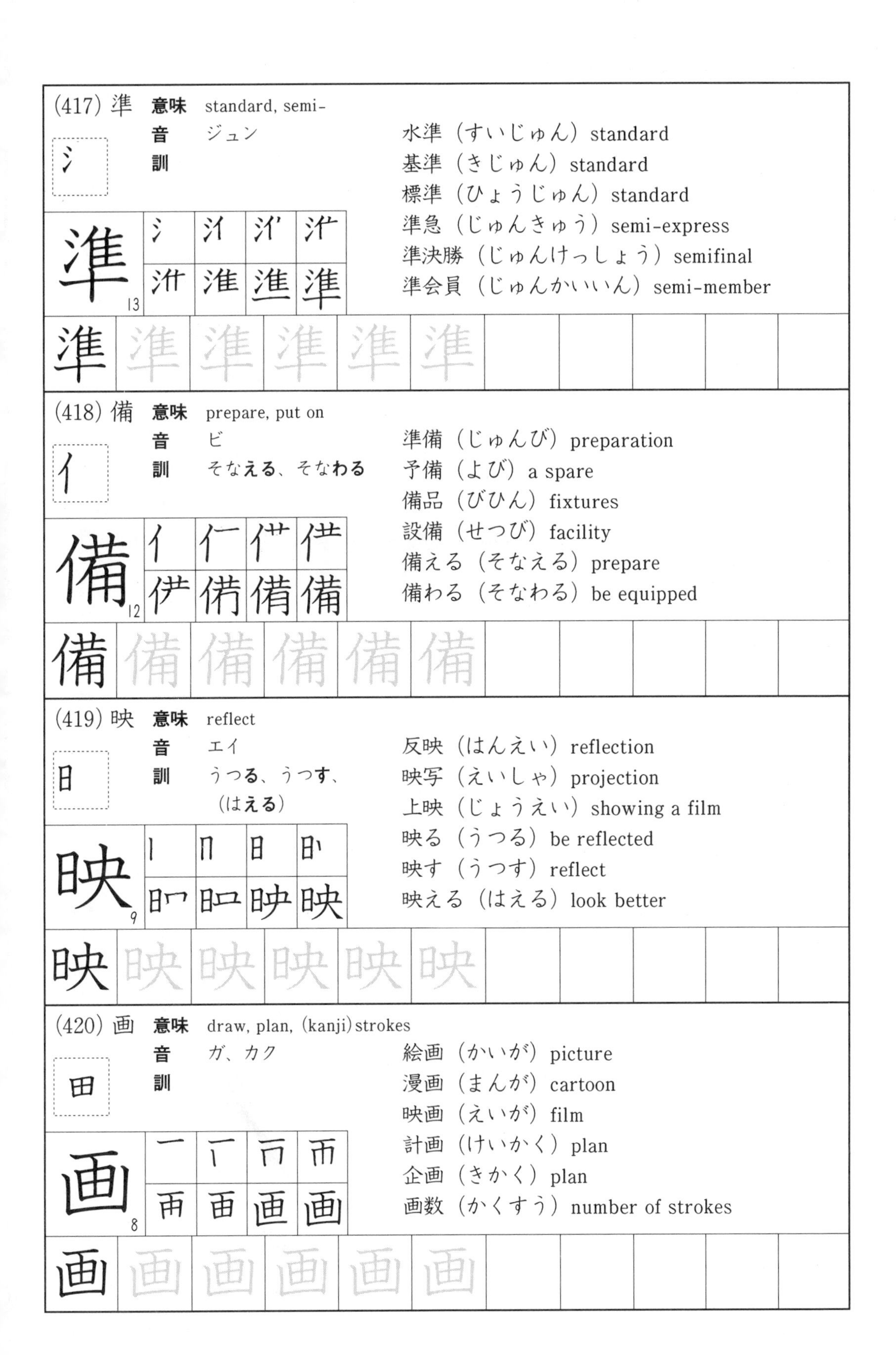

(417) 準 **意味** standard, semi-
音 ジュン
訓

部首: 氵 (13画)

水準（すいじゅん）standard
基準（きじゅん）standard
標準（ひょうじゅん）standard
準急（じゅんきゅう）semi-express
準決勝（じゅんけっしょう）semifinal
準会員（じゅんかいいん）semi-member

(418) 備 **意味** prepare, put on
音 ビ
訓 そなえる、そなわる

部首: 亻 (12画)

準備（じゅんび）preparation
予備（よび）a spare
備品（びひん）fixtures
設備（せつび）facility
備える（そなえる）prepare
備わる（そなわる）be equipped

(419) 映 **意味** reflect
音 エイ
訓 うつる、うつす、（はえる）

部首: 日 (9画)

反映（はんえい）reflection
映写（えいしゃ）projection
上映（じょうえい）showing a film
映る（うつる）be reflected
映す（うつす）reflect
映える（はえる）look better

(420) 画 **意味** draw, plan, (kanji) strokes
音 ガ、カク
訓

部首: 田 (8画)

絵画（かいが）picture
漫画（まんが）cartoon
映画（えいが）film
計画（けいかく）plan
企画（きかく）plan
画数（かくすう）number of strokes

Reading Practice 46

1. A Letter to a Newspaper

わたしは 終戦の 次の 年に アメリカの スカラシップ※1を もらって 留学※2した。何も 準備を しないで、アメリカへ 行ったので、初めの 内は 言葉や 習慣が 分からなくて 困った。わたしは アメリカで いろいろな 人に 世話に なった。

今 日本には 留学生※3が たくさん いる。友達の ケントは 外国人の 学生を 援助する ことは、先進国 日本の 役目だと 言う。何を どう 援助できるか。みんなで 考えたいと 思う。

2. Japanese TV Cartoons

日本の 子どもたちに アニメ※4の 楽しさを 教えて くれたのは 1950年前後に 旧※5ソ連や アメリカから 輸入された カラー※6漫画※7映画だ。そのころ 日本は アニメを 作り始めたばかりだった。どんなに 企画が よくても、お金が なければ、高い 水準の カラーアニメは できない。その 10年ぐらい後、1963年に 日本でも 初めて テレビアニメが 始まった。主役は ロボットの 少年※8「アトム」。そして、「アトム」は 映画にも なって、日本の アニメファンを 育て※9た。

※1 scholarship　※2 study abroad　※3 overseas student
※4 TV cartoon　※5 former Soviet Union　※6 colour　※7 cartoon
※8 boy　※9 develop

Writing Practice 46

1 . My Friend Wang

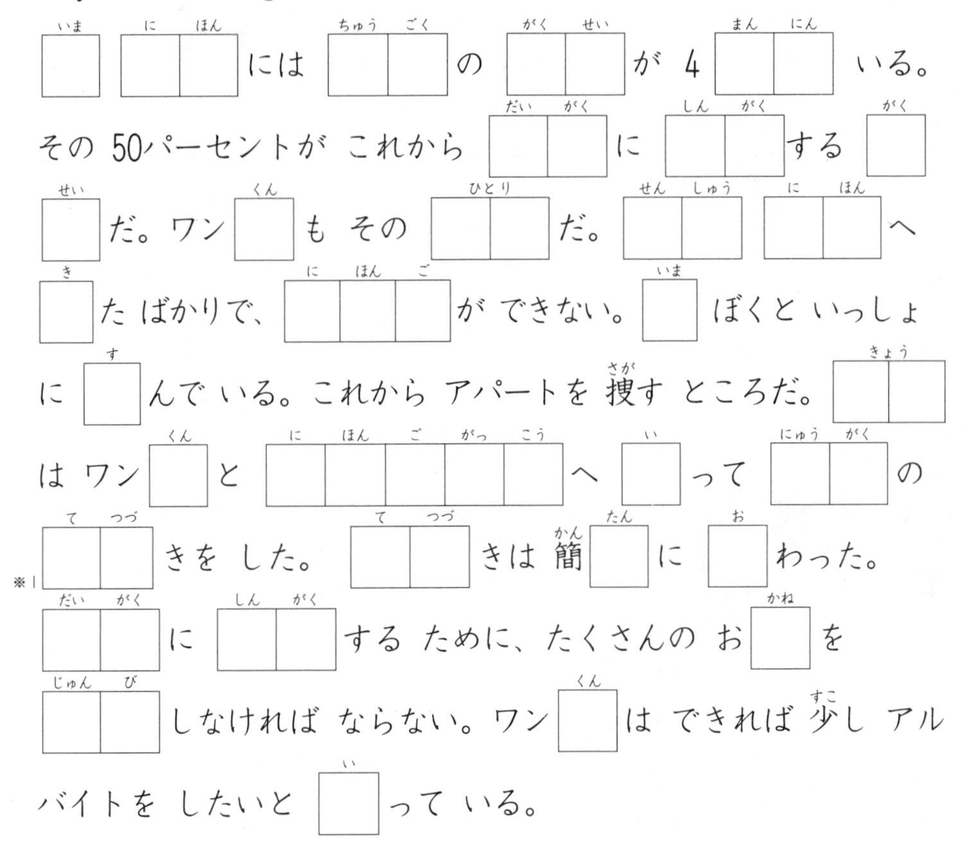

□(いま) □□(にほん)には □□(ちゅうごく)の □□(がくせい)が 4 □□(まんにん) いる。その 50パーセントが これから □□(だいがく)に □□(しんがく)する □□(がくせい)だ。ワン□(くん)も その □□(ひとり)だ。□□(せんしゅう) □□(にほん)へ □(き)た ばかりで、□□□(にほんご)が できない。□(いま) ぼくと いっしょに □(す)んで いる。これから アパートを 捜(さが)す ところだ。□□(きょう)は ワン□(くん)と □□□□□(にほんごがっこう)へ □(い)って □□(にゅうがく)の ※1 □□(てつづ)きを した。□□(てつづ)きは 簡(かん)□(たん)に □(お)わった。□□(だいがく)に □□(しんがく)する ために、たくさんの お□(かね)を □□(じゅんび)しなければ ならない。ワン□(くん)は できれば 少(すこ)し アルバイトを したいと □(い)って いる。

2 . A Film

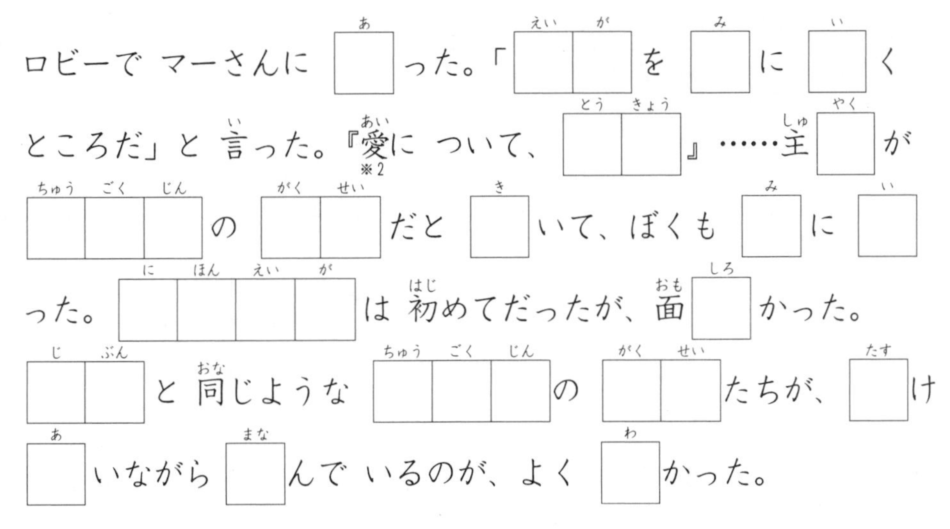

ロビーで マーさんに □(あ)った。「□□(えいが)を □(み)に □(い)く ところだ」と 言(い)った。『愛(あい)※2に ついて、□□(とうきょう)』……主(しゅ)□(やく)が □□□(ちゅうごくじん)の □□(がくせい)だと □(き)いて、ぼくも □(み)に □(い)った。□□□□(にほんえいが)は 初(はじ)めてだったが、面(おも)□(しろ)かった。□□(じぶん)と 同(おな)じような □□□(ちゅうごくじん)の □□(がくせい)たちが、□(たす)け □(あ)いながら □(まな)んで いるのが、よく □(わ)かった。

※1 procedure　※2 about love

(421) 速　**意味** fast, speed
音 ソク
訓 はや**い**、はや**める**、（すみ**やか**）
辶

速 10
[illegible] 東 束 速

速度（そくど）speed
高速（こうそく）high speed
急速に（きゅうそくに）quickly
速い（はやい）fast
速める（はやめる）speed up
速やか（すみやか）immediate

速 速 速 速 速 速

(422) 路　**意味** route
音 ロ
訓 じ
𧾷

路 13
口 𧾷 [illegible] 路 路

路上（ろじょう）on the road
線路（せんろ）railroad
道路（どうろ）road
回路（かいろ）(electrical) circuit
空路（くうろ）air route
旅路（たびじ）journey

路 路 路 路 路 路

(423) 燃　**意味** burn
音 ネン
訓 も**える**、も**やす**、も**す**
火

燃 16
火 [illegible] 燃

燃焼（ねんしょう）burning
燃料（ねんりょう）fuel
燃える（もえる）burn
燃え広がる（もえひろがる）(fire) spread
燃やす（もやす）burn
燃す（もす）burn

燃 燃 燃 燃 燃 燃

(424) 報　**意味** news, reward, revenge
音 ホウ
訓 （むく**いる**）
土

報 12
土 [illegible] 幸 [illegible] 報 報

報告（ほうこく）report
予報（よほう）prediction
警報（けいほう）warning
注意報（ちゅういほう）warning
報じる（ほうじる）report
報いる（むくいる）reward

報 報 報 報 報 報

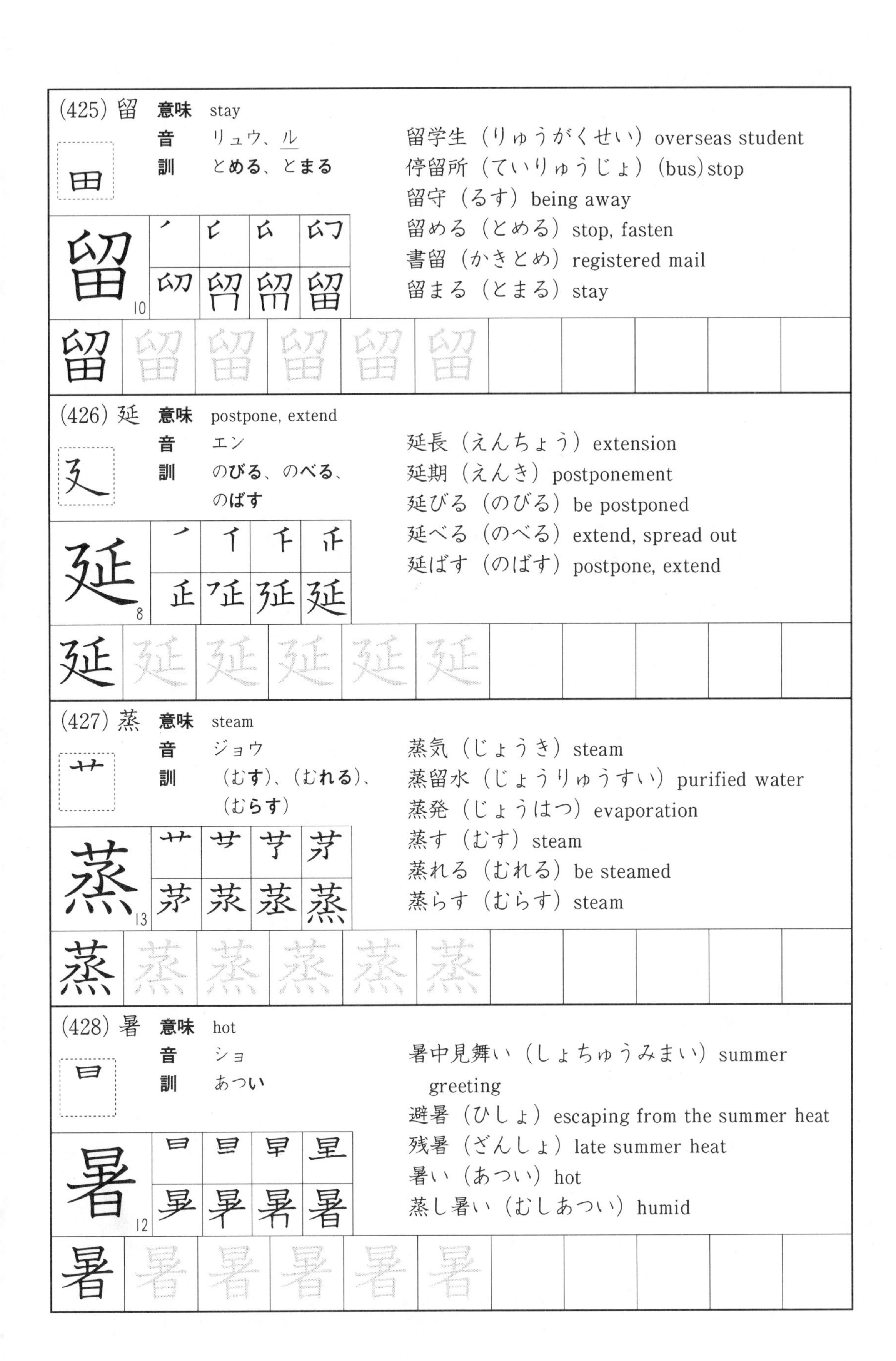

(425) 留　**意味**　stay
音　リュウ、ル
訓　とめる、とまる

留学生（りゅうがくせい）overseas student
停留所（ていりゅうじょ）(bus) stop
留守（るす）being away
留める（とめる）stop, fasten
書留（かきとめ）registered mail
留まる（とまる）stay

(426) 延　**意味**　postpone, extend
音　エン
訓　のびる、のべる、のばす

延長（えんちょう）extension
延期（えんき）postponement
延びる（のびる）be postponed
延べる（のべる）extend, spread out
延ばす（のばす）postpone, extend

(427) 蒸　**意味**　steam
音　ジョウ
訓　（むす）、（むれる）、（むらす）

蒸気（じょうき）steam
蒸留水（じょうりゅうすい）purified water
蒸発（じょうはつ）evaporation
蒸す（むす）steam
蒸れる（むれる）be steamed
蒸らす（むらす）steam

(428) 暑　**意味**　hot
音　ショ
訓　あつい

暑中見舞い（しょちゅうみまい）summer greeting
避暑（ひしょ）escaping from the summer heat
残暑（ざんしょ）late summer heat
暑い（あつい）hot
蒸し暑い（むしあつい）humid

Reading Practice 47

1. News (1)

今 入った ニュースに よると、銀座(ぎんざ)で 火事が ありました。今日 午後(ご) 1時ごろ オリエンタルビル※1の 1階の 料理店から 火が 出て、隣(となり)の 店に 燃え広がりました。近くの 高速道路は 通行止め※2に なりました。火は 2時ごろ 消えました。けがを した 人は いないそうです。

2. News (2)

日本の 会社や 工場への 外国人研修生の 受け入れ※3が 進んで、道を 歩いて いても、いろいろな 国の 人に 会うように なりました。けれども 留学生の 数は あまり 増(ふ)えて いないそうです。ビザの 延長が 難(むずか)しいようです。

3. News (3)

昼の 最(さい)高気温(おん)※4が 30度より 上に なると、「真夏日※5」と 呼びます。そして 夜の 最低(さいてい)気温(おん)※6が 25度より 上に なると、「熱帯(たい)夜※7」と 呼びます。今日も 朝から 暑いでしょう。特(とく)に 夜は 蒸し暑く なるでしょう。しかし 八月二十日ごろには 涼(すず)しく なるそうです。今年の 秋は 早いそうです。

※1 Oriental Building　※2 closed to traffic　※3 acceptance
※4 highest temperature　※5 midsummer day　※6 lowest temperature
※7 sultry night

Writing Practice 47

1. News

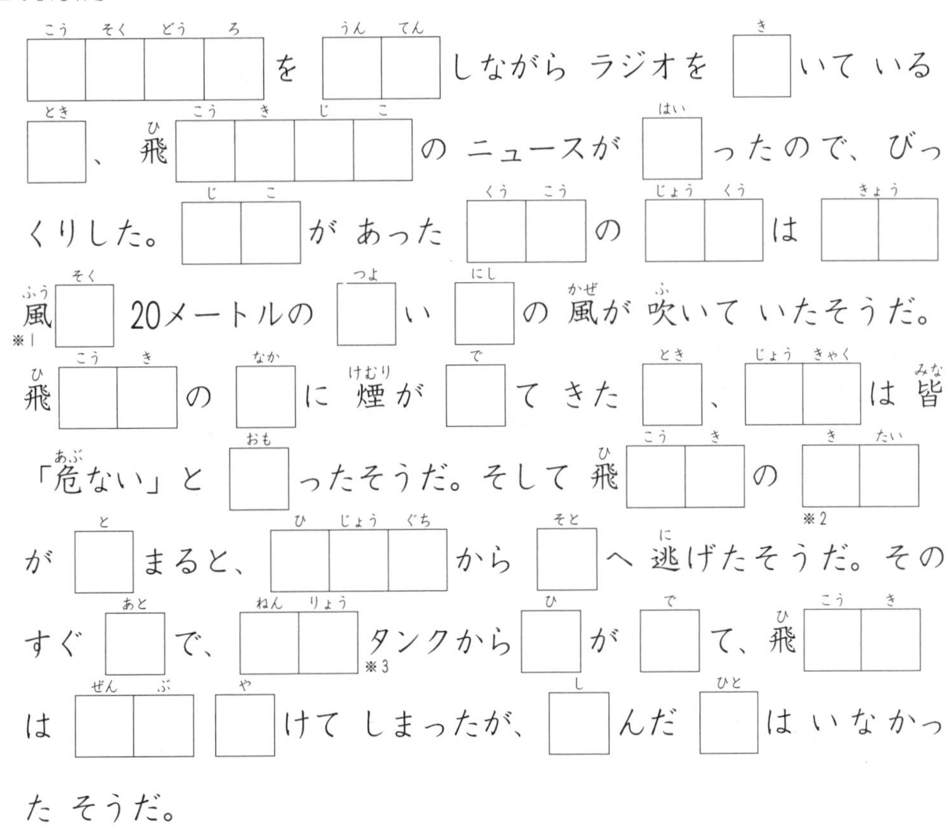

［こうそくどうろ］を［うんてん］しながら ラジオを［き］いて いる［とき］、飛（ひ）［こうきじこ］の ニュースが［はい］ったので、びっくりした。［じこ］が あった［くうこう］の［じょうくう］は［きょう］風（ふう）［そく］※1 20メートルの［つよ］い［にし］の 風（かぜ）が 吹（ふ）いて いたそうだ。飛（ひ）［こうき］の［なか］に 煙（けむり）が［で］て きた［とき］、［じょうきゃく］は 皆（みな）「危（あぶ）ない」と［おも］ったそうだ。そして 飛（ひ）［こうき］の［きたい］※2 が［と］まると、［ひじょうぐち］から［そと］へ 逃（に）げたそうだ。その すぐ［あと］で、［ねんりょう］タンク※3 から［ひ］が［で］て、飛（ひ）［こうき］は［ぜんぶ］［や］けて しまったが、［し］んだ［ひと］は いなかった そうだ。

2. Watching a Night Game

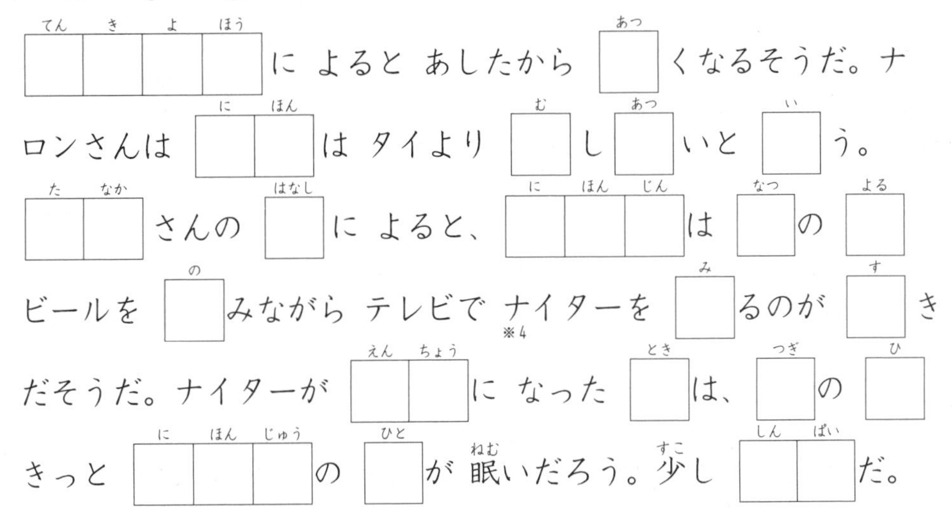

［てんきよほう］に よると あしたから［あつ］くなるそうだ。ナロンさんは［にほん］は タイより［む］し［あつ］いと［い］う。［たなか］さんの［はなし］に よると、［にほんじん］は［なつ］の［よる］ビールを［の］みながら テレビで ナイター※4 を［み］るのが［す］きだそうだ。ナイターが［えんちょう］に なった［とき］は、［つぎ］の［ひ］きっと［にほんじゅう］の［ひと］が 眠（ねむ）いだろう。少（すこ）し［しんぱい］だ。

※1 wind velocity　※2 main body　※3 tank　※4 night game

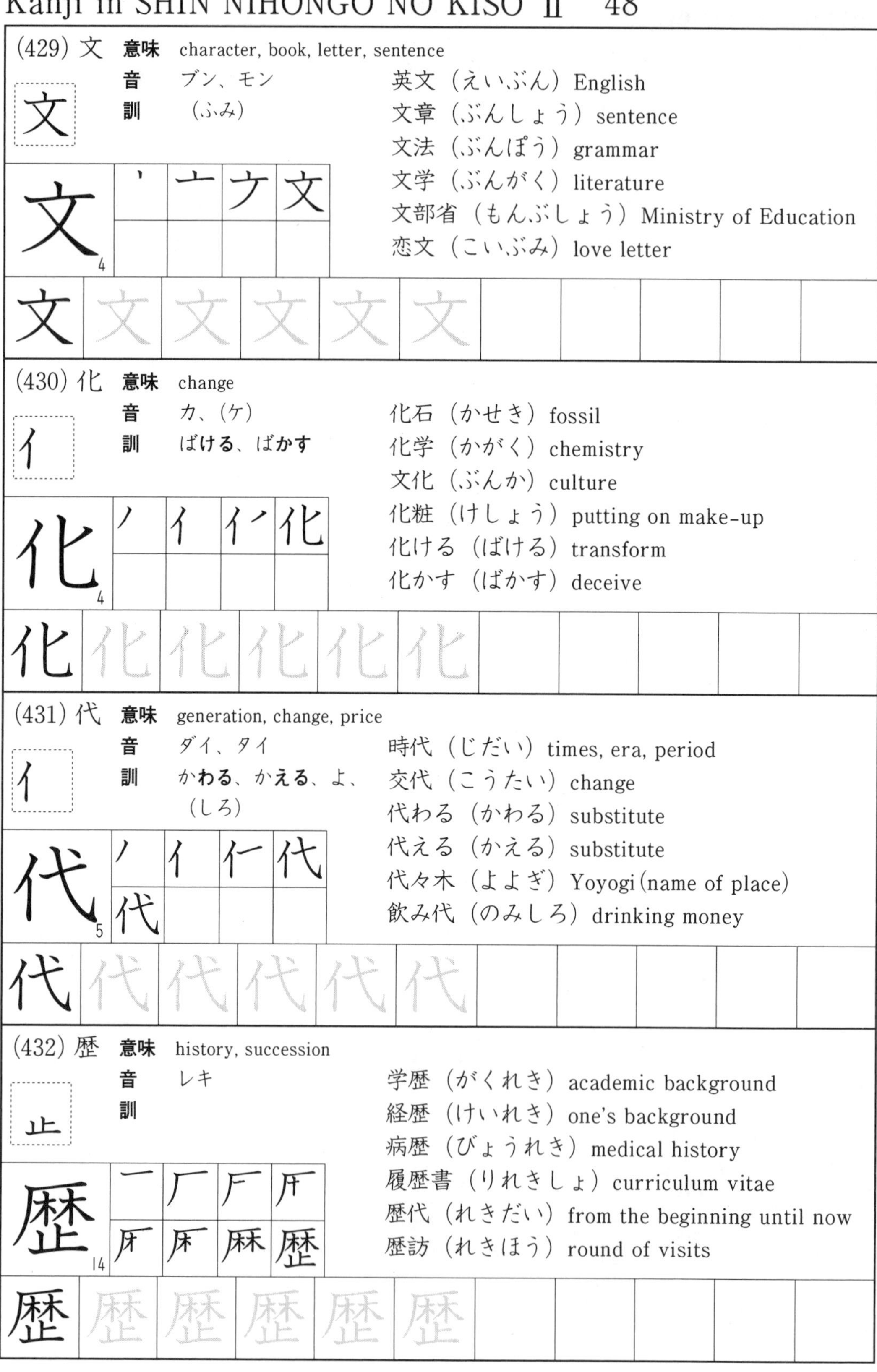

(429) 文　**意味** character, book, letter, sentence
音 ブン、モン
訓 （ふみ）

英文（えいぶん）English
文章（ぶんしょう）sentence
文法（ぶんぽう）grammar
文学（ぶんがく）literature
文部省（もんぶしょう）Ministry of Education
恋文（こいぶみ）love letter

(430) 化　**意味** change
音 カ、（ケ）
訓 ばける、ばかす

化石（かせき）fossil
化学（かがく）chemistry
文化（ぶんか）culture
化粧（けしょう）putting on make-up
化ける（ばける）transform
化かす（ばかす）deceive

(431) 代　**意味** generation, change, price
音 ダイ、タイ
訓 かわる、かえる、よ、（しろ）

時代（じだい）times, era, period
交代（こうたい）change
代わる（かわる）substitute
代える（かえる）substitute
代々木（よよぎ）Yoyogi (name of place)
飲み代（のみしろ）drinking money

(432) 歴　**意味** history, succession
音 レキ
訓

学歴（がくれき）academic background
経歴（けいれき）one's background
病歴（びょうれき）medical history
履歴書（りれきしょ）curriculum vitae
歴代（れきだい）from the beginning until now
歴訪（れきほう）round of visits

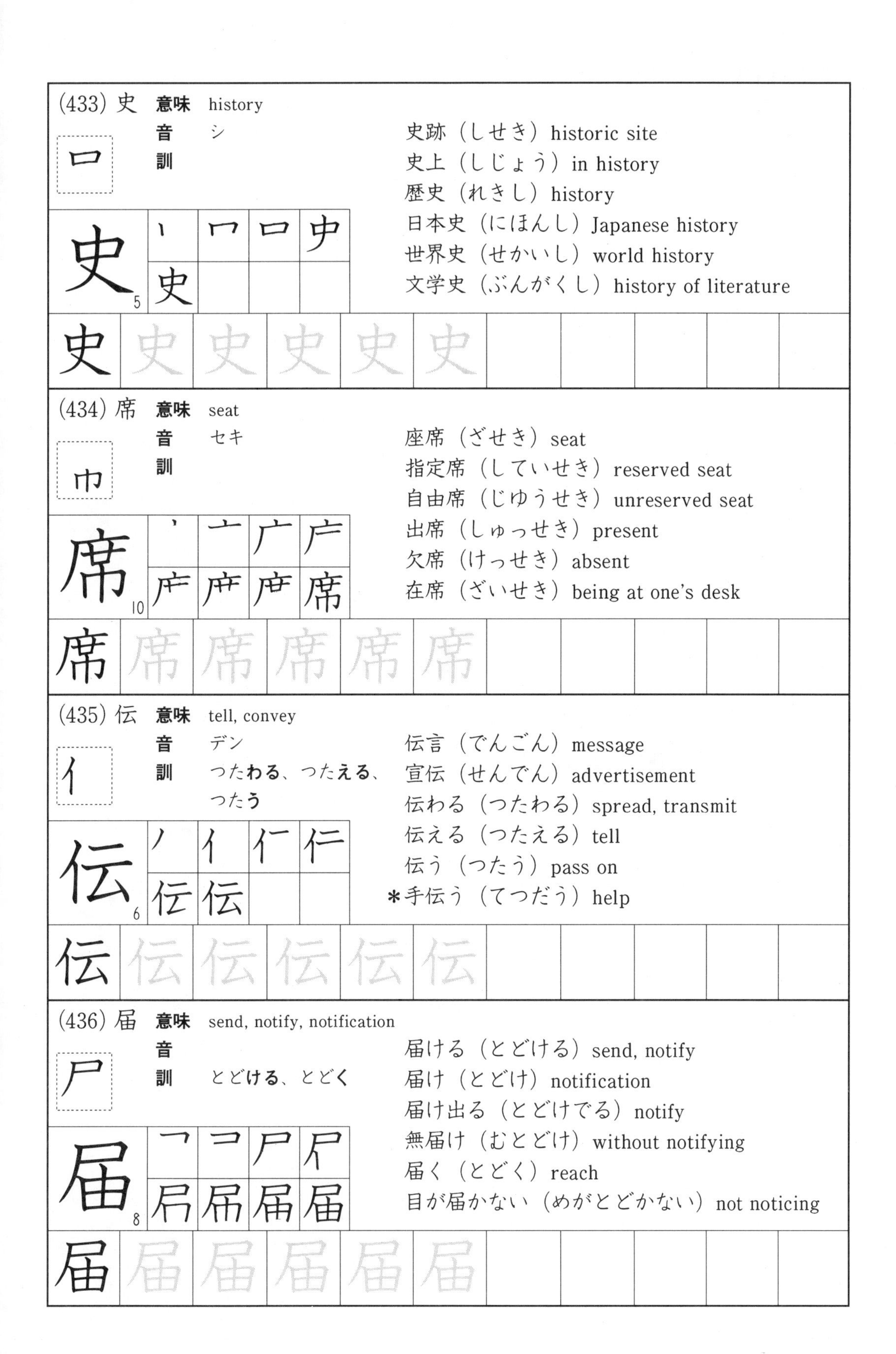

(433) 史　**意味**　history
音　シ
訓
部首: 口
史 (5)
史跡（しせき）historic site
史上（しじょう）in history
歴史（れきし）history
日本史（にほんし）Japanese history
世界史（せかいし）world history
文学史（ぶんがくし）history of literature

(434) 席　**意味**　seat
音　セキ
訓
部首: 巾
席 (10)
座席（ざせき）seat
指定席（していせき）reserved seat
自由席（じゆうせき）unreserved seat
出席（しゅっせき）present
欠席（けっせき）absent
在席（ざいせき）being at one's desk

(435) 伝　**意味**　tell, convey
音　デン
訓　つた**わる**、つた**える**、つた**う**
部首: 亻
伝 (6)
伝言（でんごん）message
宣伝（せんでん）advertisement
伝わる（つたわる）spread, transmit
伝える（つたえる）tell
伝う（つたう）pass on
*手伝う（てつだう）help

(436) 届　**意味**　send, notify, notification
音
訓　とど**ける**、とど**く**
部首: 尸
届 (8)
届ける（とどける）send, notify
届け（とどけ）notification
届け出る（とどけでる）notify
無届け（むとどけ）without notifying
届く（とどく）reach
目が届かない（めがとどかない）not noticing

Reading Practice 48

1. Showroom Information

東京銀座の サニービル※1の 1階から 3階は サニーの ショールームです。売り場には オーディオ製品※2や コンピューター、テレビ、ビデオなどの 製品が いろいろ 置いて あります。コンパニオン※3が サニーの 宣伝を して います。

サニーは サービス※4の よさも、有名です。製品に ついて 知りたい 時、電話を ください。注文が あれば すぐ 届けさせます。

世界で 最高の 技術レベル※5と サービスネットワーク※6を 持つ サニーの ショールームへ どうぞ。

2. International Communication Activities

教室の 自分の 席で、教科書を 読んだり、覚えたり することだけが 勉強では ない。特に 外国人学生には ホームステイを させたり、旅行させたり して あげたい。自分の 目で 見て、考えて、本当の 日本を 知って もらいたいと 思う。わたしたちの 町では、今年は セミナー※7の 代わりに 外国人学生と 町の 人との サマーキャンプ※8を 計画した。

※1 Sunny Building　※2 audio equipment　※3 guide　※4 service
※5 level　※6 network　※7 seminar　※8 summer camp

Writing Practice 48

1. Kanji Becomes My Friend

わたしが □(かよ)って いる □□□□□(にほんごがっこう)は あまり □(おお)きくないが、□□(れきし)が ある。わたしの □(ちち)も 昔(むかし) この □□(がっこう)で □(まな)んだ。わたしたちの □□(せんせい)は □□(いっしょう)懸命(けんめい) □□□(にほんご)を □(おし)えて くださる。□(たと)えば、□□(かんじ)を □□(がくせい)に □(よ)ませる。そして □□(いみ)を □(い)わせる。□(わ)からなければ、□□(せんせい)が □(こた)えを □(い)う □(か)わりに、□(じ)□(しょ)を 引(ひ)※1かせて、□□(いみ)を 確(たし)かめさせる。□□(かんじ)の ゲーム※2も する。□□(かんじ)の □(か)き□(かた)を □□(れんしゅう)させる……。□□(かんじ)は 難(むずか)しいが、面(おも)□(しろ)い。

2. Friends

ソムチャイさんは タイの □□□(りゅうがくせい)です。専(せん)□(もん)は □(か)□(がく)ですが、□□(にほん)の □□(ぶんがく)や □□(れきし)も □(す)きです。春子(はるこ)さんは ソムチャイさんの 恋(こい)□(びと)で、□□(ふたり)は 同(おな)じ ゼミ※3です。□□(せんしゅう) 春子(はるこ)さんは □□(びょうき)で ゼミを 欠(けっ)□(せき)しました。ソムチャイさんは ゼミの 友達(ともだち)が □□(しんぱい)して いる ことを 春子(はるこ)さんに □(つた)えました。そして、□□(はなや)に □□(でんわ)して、□(はな)を □(とど)けさせました。

※1 tell someone to look in a dictionary　※2 game　※3 seminar

(437) 主　**意味** main, main person, owner
音 シュ
訓 ぬし、おも

丶

主 5

丶 亠 亠 主 主

主要（しゅよう）important
主役（しゅやく）leading role
主催（しゅさい）sponsoring
主人（しゅじん）husband, master
家主（やぬし）landlord
主な（おもな）main

主 主 主 主 主 主

(438) 様　**意味** mode, style, formal title
音 ヨウ
訓 さま

木

様 14

木 木 栏 样 样 样 様 様

様式（ようしき）style
様子（ようす）appearance
模様（もよう）pattern
皆様（みなさま）ladies and gentlemen
山本様（やまもとさま）Mr/Ms Yamamoto
奥様（おくさま）(someone else's) wife

様 様 様 様 様 様

(439) 失　**意味** lose, mistake
音 シツ
訓 うしなう

大

失 5

ノ 𠂉 ⺧ 生 失

失業（しつぎょう）unemployment
失礼（しつれい）excuse
紛失（ふんしつ）losing (something)
失敗（しっぱい）failure
失う（うしなう）lose
見失う（みうしなう）lose sight of

失 失 失 失 失 失

(440) 最　**意味** most
音 サイ
訓 もっとも

又

最 12

冂 日 旦 早 昰 㝡 最 最

最近（さいきん）recently
最後（さいご）last
最高（さいこう）best ⇔ 最低（さいてい）worst
最終（さいしゅう）last
最新（さいしん）latest
最も（もっとも）most

最 最 最 最 最 最

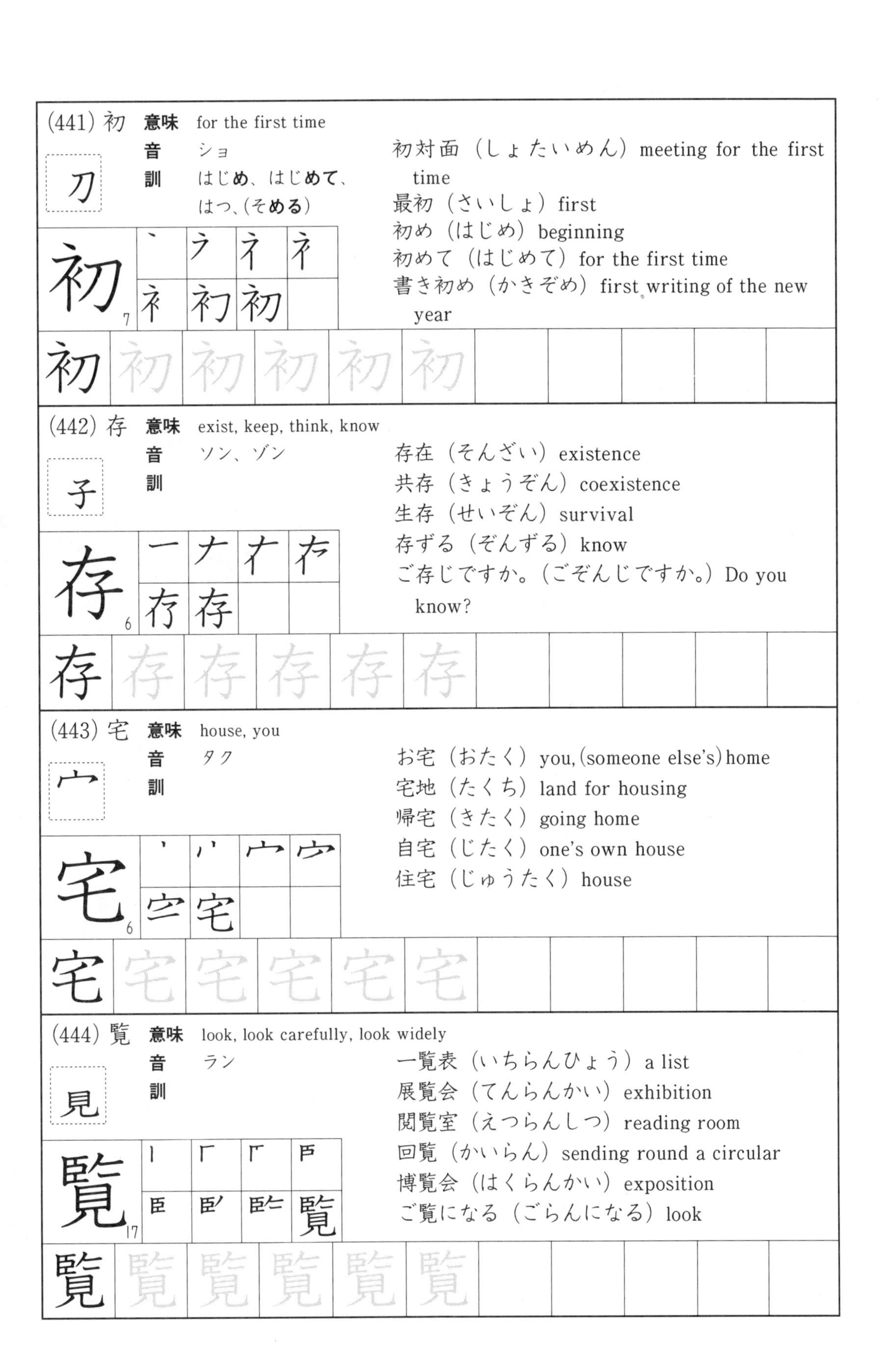

(441) 初 **意味** for the first time
音 ショ
訓 はじめ、はじめて、はつ、(そめる)

部首: 刀　画数: 7

初対面（しょたいめん）meeting for the first time
最初（さいしょ）first
初め（はじめ）beginning
初めて（はじめて）for the first time
書き初め（かきぞめ）first writing of the new year

(442) 存 **意味** exist, keep, think, know
音 ソン、ゾン
訓

部首: 子　画数: 6

存在（そんざい）existence
共存（きょうぞん）coexistence
生存（せいぞん）survival
存ずる（ぞんずる）know
ご存じですか。（ごぞんじですか。）Do you know?

(443) 宅 **意味** house, you
音 タク
訓

部首: 宀　画数: 6

お宅（おたく）you,(someone else's) home
宅地（たくち）land for housing
帰宅（きたく）going home
自宅（じたく）one's own house
住宅（じゅうたく）house

(444) 覧 **意味** look, look carefully, look widely
音 ラン
訓

部首: 見　画数: 17

一覧表（いちらんひょう）a list
展覧会（てんらんかい）exhibition
閲覧室（えつらんしつ）reading room
回覧（かいらん）sending round a circular
博覧会（はくらんかい）exposition
ご覧になる（ごらんになる）look

Reading Practice 49

Discovering Calligraphy

わたしは N先生に 書道を 習って いる ジャックです。最近 アメリカから 来ました。

N先生は 大きい 書道の 教室を 主催して いらっしゃいます。5年前に ニューヨークで 書の 展覧会を 開かれました。わたしは その 時 書道の 存在を 初めて 知りました。N先生が 字を 書かれる 様子を 近くで 見ました。白い 紙の 上に 書かれた、黒い、大きい 日本の 文字は 強い インパクト※1が ありました。N先生とは 初対面なので、失礼かと 思いましたが、N先生に 「わたしは 日本で 書道を 学びたい」と 言いました。N先生は わたしに ご自宅の 住所を 教えて くださいました。

わたしは 日本へ 来ると すぐ N先生の お宅を 訪ねました。こうして※2 わたしは 書道を 学ぶように なりました。

※1 impact　※2 thus

Writing Practice 49

1. Diary

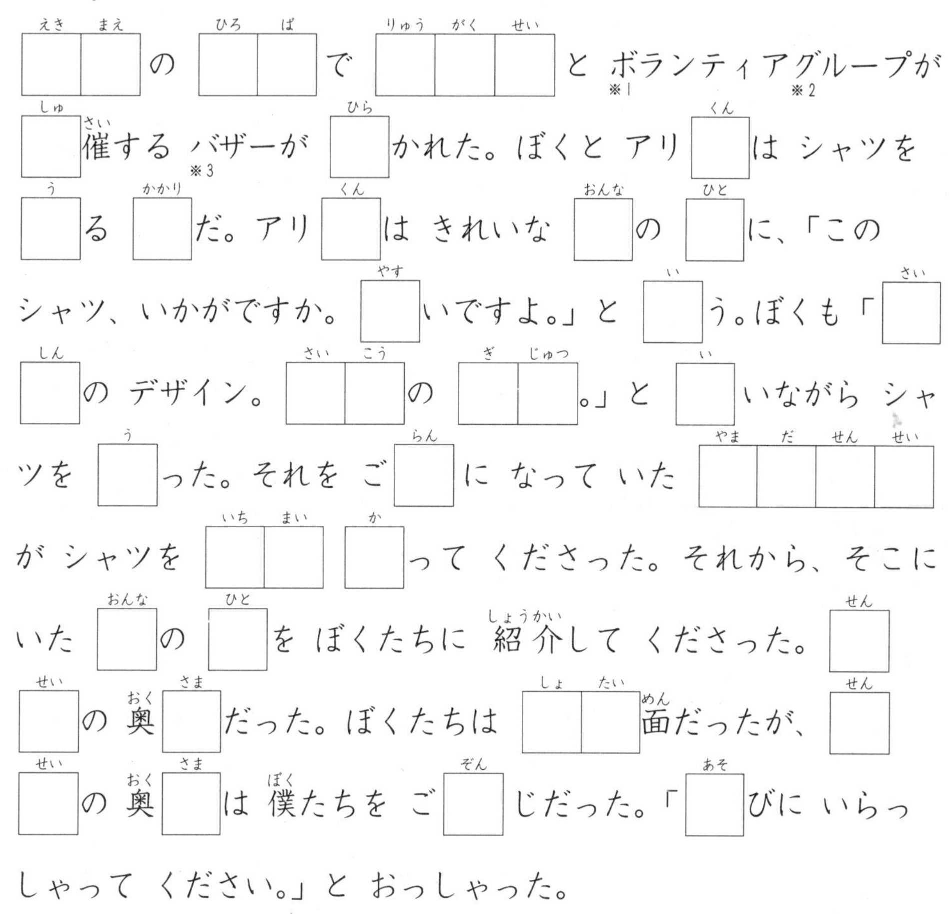

□□（えきまえ）の □□（ひろば）で □□□（りゅうがくせい）と ボランティア※1グループ※2が □（しゅ）催（さい）する バザー※3が □（ひら）かれた。ぼくと アリ□（くん）は シャツを □（う）る □（かかり）だ。アリ□（くん）は きれいな □（おんな）の □（ひと）に、「このシャツ、いかがですか。□（やす）いですよ。」と □（い）う。ぼくも「□（さい）□（しん）の デザイン。□□（さいこう）の □□（ぎじゅつ）。」と □（い）いながら シャツを □（う）った。それを ご□（らん）に なって いた □□□□（やまだせんせい）が シャツを □□（いちまい） □（か）って くださった。それから、そこに いた □（おんな）の □（ひと）を ぼくたちに 紹介（しょうかい）して くださった。□（せん）□（せい）の 奥（おく）□（さま）だった。ぼくたちは □□（しょたい）面（めん）だったが、□（せん）□（せい）の 奥（おく）□（さま）は 僕（ぼく）たちを ご□（ぞん）じだった。「□（あそ）びに いらっしゃって ください。」と おっしゃった。

2. A Thank-you Card

昨（さく）□（じつ）は ご□□（じたく）に ご□□（しょうたい）いただいて ありがとう ございました。□（はじ）めて □（た）べた □□（にほん）の お□□□□（しょうがつりょうり）は □□（ほんとう）に きれいで、おいしかったです。□□□（やまもとさま）も いつか □（かなら）ず ソウルへ □（あそ）びに いらっしゃって ください。奥（おく）□（さま）にも よろしく お□（つた）えください。

リー ケンウ

※1 volunteer　※2 group　※3 bazaar

(445) 去　意味　past, go away
音　キョ、コ
訓　さる
部首: ム　画数: 5
筆順: 一 十 土 去 去

去年（きょねん）last year
退去（たいきょ）leaving
逝去（せいきょ）passing away
過去（かこ）past
去る（さる）go away
過ぎ去る（すぎさる）past

(446) 申　意味　say, speak humbly
音　シン
訓　もうす
部首: 田　画数: 5

申告（しんこく）statement, declaration
申請書（しんせいしょ）application
内申書（ないしんしょ）school report
申す（もうす）say
申し上げる（もうしあげる）say
申し込み（もうしこみ）application

(447) 参　意味　visit (shrine or temple), go, come
音　サン
訓　まいる
部首: ム　画数: 8

参加（さんか）participation
参議院（さんぎいん）House of Councilors
参観料（さんかんりょう）admission charge
墓参（ぼさん）visiting a cemetery
参る（まいる）go, come
お参り（おまいり）visiting (shrine or temple)

(448) 別　意味　divide, separate, conspicuous
音　ベツ
訓　わかれる
部首: 刂　画数: 7

別（べつ）different
区別（くべつ）distinction, difference
特別（とくべつ）special
別れる（わかれる）split up
別れ（わかれ）separation

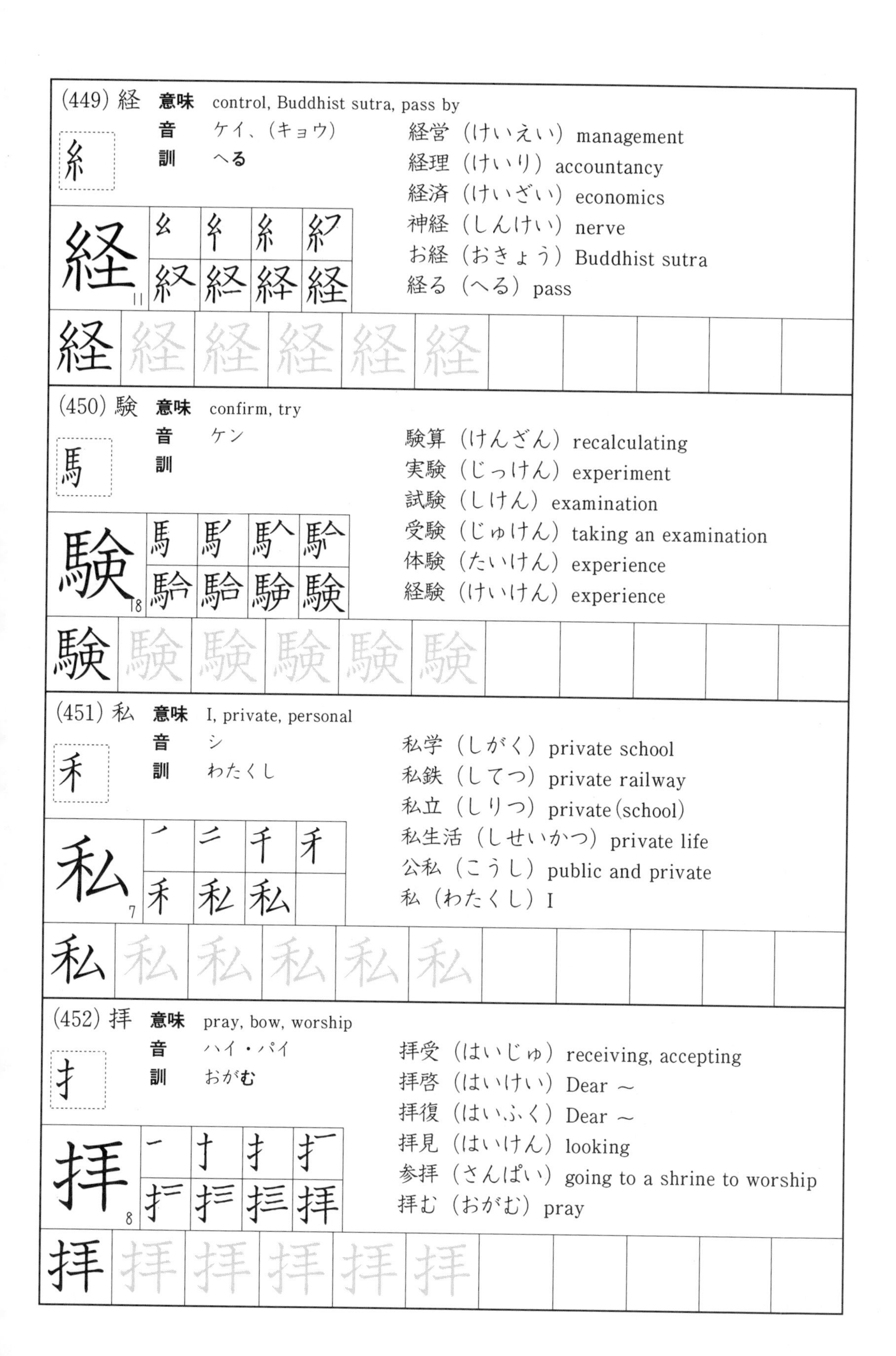

(449) 経 **意味** control, Buddhist sutra, pass by
音 ケイ、(キョウ)
訓 へる

糸

経 11

経営（けいえい）management
経理（けいり）accountancy
経済（けいざい）economics
神経（しんけい）nerve
お経（おきょう）Buddhist sutra
経る（へる）pass

(450) 験 **意味** confirm, try
音 ケン
訓

馬

験 18

験算（けんざん）recalculating
実験（じっけん）experiment
試験（しけん）examination
受験（じゅけん）taking an examination
体験（たいけん）experience
経験（けいけん）experience

(451) 私 **意味** I, private, personal
音 シ
訓 わたくし

禾

私 7

私学（しがく）private school
私鉄（してつ）private railway
私立（しりつ）private (school)
私生活（しせいかつ）private life
公私（こうし）public and private
私（わたくし）I

(452) 拝 **意味** pray, bow, worship
音 ハイ・パイ
訓 おが**む**

扌

拝 8

拝受（はいじゅ）receiving, accepting
拝啓（はいけい）Dear ～
拝復（はいふく）Dear ～
拝見（はいけん）looking
参拝（さんぱい）going to a shrine to worship
拝む（おがむ）pray

Reading Practice 50

A Thank-you Letter

拝啓(けい)　三月に 入って やっと 暖かく なりましたが、皆(みな)様 お元気で いらっしゃいますか。私は おかげさまで 元気に 春休みを 楽しんで おります。

先日は 楽しい パーティーに ご招待 ありがとう ございました。今日 皆(みな)様と ごいっしょに 撮(と)った 写真を 拝受いたしました。本当に ありがとう ございました。心から お礼 申し上げます。

去年の 四月、一人で 日本へ 来てから、今日まで、いろいろ お世話に なりました。ホームステイや ボランティアの 皆(みな)様との 交流(りゅう)※1は とても いい 経験に なりました。九州の 大学に 進学して、皆(みな)様と お別れしても、私は 親切な 皆(みな)様を 忘れません。夏休みには 必ず 皆(みな)様の ところへ 帰って 参ります。皆(みな)様も どうぞ お元気で お過(す)ごしください※2。

かしこ

三月二十三日　　ワン ミンホワ

※1 communication　※2 please take care

Writing Practice 50

Letter to My Guarantor

□□(やまだ) 一郎(いちろう) □□(せんせい)

お□□(へんじ)を □□(はいけん)いたしました。ありがとう ございました。
□□(きょねん)の □(あき)から □(わたくし)は ずっと 保証(ほしょう)□(にん)に なって くだ
さる □(かた)を 捜(さが)して おりました。ですから □□(きょう) □□(せんせい)か
ら □(わたくし)の 保証(ほしょう)□(にん)に なって くださると いう お□□(へんじ)を
いただいて、□□(ほんとう)に うれしいです。おかげさまで □□(あんしん)
いたしました。□□(だいがく)に □(はい)ったら、□□(いっしょう)懸命(けんめい)□□(べんきょう)
する つもりで おります。できたら □□□(にほんじん)の □(いえ)に ホー
ムステイを したり、クラブ□□(かつどう)に □□(さんか)したり したいと
□(おも)います。いろいろな □□(けいけん)が あとで □(やく)に □(た)つと
□(おも)って おります。保証(ほしょう)□(にん)の □□(てつづ)きの □□(しょるい)を
□(べつ)に お□(おく)りいたします。どうぞ よろしく お□(ねが)い□(もう)し
□(あ)げます。奥(おく)□(さま)にも よろしく お□(つた)えください。どうぞ お
□□(げんき)で お過(す)ごし ください。

敬具(けいぐ)

□□□□□(さん がつ じゅう に にち)

リン　クオチュン

※ guarantor

PART II

Kanji Selected from Everyday Life

1．Nature（1）Rural Life

(453) 池　**意味** pond
音 チ
訓 いけ

部首: 氵

池 (6 strokes): 丶 冫 氵 汀 汁 池

- 貯水池（ちょすいち）reservoir
- 電池（でんち）battery
- 乾電池（かんでんち）dry battery
- 池（いけ）pond
- ため池（ためいけ）reservoir
- 池田（いけだ）Ikeda(Japanese surname)

池 池 池 池 池 池

(454) 庭　**意味** garden
音 テイ
訓 にわ

部首: 广

庭 (10 strokes): 亠 广 广 庀 庄 庄 庭 庭

- 庭園（ていえん）garden
- 家庭（かてい）home
- 校庭（こうてい）school playground
- 庭（にわ）garden
- 庭師（にわし）gardener
- 中庭（なかにわ）courtyard

庭 庭 庭 庭 庭 庭

(455) 畑　**意味** field
音
訓 はた、はたけ

部首: 田

畑 (9 strokes): 丶 丷 火 火 灯 灯 畑 畑

- 田畑（たはた）cultivated field
- 畑（はたけ）field
- 段々畑（だんだんばたけ）terraced field
- 芋畑（いもばたけ）field of potatoes
- 技術畑（ぎじゅつばたけ）the engineering field
- 畑違い（はたけちがい）different field(of study)

畑 畑 畑 畑 畑 畑

(456) 農　**意味** agriculture
音 ノウ
訓

部首: 辰

農 (13 strokes): 丨 冂 巾 曲 曲 曲 農 農

- 農業（のうぎょう）agriculture
- 農家（のうか）a farm
- 農村（のうそん）farming village
- 農地（のうち）farming area
- 農学部（のうがくぶ）Department of Agriculture
- 農場（のうじょう）a farm, plantation

農 農 農 農 農 農

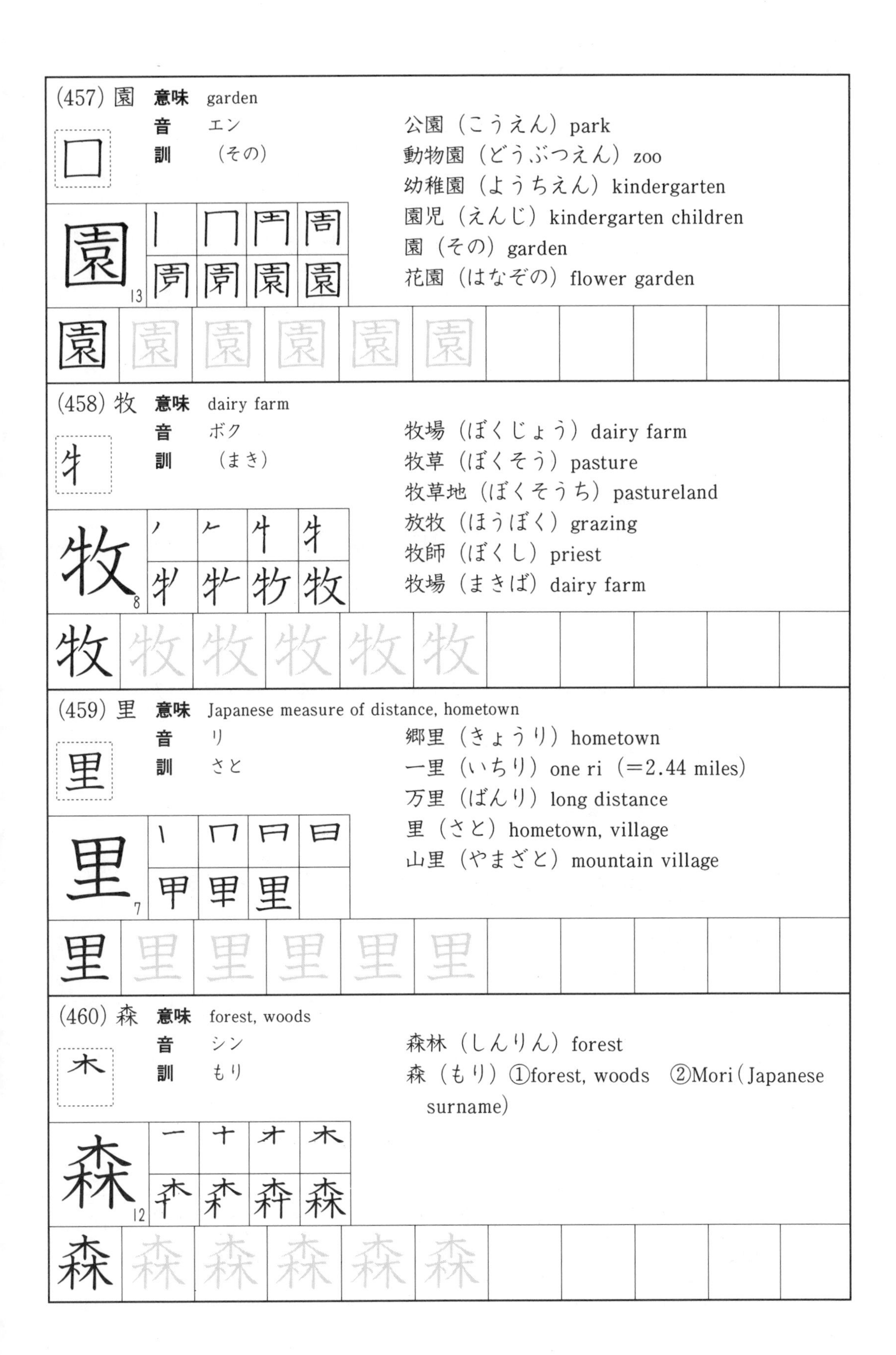
(457) 園 意味 garden
音 エン
訓 (その)
公園（こうえん）park
動物園（どうぶつえん）zoo
幼稚園（ようちえん）kindergarten
園児（えんじ）kindergarten children
園（その）garden
花園（はなぞの）flower garden

(458) 牧 意味 dairy farm
音 ボク
訓 (まき)
牧場（ぼくじょう）dairy farm
牧草（ぼくそう）pasture
牧草地（ぼくそうち）pastureland
放牧（ほうぼく）grazing
牧師（ぼくし）priest
牧場（まきば）dairy farm

(459) 里 意味 Japanese measure of distance, hometown
音 リ
訓 さと
郷里（きょうり）hometown
一里（いちり）one ri（＝2.44 miles）
万里（ばんり）long distance
里（さと）hometown, village
山里（やまざと）mountain village

(460) 森 意味 forest, woods
音 シン
訓 もり
森林（しんりん）forest
森（もり）①forest, woods ②Mori（Japanese surname）

Reading Practice 1-(1)

1. Japanese Agriculture

わたしは 大学の 農学部で 日本の 農業の 現状(げんじょう)※1を 学びました。日本の 農業は 米作が 中心です。現在(げんざい)※2の 農家の 戸(こ)※3数は 約 三 百 八 十 万 戸(こ)※4です。田 畑の 総面積(そうめんせき)※5は 約 五 百 二 十 万 ヘクタール※6、森 林は 約 二 千 五 百 万 ヘクタール、牧 場・牧 草(そう)地は 約 六 十 四 万 ヘクタールです。日本では 段々(だんだん)畑が 多く 見られます。

2. How to Use a Battery

1) 充(じゅう)※7電 式 電 池を 使う 場合

充(じゅう)電 式 電 池を 家 庭の コンセント※8に 差(さ)※9し込(こ)んで、充(じゅう)※10電します。終わったら、電 池を 本※11体に 入れます。

2) 乾(かん)電 池を 使う 場合

本 体に ケース※12を 取り付けて、乾(かん)電 池を 入れます。

3. The Village Garden

昔(むかし)※13、ある※14 山の ふもと※15に 里が ありました。この 里には 小さな 花 園が ありました。里の 人々は この 花 園を とても 誇(ほこ)※16りに して いました。

※1 current situation ※2 present ※3 number of (houses) ※4 house(s)
※5 total area ※6 hectares ※7 rechargeable ※8 electrical outlet
※9 plug in ※10 recharge ※11 main body ※12 case ※13 once upon a time
※14 a ※15 foot of ※16 pride

Writing Practice 1-(1)

1. Visit to a Farming Village

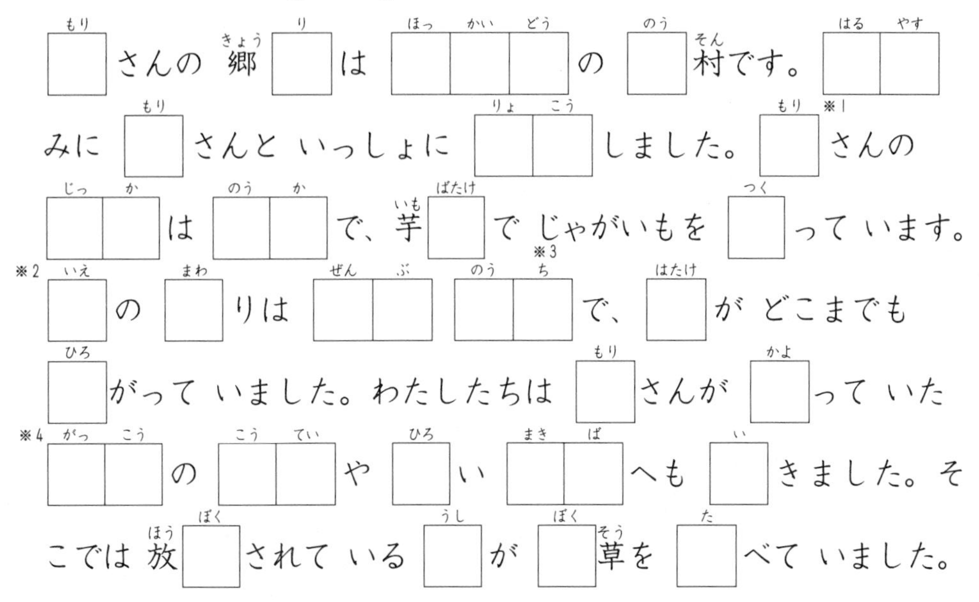
□(もり)さんの 郷(きょう)□(り)は □□□(ほっかいどう)の □(のう)村(そん)です。□□(はるやす)みに※1 □(もり)さんと いっしょに □□(りょこう)しました。□(もり)さんの □□(じっか)は □□(のうか)で、芋(いも)□(ばたけ)で じゃがいもを □(つく)って います。※2 □(いえ)の □(まわ)りは □□(ぜんぶ) □□(のうち)※3で、□(はたけ)が どこまでも □(ひろ)がって※4 いました。わたしたちは □(もり)さんが □(かよ)って いた □□(がっこう)の □□(こうてい)や □(ひろ)い □□(まきば)へも □(い)きました。そこでは 放(ほう)□(ぼく)されて いる □(うし)が □(ぼく)草(そう)を □(た)べて いました。

2. Visit to Kyoto

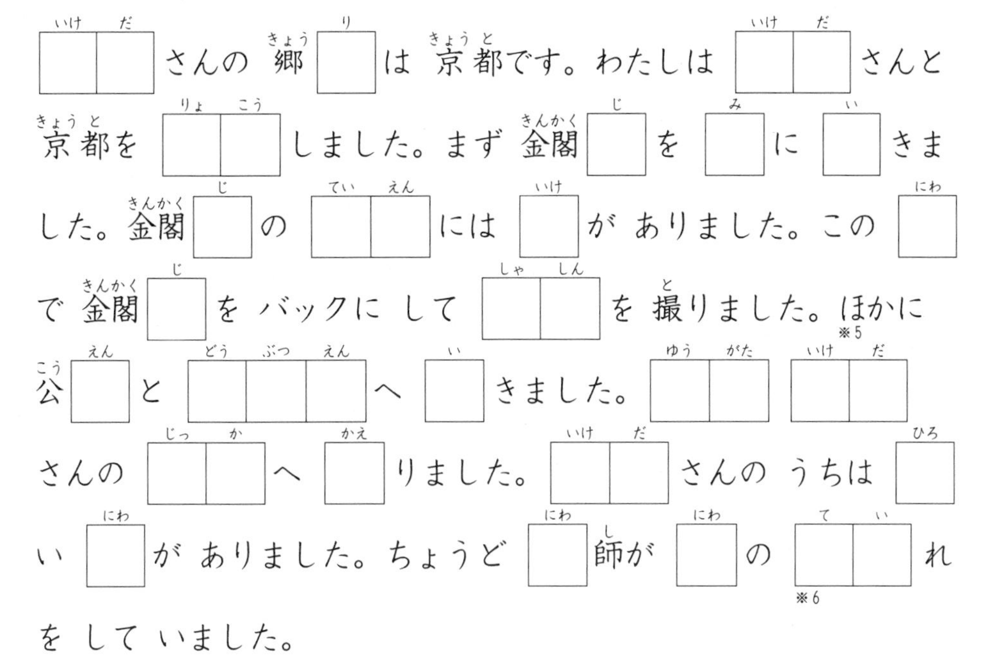
□□(いけだ)さんの 郷(きょう)□(り)は 京都(きょうと)です。わたしは □□(いけだ)さんと 京都(きょうと)を □□(りょこう)しました。まず 金閣(きんかく)□(じ)を □(み)に □(い)きました。金閣(きんかく)□(じ)の □□(ていえん)には □(いけ)が ありました。この □(にわ)で 金閣(きんかく)□(じ)を バックに して □□(しゃしん)を 撮(と)りました。ほかに※5 公(こう)□(えん)と □□□(どうぶつえん)へ □(い)きました。□□(ゆうがた) □□(いけだ)さんの □□(じっか)へ □(かえ)りました。□□(いけだ)さんの うちは □(ひろ)い □(にわ)が ありました。ちょうど □(にわ)師(し)が □(にわ)の □□(てい)れ※6を して いました。

※1 spring holiday　※2 one's parental home　※3 potato
※4 be spread out　※5 besides that　※6 take care of

1. Nature (2) Animals and Plants

(461) 植 **意味** plant
音 ショク
訓 うえる、うわる

部首: 木

植 (12)

Stroke order: 木 朩 朩 朩 朩 植 植 植

移植（いしょく）transplantation
植物（しょくぶつ）vegetation
誤植（ごしょく）printing errors
植える（うえる）plant
植木（うえき）potted plant
植わる（うわる）be planted

植 植 植 植 植 植

(462) 根 **意味** root
音 コン
訓 ね

部首: 木

根 (10)

Stroke order: 十 木 朩 朩 朩 根 根 根

大根おろし（だいこんおろし）grated Japanese radish
根元（ねもと）base(of tree)
羽根（はね）feather
羽根つき（はねつき）Japanese badminton
屋根（やね）roof

根 根 根 根 根 根

(463) 豆 **意味** bean
音 トウ・ドウ、ズ
訓 まめ

部首: 豆

豆 (7)

Stroke order: 一 一 豆 豆 豆 豆 豆

豆腐（とうふ）bean curd
湯豆腐（ゆどうふ）boiled tofu dish
大豆（だいず）soybean
豆（まめ）bean
五目豆（ごもくまめ）gomokumame(name of Japanese dish)

豆 豆 豆 豆 豆 豆

(464) 草 **意味** grass
音 ソウ・ゾウ
訓 くさ

部首: 艹

草 (9)

Stroke order: 一 艹 艹 艹 艹 艹 草 草

ほうれん草（ほうれんそう）spinach
草原（そうげん）meadow
野草（やそう）wild grass
草々（そうそう）Sincerely yours
草（くさ）grass
草花（くさばな）flowering plant

草 草 草 草 草 草

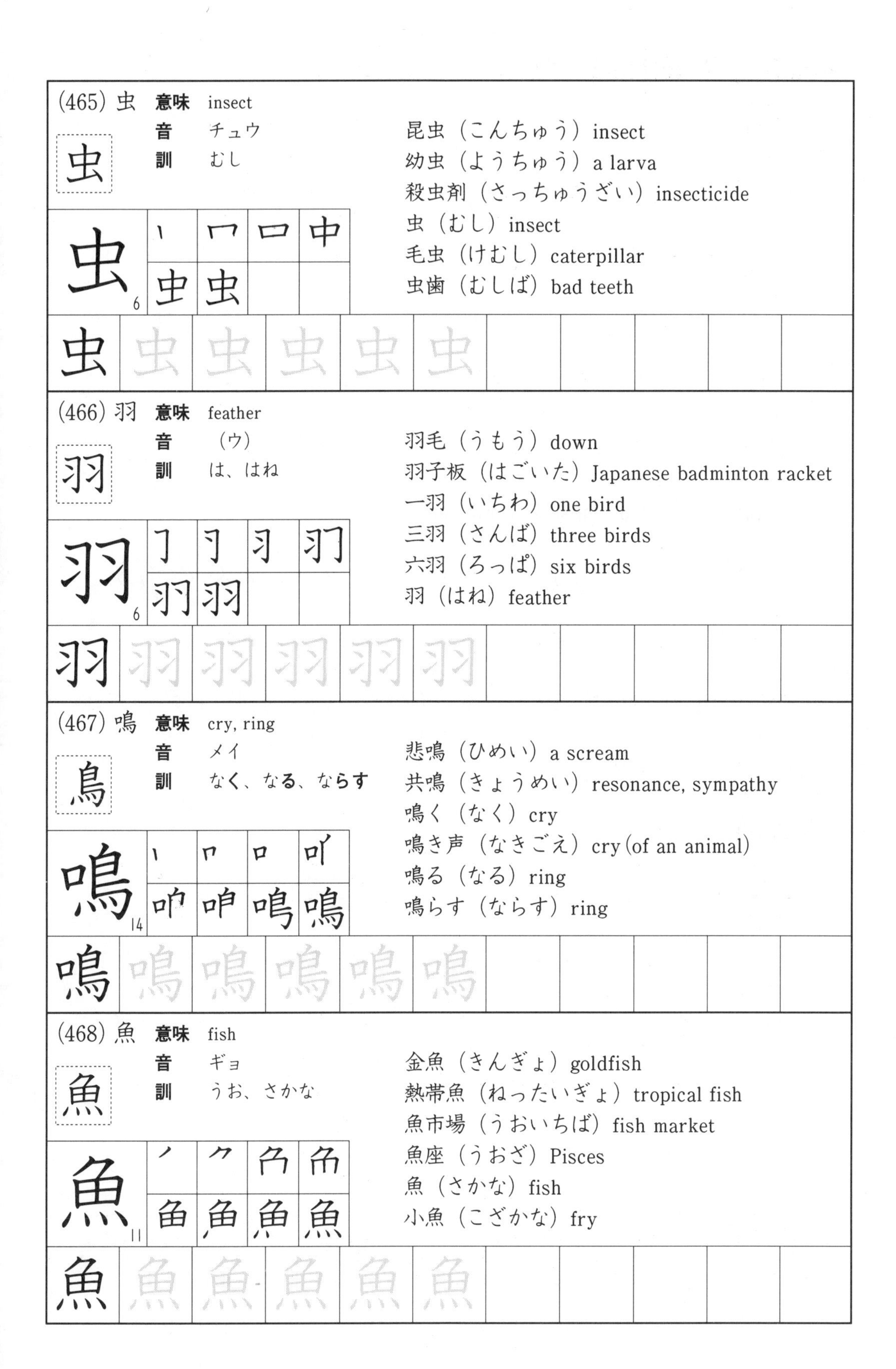

(465) 虫　**意味** insect
音 チュウ
訓 むし

虫 6

昆虫（こんちゅう）insect
幼虫（ようちゅう）a larva
殺虫剤（さっちゅうざい）insecticide
虫（むし）insect
毛虫（けむし）caterpillar
虫歯（むしば）bad teeth

(466) 羽　**意味** feather
音 （ウ）
訓 は、はね

羽 6

羽毛（うもう）down
羽子板（はごいた）Japanese badminton racket
一羽（いちわ）one bird
三羽（さんば）three birds
六羽（ろっぱ）six birds
羽（はね）feather

(467) 鳴　**意味** cry, ring
音 メイ
訓 なく、なる、ならす

鳴 14

悲鳴（ひめい）a scream
共鳴（きょうめい）resonance, sympathy
鳴く（なく）cry
鳴き声（なきごえ）cry (of an animal)
鳴る（なる）ring
鳴らす（ならす）ring

(468) 魚　**意味** fish
音 ギョ
訓 うお、さかな

魚 11

金魚（きんぎょ）goldfish
熱帯魚（ねったいぎょ）tropical fish
魚市場（うおいちば）fish market
魚座（うおざ）Pisces
魚（さかな）fish
小魚（こざかな）fry

Reading Practice 1-(2)

1 . Plants

わたしの 趣(しゅ)味は 植物を 育(そだ)てる[※1] ことです。毎年 庭に 草花や 豆を 植えます。ある[※2]程(てい)度 成長したら、別の 場所に 移(い)植します。わたしの 庭には たくさんの 草や 植木が きれいに 植わって います。わたしは 特(とく)に ケヤキの 大木の 根元に 寄(よ)り[※3]掛(か)かって 休むのが 好きです。

2 . Hane-Tsuki (Japanese Badminton)

日本では お正月に 羽根つきを します。二人で 向[※4]かい合って、植物の 種に 羽毛(もう)を 数[※5]枚 差(さ)し込(こ)んだ 羽根を、羽子板で つい[※6]て 遊びます。負(ま)けた 人は 顔(かお)に 墨(すみ)[※7]を 塗(ぬ)られるのが 普(ふ)通です。

3 . My Pets

わたしは インコ[※8]を 一羽、カナリア[※9]を 六羽、金魚を 二匹(ひき)[※10]、虫を 一匹(ぴき) 飼(か)[※11]って います。インコは 黄色、カナリアは 三羽は 白くて、三羽は 赤いです。インコも カナリアも 羽毛(もう)が とても きれいです。カナリアの 鳴き声は きれいですが、インコの 鳴き声は あまり きれいでは ありません。

※1 grow　※2 to some extent　※3 leaning on　※4 facing each other
※5 several　※6 hit　※7 black ink　※8 parrakeet　※9 canary
※10 hiki〔biki, piki〕(used to count animals)　※11 keep (animals)

Writing Practice 1–(2)

1. Tonight's Meal

□□(こんや)の おかずは □(さかな)の 塩(しお)※1□(や)きと □□□(ごもくまめ)と ほうれん□(そう)の お浸(ひた)し※2と □□(ゆどう)腐(ふ)です。□(さかな)は 塩(しお)を 振(ふ)※3って □(や)いて、□□(だいこん)おろしを 添(そ)※4えます。□□(だいず)は □(みず)に つ※5けて 軟(やわ)らかく してから、にんじん※6や ごぼう※7と いっしょに 煮(に)※8ます。ほうれん□(そう)は 塩(しお)を □(くわ)えた お□(ゆ)で ゆで※9て、しょうゆ※10と だし汁(じる)を 掛(か)けます。□(とう)腐(ふ)は だし汁(じる)で 煮(に)て、しょうゆを 掛(か)けて □(た)べます。ごはんには ごま塩(しお)※11を 振(ふ)り※12掛(か)けます。

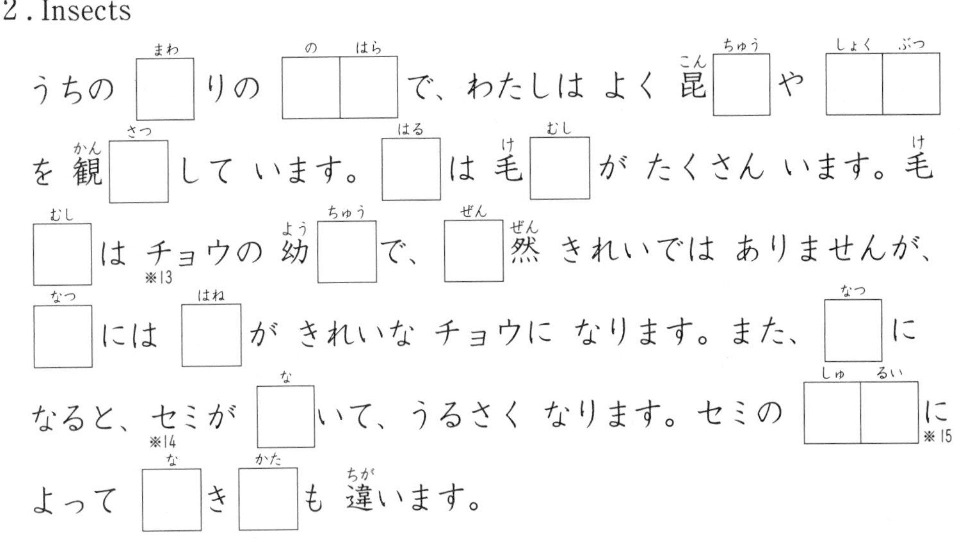

2. Insects

うちの □(まわ)りの □□(のはら)で、わたしは よく 昆(こん)□(ちゅう)や □□(しょくぶつ)を 観(かん)□(さつ)して います。□(はる)は 毛(け)□(むし)が たくさん います。毛(け)□(むし)は チョウ※13の 幼(よう)□(ちゅう)で、□(ぜん)然(ぜん) きれいでは ありませんが、□(なつ)には □(はね)が きれいな チョウに なります。また、□(なつ)に なると、セミ※14が □(な)いて、うるさく なります。セミの □□(しゅるい)に※15 よって □(な)き□(かた)も 違(ちが)います。

※1 grilled in salt　※2 boiled vegetables　※3 sprinkle　※4 add
※5 soak　※6 carrot　※7 burdock　※8 simmer　※9 boil
※10 soy sauce　※11 sesame seeds and salt　※12 sprinkle
※13 butterfly　※14 cicada　※15 according to

1. Nature (3) Heavenly Bodies and Natural Phenomena

(469) 宇 **意味** (outer) space
音 ウ
訓

宀

宇 6

丶 丷 宀 宀 宀 宇

宇宙（うちゅう）(outer) space
宇宙空間（うちゅうくうかん）space
宇宙人（うちゅうじん）alien
宇宙船（うちゅうせん）spaceship
宇宙飛行士（うちゅうひこうし）astronaut
宇宙旅行（うちゅうりょこう）space travel

宇 宇 宇 宇 宇 宇

(470) 宙 **意味** (outer) space, the air
音 チュウ
訓

宀

宙 8

丶 丷 宀 宀 宀 宀 宙 宙

宙（ちゅう）in the air
宙づり（ちゅうづり）hanging in midair
宙返り（ちゅうがえり）a somersault
宙ぶらりん（ちゅうぶらりん）hanging in midair

宙 宙 宙 宙 宙 宙

(471) 陽 **意味** the sun
音 ヨウ
訓

阝

陽 12

阝 阝 阝 阝 阝 阝 陽 陽

太陽（たいよう）the sun
太陽系（たいようけい）the solar system
陽光（ようこう）sunbeam
陽気（ようき）the weather, cheerfulness
陽性（ようせい）positivity
陽子（ようし）proton

陽 陽 陽 陽 陽 陽

(472) 星 **意味** star
音 セイ
訓 ほし

日

星 9

丨 冂 日 日 日 旦 星 星

恒星（こうせい）star
惑星（わくせい）planet
火星（かせい）Mars
木星（もくせい）Jupiter
土星（どせい）Saturn
星（ほし）star

星 星 星 星 星 星

正誤表 (Errata)

		誤 (for)	正 (read)
P 10	L 8	(sen cha)	(sencha)
	L 9	(bansankan)	(bansankai)
P 84	(389)	see grid below	see grid below
P 188	※1	Aclam	Adam

誤 (for):

荷	艹+丿	艹+亻	艹+亻+一
艹+亻+丁	荷	荷	荷

正 (read):

艹	艹+丿	艹+亻	艹+亻+一
艹+亻+丁	艹+亻+可	艹+亻+可	荷

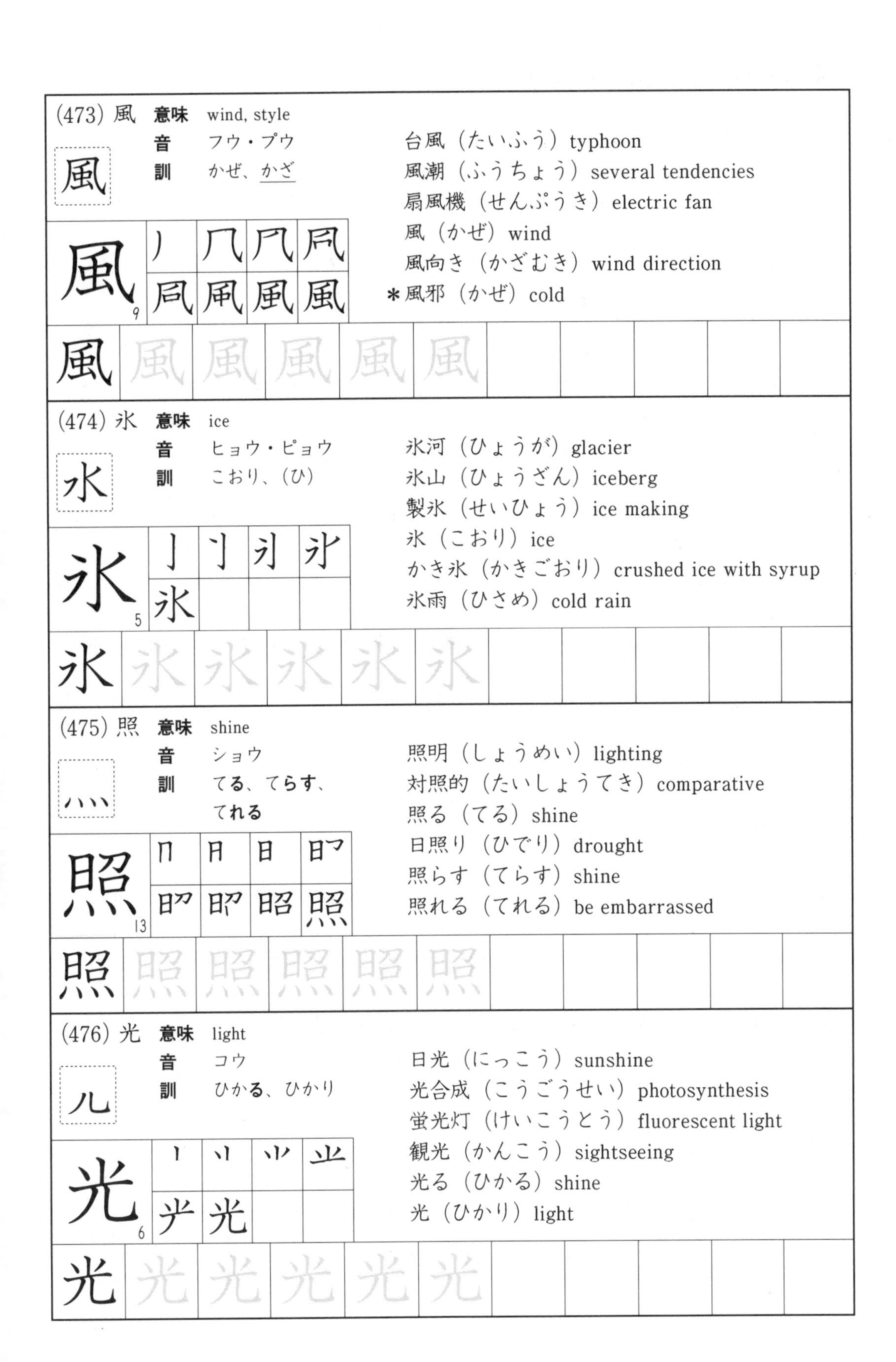

(473) 風 **意味** wind, style
音 フウ・プウ
訓 かぜ、かざ

台風（たいふう）typhoon
風潮（ふうちょう）several tendencies
扇風機（せんぷうき）electric fan
風（かぜ）wind
風向き（かざむき）wind direction
*風邪（かぜ）cold

(474) 氷 **意味** ice
音 ヒョウ・ピョウ
訓 こおり、(ひ)

氷河（ひょうが）glacier
氷山（ひょうざん）iceberg
製氷（せいひょう）ice making
氷（こおり）ice
かき氷（かきごおり）crushed ice with syrup
氷雨（ひさめ）cold rain

(475) 照 **意味** shine
音 ショウ
訓 てる、てらす、てれる

照明（しょうめい）lighting
対照的（たいしょうてき）comparative
照る（てる）shine
日照り（ひでり）drought
照らす（てらす）shine
照れる（てれる）be embarrassed

(476) 光 **意味** light
音 コウ
訓 ひかる、ひかり

日光（にっこう）sunshine
光合成（こうごうせい）photosynthesis
蛍光灯（けいこうとう）fluorescent light
観光（かんこう）sightseeing
光る（ひかる）shine
光（ひかり）light

Reading Practice 1-(3)

1. The Sun

宇宙には 天体※1が たくさん あります。自分で 光を 出す 星は 恒(こう)星です。恒(こう)星は 内部の 核反応(かくはんのう)※2に※3 よって、光って います。太陽も 恒(こう)星です。太陽は 地球上※4の すべて※5の 物を 照らして います。太陽が なければ、地球上の 生物は 生きられません。植物は 日光が 当たると、二酸(さん)化炭素(たんそ)※6と 水から 酸素(さんそ)※7と でんぷん※8を 作ります。これが 光合成です。

2. Typhoons

日本では 秋に なると、台風が 来ます。台風の 時は、強い 風や 雨で 毎年 多く※9の 被害(ひがい)※10が 出ます※11。台風の 位置(いち)※12に よって 風向きも 変わります。

3. Glaciers and Icebergs

水を 0°C以(い)下に すると、氷に なります。地球上には 巨(きょ)※13大な 氷の 固(かた)まり※14が たくさん あります。氷河(が)は 氷の 固(かた)まりが ゆっくり 動いて いる ものです。氷山は 海に 浮(う)かぶ※15 巨(きょ)大な 氷の 固(かた)まりです。

※1 heavenly bodies　※2 nuclear reaction　※3 by　※4 on the earth
※5 all　※6 carbon dioxide　※7 oxygen　※8 starch　※9 many
※10 damage　※11 happen　※12 location　※13 massive　※14 lump
※15 float

Writing Practice 1–(3)

1. A Cold

□□（なつやす）みに □□（りょこう）に □（い）きましたが、途（と）□（ちゅう）で 風邪（かぜ）を ひいて しまいました。かき□（ごおり）を □（た）べすぎて、扇（せん）□□（ぷうき）に □（あ）たりすぎたからだと □（おも）います。その □（ひ）は 市（し）□（ない）※1 観（かん）□（こう）を する □□（よてい）でしたが、□（りょ）館（かん）で 寝（ね）て いました。□（よる） 友達（ともだち）が 市（し）□（ない）観（かん）□（こう）の □□（ようす）を □（はな）して くれました。

2. Electric Bulbs and Fluorescent Lights

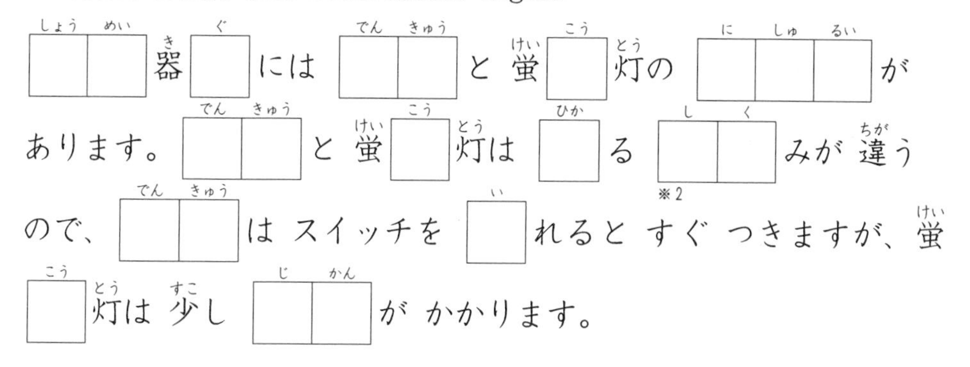

□□（しょうめい）器（き）□（ぐ）には □□（でんきゅう）と 蛍（けい）□（こう）灯（とう）の □□□（にしゅるい）が あります。□□（でんきゅう）と 蛍（けい）□（こう）灯（とう）は □（ひか）る □□（しく）※2 みが 違（ちが）う ので、□□（でんきゅう）は スイッチを □（い）れると すぐ つきますが、蛍（けい）□（こう）灯（とう）は 少（すこ）し □□（じかん）が かかります。

3. The Solar System

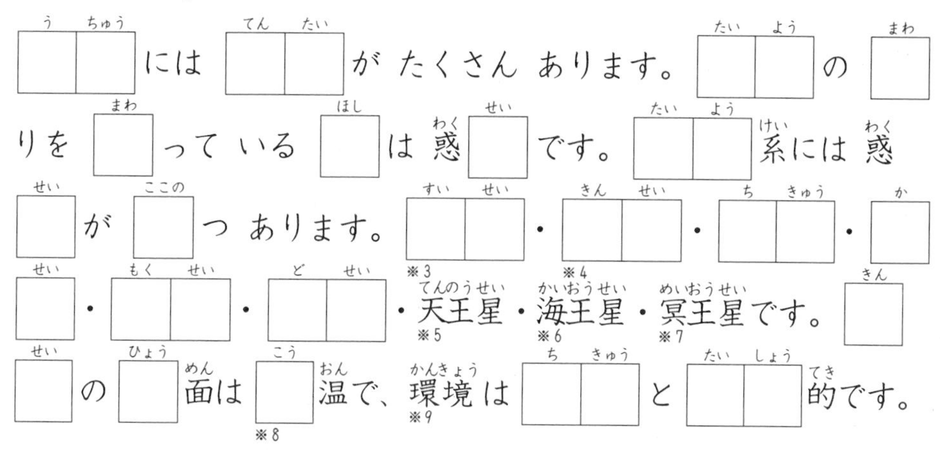

□□（うちゅう）には □□（てんたい）が たくさん あります。□□（たいよう）の □（まわ）りを □（まわ）って いる □（ほし）は 惑（わく）□（せい）です。□□（たいよう）系（けい）には 惑（わく）□（せい）が □（ここの）つ あります。□□（すいせい）※3・□□（きんせい）※4・□□（ちきゅう）・□（か）□（せい）・□□（もくせい）・□□（どせい）・天王星（てんのうせい）※5・海王星（かいおうせい）※6・冥王星（めいおうせい）※7です。□（きん）□（せい）の □（ひょう）面（めん）は □（こう）※8 温（おん）で、環境（かんきょう）※9 は □□（ちきゅう）と □□（たいしょう）的（てき）です。

※1 in a city　※2 mechanism　※3 Mercury　※4 Venus
※5 Uranus　※6 Neptune　※7 Pluto　※8 high temperature
※9 circumstances

1. Nature (4) Sea and Topography

(477) 波 **意味** wave
音 ハ・パ
訓 なみ

氵

波 8
Stroke order: 丶 氵 氵 氵 汇 沪 波 波

波浪（はろう）wave
電波（でんぱ）radio wave
寒波（かんぱ）cold wave
波（なみ）wave
波乗り（なみのり）surfing
津波（つなみ）tidal wave

波	波	波	波	波	波					

(478) 洋 **意味** sea, the West
音 ヨウ
訓

氵

洋 9
Stroke order: 丶 氵 氵 氵 氵 氵 洋 洋 洋

海洋（かいよう）the sea(seas and oceans)
大洋（たいよう）the sea
太平洋（たいへいよう）Pacific Ocean
洋風（ようふう）Western style
洋服（ようふく）Western clothes
洋食（ようしょく）Western food

洋	洋	洋	洋	洋	洋					

(479) 流 **意味** flow, manner
音 リュウ
訓 なが**れる**、なが**す**

氵

流 10
Stroke order: 氵 氵 氵 泞 浐 浐 济 流

海流（かいりゅう）ocean current
交流（こうりゅう）exchange
流れる（ながれる）flow
流れ（ながれ）flow
流す（ながす）let flow
流し（ながし）a sink

流	流	流	流	流	流					

(480) 島 **意味** island
音 トウ
訓 しま

山

島 10
Stroke order: ノ 亻 户 户 白 自 鳥 島

半島（はんとう）peninsula
諸島（しょとう）group of islands
無人島（むじんとう）desert island
島（しま）island
島国（しまぐに）island nation
中島（なかじま）Nakajima(Japanese surname)

島	島	島	島	島	島					

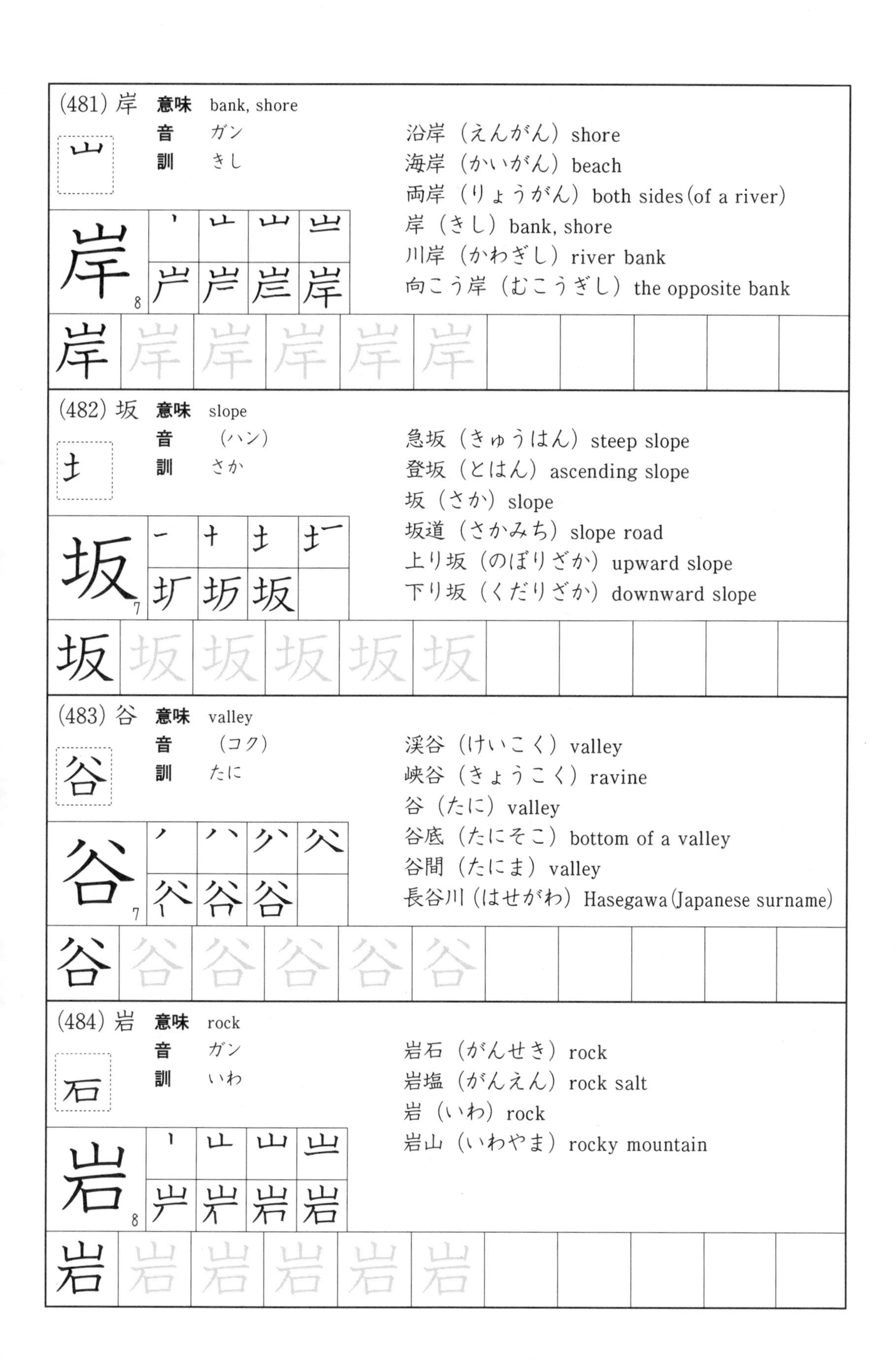

(481) 岸　**意味** bank, shore

山　**音** ガン
　　訓 きし

沿岸（えんがん）shore
海岸（かいがん）beach
両岸（りょうがん）both sides (of a river)
岸（きし）bank, shore
川岸（かわぎし）river bank
向こう岸（むこうぎし）the opposite bank

岸 8

(482) 坂　**意味** slope

土　**音** （ハン）
　　訓 さか

急坂（きゅうはん）steep slope
登坂（とはん）ascending slope
坂（さか）slope
坂道（さかみち）slope road
上り坂（のぼりざか）upward slope
下り坂（くだりざか）downward slope

坂 7

(483) 谷　**意味** valley

谷　**音** （コク）
　　訓 たに

渓谷（けいこく）valley
峡谷（きょうこく）ravine
谷（たに）valley
谷底（たにそこ）bottom of a valley
谷間（たにま）valley
長谷川（はせがわ）Hasegawa (Japanese surname)

谷 7

(484) 岩　**意味** rock

石　**音** ガン
　　訓 いわ

岩石（がんせき）rock
岩塩（がんえん）rock salt
岩（いわ）rock
岩山（いわやま）rocky mountain

岩 8

Reading Practice 1-(4)

1. The Sea Around Japan

日本は 北海道・本州・四国・九州と その 周りの 小さな 島から 成※1って います。太平(へい)洋側は あまり 雪が 降りませんが、日本海沿(えん)岸は たくさん 雪が 降ります。日本の 近くには 黒潮(くろしお)※2などの 大きな 海流が 流れて います。地震(しん)の 時は 海岸で 津(つ)波が 発生して、被害(ひがい)が 出ます。波が 高く なる 時は、波浪(ろう)注意報が 出※3ます。

ところで 今 産※4業廃棄(はいき)※5物の 海洋投棄(とうき)※6が 問題に なって います。子※7孫(そん)の ためにも 大洋を 汚染(おせん)※8しては いけないと 思います。

2. The Road to the Valley

わたしは 山へ ピクニックに 行きました。谷に 川が 流れて いたので、谷間へ 降りて 行きました。谷間へ 降りる 道は 急※9な 坂に なって いました。坂を 降りると、そこには 岩石が たくさん ありました。わたしは 川岸で 川の 流れを 見ながら 岩の 上に 座(すわ)って お弁(べん)当を 食べました。

※1 consist of　※2 Black Current　※3 be given　※4 industry
※5 waste　※6 dumping　※7 future generation　※8 pollute
※9 steep

Writing Practice 1-(4)

1. Surfing

わたしは 瀬戸内海(せとないかい)※1の □(しま)で □(う)まれたので、よく □(うみ)で □(およ)いだり □(あそ)んだり しました。□(いま)も よく 三浦(みうら)※2□□(はんとう)へ □(い)って、□□(なみの)りや ダイビング※3を して います。□□(せんしゅう)も 横須賀(よこすか)※4へ □□(なみの)りを しに □(い)きました。いつか □□(みなみたい)平(へい)□(よう)で ダイビングを して みたいです。

2. Going to the Valley

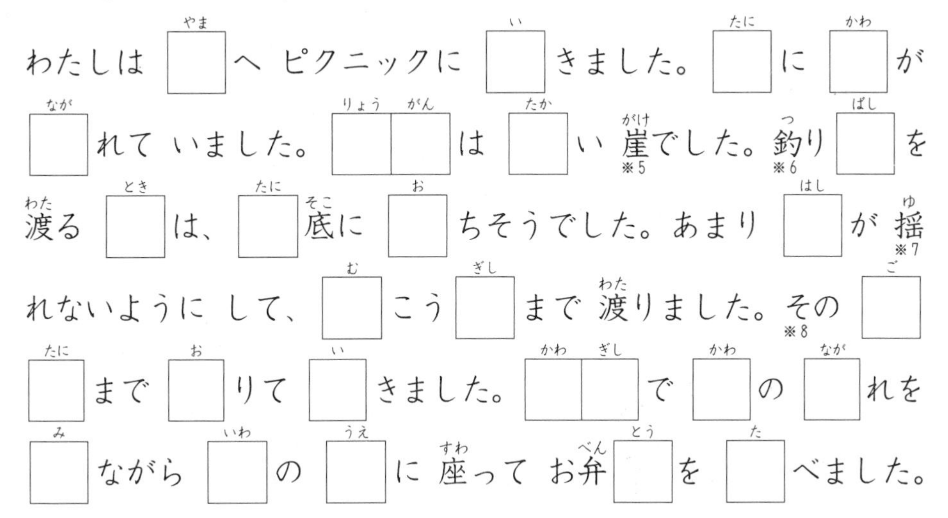

わたしは □(やま)へ ピクニックに □(い)きました。□(たに)に □(かわ)が □(なが)れて いました。□□(りょうがん)は □(たか)い 崖(がけ)※5でした。釣(つ)り※6□(ばし)を 渡(わた)る □(とき)は、□(たに)底(そこ)に □(お)ちそうでした。あまり □(はし)が 揺(ゆ)※7れないように して、□(む)こう□(ぎし)まで 渡(わた)りました。その※8 □(ご) □(たに)まで □(お)りて □(い)きました。□□(かわぎし)で □(かわ)の □(なが)れを □(み)ながら □(いわ)の □(うえ)に 座(すわ)って お弁(べん)□(とう)を □(た)べました。

3. A Slope

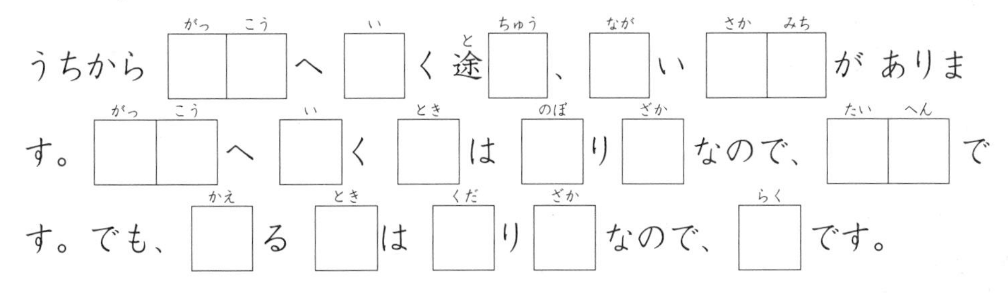

うちから □□(がっこう)へ □(い)く 途(と)□(ちゅう)、□(なが)い □□(さかみち)が あります。□□(がっこう)へ □(い)く □(とき)は □(のぼ)り□(ざか)なので、□□(たいへん)です。でも、□(かえ)る □(とき)は □(くだ)り□(ざか)なので、□(らく)です。

※1 Seto Inland Sea　※2 Miura Peninsula　※3 diving
※4 Yokosuka　※5 cliff　※6 suspension bridge　※7 do not sway
※8 after that

2．Human Beings（1）Human Body

(485) 毛　**意味** hair
音 モウ
訓 け

毛

毛 4

丿 二 三 毛

毛布（もうふ）blanket
羊毛（ようもう）wool
羽毛（うもう）down
純毛（じゅんもう）pure wool
毛糸（けいと）wool
毛皮（けがわ）fur

毛 毛 毛 毛 毛 毛

(486) 顔　**意味** face
音 ガン
訓 かお

頁

顔 18

亠 立 立 产 产 彦 彦 顔

洗顔（せんがん）washing one's face
顔（かお）face
似顔絵（にがおえ）portrait
素顔（すがお）face without make-up
朝顔（あさがお）morning glory
*笑顔（えがお）smiling face

顔 顔 顔 顔 顔 顔

(487) 鼻　**意味** nose
音 ビ
訓 はな

鼻

鼻 14

丿 白 自 自 自 畠 畠 鼻

耳鼻科（じびか）E.N.T.
鼻（はな）nose
鼻血（はなぢ）nosebleed
鼻水（はなみず）runny nose
鼻歌（はなうた）humming
鼻が高い（はながたかい）proud

鼻 鼻 鼻 鼻 鼻 鼻

(488) 歯　**意味** tooth
音 シ
訓 は

歯

歯 12

ト 卜 止 步 歨 歩 歯 歯

歯科（しか）dental clinic
永久歯（えいきゅうし）permanent teeth
前歯（まえば）front teeth
歯医者（はいしゃ）dentist
歯車（はぐるま）wheel
虫歯（むしば）bad teeth

歯 歯 歯 歯 歯 歯

(489) 首　**意味** head, neck, leader
音 シュ
訓 くび

首

首 9

丶 丷 䒑 䒑 丫 产 首 首

首相（しゅしょう）prime minister
首都（しゅと）capital
首席（しゅせき）top rank
自首（じしゅ）confessing
首（くび）neck
手首（てくび）wrist

首 首 首 首 首 首

(490) 指　**意味** finger, point
音 シ
訓 ゆび、さす

扌

指 9

扌 扌 扌 扌 指 指 指 指

指示（しじ）indication
指導（しどう）guidance
指（ゆび）finger
小指（こゆび）little finger
指輪（ゆびわ）ring
指す（さす）point out

指 指 指 指 指 指

(491) 皮　**意味** skin
音 ヒ
訓 かわ

皮

皮 5

丿 厂 广 皮 皮

皮革（ひかく）leather
牛皮（ぎゅうひ）cowhide
皮肉（ひにく）sarcasm
皮（かわ）leather
毛皮（けがわ）fur

皮 皮 皮 皮 皮 皮

(492) 血　**意味** blood
音 ケツ
訓 ち

血

血 6

丿 亻 白 血 血 血

血液（けつえき）blood
血圧（けつあつ）blood pressure
貧血（ひんけつ）anaemia
出血（しゅっけつ）bleeding
血（ち）blood
鼻血（はなぢ）nosebleed

血 血 血 血 血 血

Reading Practice 2-(1)

Do You Know This Person?

10月30日 夜、この公園で男の人が死んでいるのが発見されました。

この人は　年齢：45歳ぐらい

身長：180センチぐらい

体の特徴※1は　四角い顔

髪の毛が少ない

前歯が一本ない

鼻と首に大きいほくろ※2がある

左手の小指の先※3がない

持ち物は　皮の財布（黒）

血が付いたナイフ

この男の人をご存じの方は近くの警察までご連絡ください。

気をつけよう 甘い言葉と 暗い道

△△△警※4察署

※1 distinguishing feature(s)　※2 mole　※3 top part　※4 police

Writing Practice 2–(1)

1. A Cut

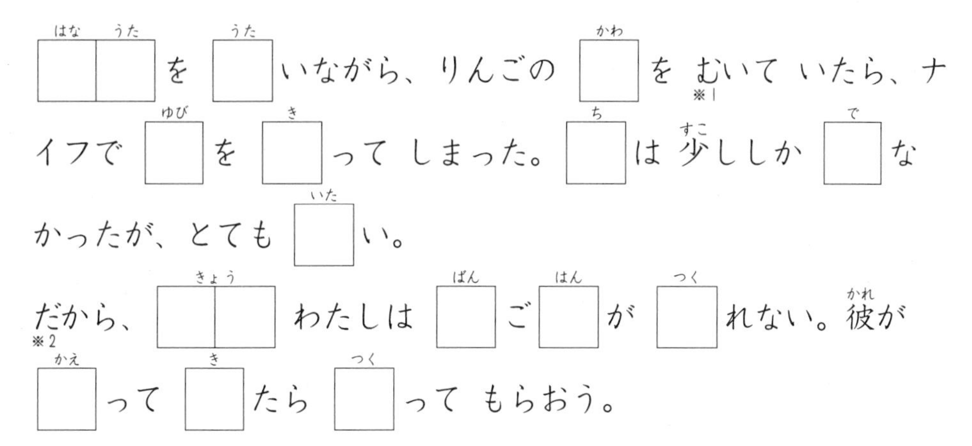

はな うた
を
うた
いながら、りんごの
かわ
を むいて いたら、ナ
※1
イフで
ゆび
を
き
って しまった。
ち
は 少ししか
すこ
で
な
かったが、とても
いた
い。
だから、
※2
きょう
わたしは
ばん
ご
はん
が
つく
れない。彼が
かれ
かえ
って
き
たら
つく
って もらおう。

2. My Day

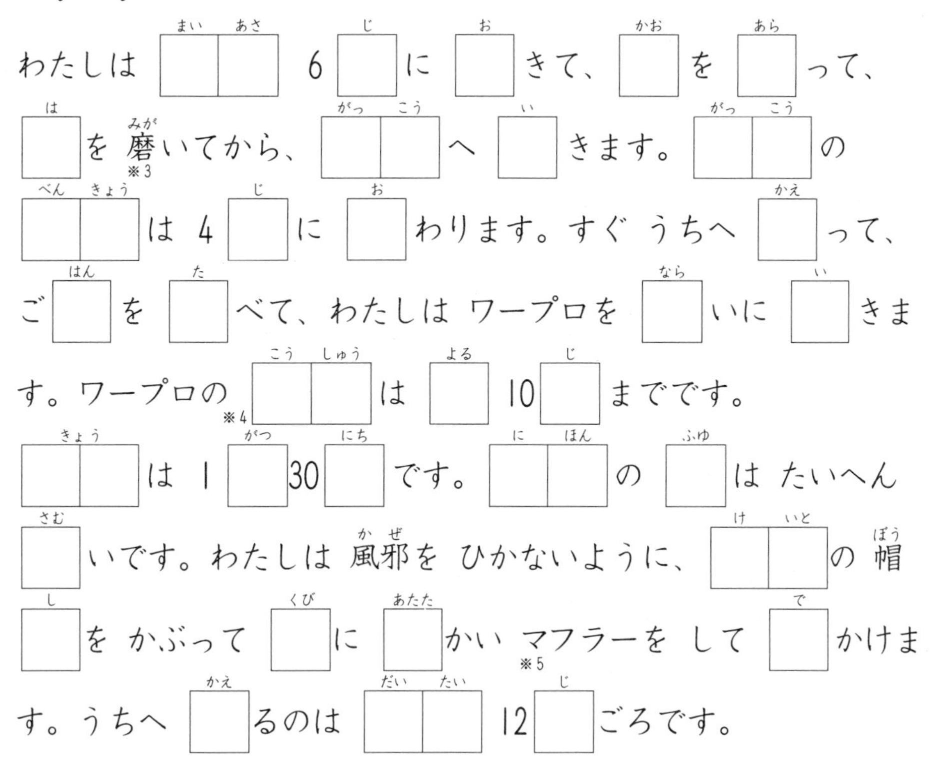

わたしは
まい あさ
6
じ
に
お
きて、
かお
を
あら
って、
は
を 磨いてから、
みが
※3
がっ こう
へ
い
きます。
がっ こう
の
べん きょう
は 4
じ
に
お
わります。すぐ うちへ
かえ
って、
ご
はん
を
た
べて、わたしは ワープロを
なら
いに
い
きま
す。ワープロの
※4
こう しゅう
は
よる
10
じ
までです。
きょう
は 1
がつ
30
にち
です。
に ほん
の
ふゆ
は たいへん
さむ
いです。わたしは 風邪を ひかないように、
かぜ
け いと
の 帽
ぼう
し
を かぶって
くび
に
あたた
かい マフラーを して
※5
で
かけま
す。うちへ
かえ
るのは
だい たい
12
じ
ごろです。

※1 peel　※2 so　※3 brush　※4 course　※5 scarf

2．Human Beings（2） Family and Human Relations

(493) 児　意味 child
音 ジ、(ニ)
訓
部首: 儿

幼児（ようじ）little child
育児（いくじ）bringing up children
小児科（しょうにか）pediatrics

児 7
Stroke order: 丨 | 𠃌 … 児

(494) 童　意味 child
音 ドウ
訓 (わらべ)
部首: 立

童話（どうわ）fairy tale
童謡（どうよう）children's song
童顔（どうがん）baby face
児童（じどう）pupil, child
学童（がくどう）pupil
童歌（わらべうた）children's song

童 12
Stroke order: 立 … 童

(495) 夫　意味 husband, labourer
音 フ・プ、(フウ)
訓 おっと
部首: 大

夫妻（ふさい）husband and wife
夫人（ふじん）wife
前夫（ぜんぷ）ex-husband
夫婦（ふうふ）married couple
工夫（くふう）device
夫（おっと）husband

夫 4
Stroke order: 一 二 扌 夫

(496) 孫　意味 grandchild
音 ソン
訓 まご
部首: 子

子孫（しそん）descendant
孫（まご）grandchildren
初孫（はつまご）first grandchild
*孫息子（まごむすこ）grandson

孫 10
Stroke order: 了 子 … 孫

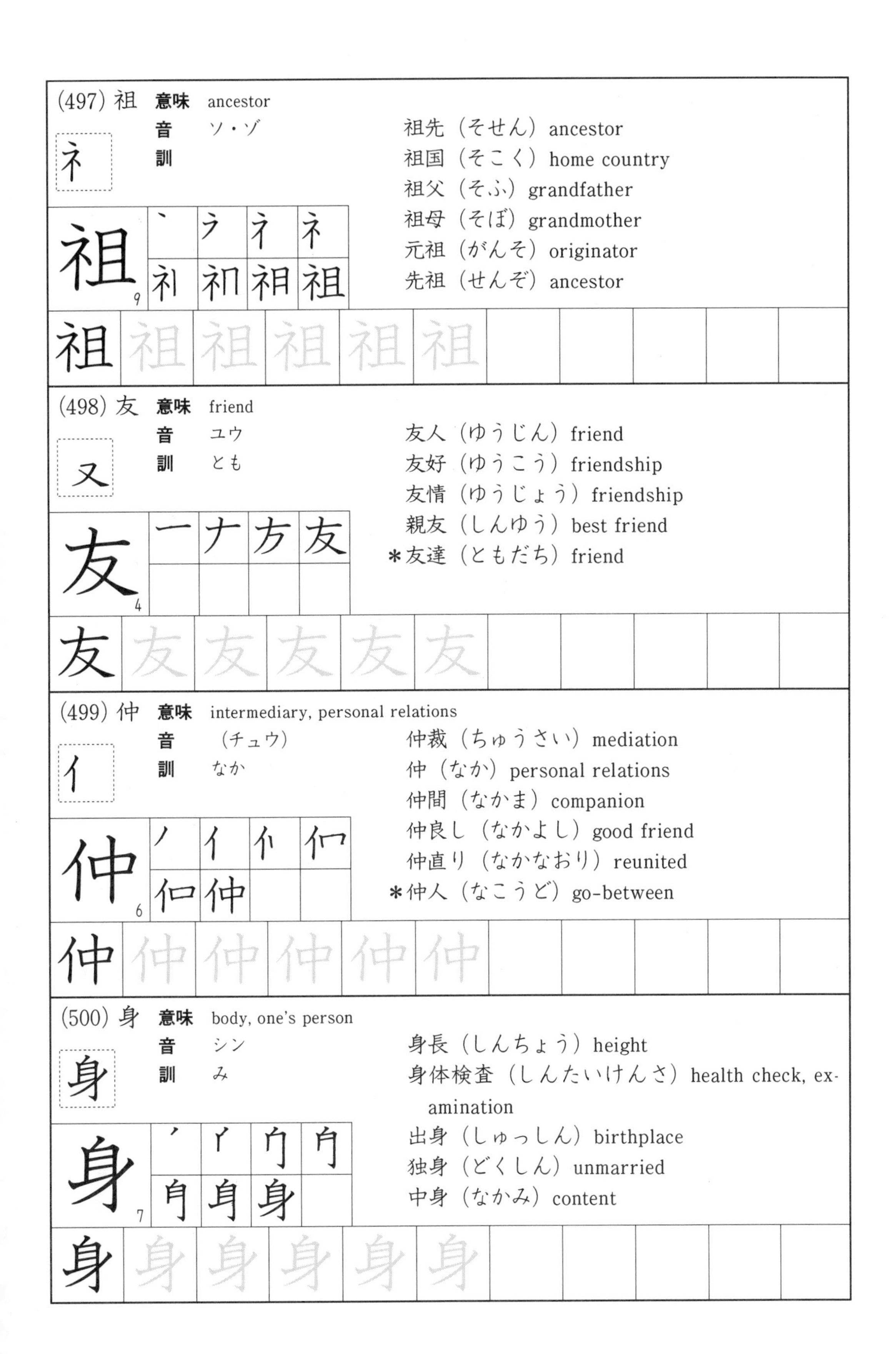

(497) 祖 **意味** ancestor
音 ソ・ゾ
訓

祖先（そせん）ancestor
祖国（そこく）home country
祖父（そふ）grandfather
祖母（そぼ）grandmother
元祖（がんそ）originator
先祖（せんぞ）ancestor

(498) 友 **意味** friend
音 ユウ
訓 とも

友人（ゆうじん）friend
友好（ゆうこう）friendship
友情（ゆうじょう）friendship
親友（しんゆう）best friend
*友達（ともだち）friend

(499) 仲 **意味** intermediary, personal relations
音 （チュウ）
訓 なか

仲裁（ちゅうさい）mediation
仲（なか）personal relations
仲間（なかま）companion
仲良し（なかよし）good friend
仲直り（なかなおり）reunited
*仲人（なこうど）go-between

(500) 身 **意味** body, one's person
音 シン
訓 み

身長（しんちょう）height
身体検査（しんたいけんさ）health check, examination
出身（しゅっしん）birthplace
独身（どくしん）unmarried
中身（なかみ）content

Reading Practice 2–(2)

Looking at a Photograph

この 写真を 見て ください。去年の クリスマスに 撮ったんです。真ん中に 座って いるのが 祖母です。74歳です。ええ、とても 元気です。右が わたしの 両親。「早く 孫の 顔が 見たい。だれか 好きな 人を 見つけて 早く 結婚しろ。」といつも うるさい[※1]んです。祖母の 左は 兄夫婦です。去年 結婚した ばかりで、とても 仲が いいんです。兄は 小児科の 医者で、横浜の 病院に 勤めて います。祖母の 後ろは わたしで、わたしの 右が 林さん。親友です。童話クラブの 仲間で、彼女も 独身です。正月休みは 彼女と タイへ 旅行に 行こうと 思って います。

あ、そうそう。よかったら あなたも ごいっしょに いかがですか。

独身は 身軽で いいですね。ええ、まだ しばらく 結婚しません。両親には 悪いけど[※2]。

※1 nagging　※2 though

Writing Practice 2-(2)

A Letter

木村(きむら)さん こんにちは。お□□(げんき)ですか。□□(きょねん)の 12□(がつ)
に□□(ちょうなん)が□(う)まれました。□□(なまえ)は 健一(けんいち) です。
□(いま) 4か□(げつ)です。□□(まいにち) たいへん 忙(いそが)しいですが、わたし
も□(あか)ちゃんも □□(げんき)です。
□□(ことし)の お□□(しょうがつ)は 木村(きむら)さんは どこかへ いらっしゃいま
したか。わたしたちは□(ふう)婦(ふ)で□(あか)ちゃんを□(み)せに□□(じっか)
へ□(かえ)りました。□□(はつまご)なので、□□(りょうしん)は「かわいい。かわ
いい。」と、とても 喜(よろこ)んで いました。□□(そぼ)も もう おもちゃ
や□□(どうわ)の□(ほん)などを□(か)って□(ま)って いました。おか
しいでしょう？
わたしは□(あか)ちゃんを□□(りょうしん)に□(あず)けて 独(どく)□(しん)の□(とき)の
□□(なかま)や□□(こうこう)の□□(ともだち)に□(あ)いました。育(いく)□(じ)は
□□(たいへん)ですが、□(たの)しい ことも□(おお)いです。□□(こんど) ぜひ
□(あそ)びに いらっしゃって ください。

では また。　　　　　　　　さようなら。

3．Life and Society (1) Administrative Units

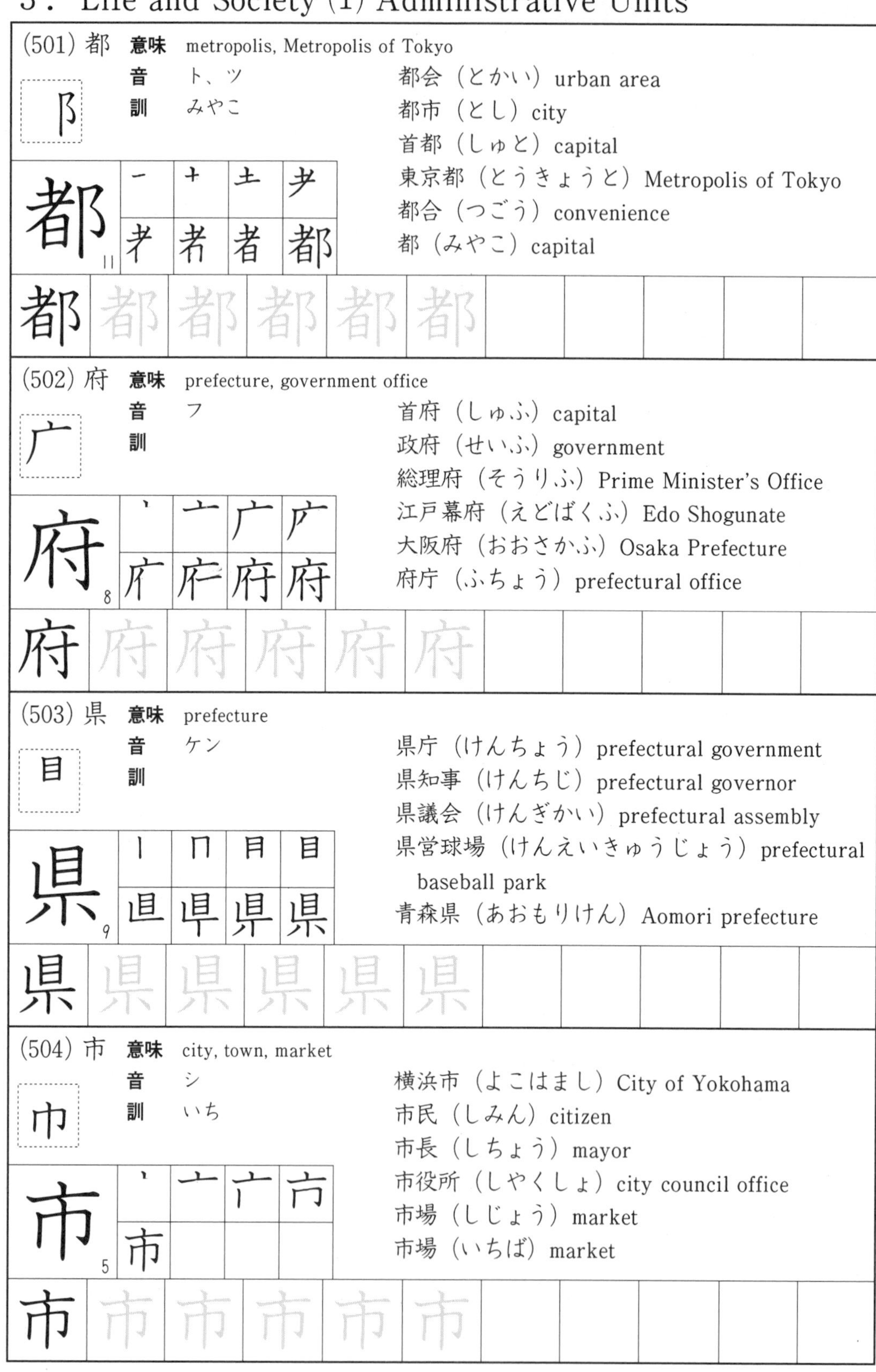

(501) 都 **意味** metropolis, Metropolis of Tokyo
音 ト、ツ
訓 みやこ

都会（とかい）urban area
都市（とし）city
首都（しゅと）capital
東京都（とうきょうと）Metropolis of Tokyo
都合（つごう）convenience
都（みやこ）capital

(502) 府 **意味** prefecture, government office
音 フ
訓

首府（しゅふ）capital
政府（せいふ）government
総理府（そうりふ）Prime Minister's Office
江戸幕府（えどばくふ）Edo Shogunate
大阪府（おおさかふ）Osaka Prefecture
府庁（ふちょう）prefectural office

(503) 県 **意味** prefecture
音 ケン
訓

県庁（けんちょう）prefectural government
県知事（けんちじ）prefectural governor
県議会（けんぎかい）prefectural assembly
県営球場（けんえいきゅうじょう）prefectural baseball park
青森県（あおもりけん）Aomori prefecture

(504) 市 **意味** city, town, market
音 シ
訓 いち

横浜市（よこはまし）City of Yokohama
市民（しみん）citizen
市長（しちょう）mayor
市役所（しやくしょ）city council office
市場（しじょう）market
市場（いちば）market

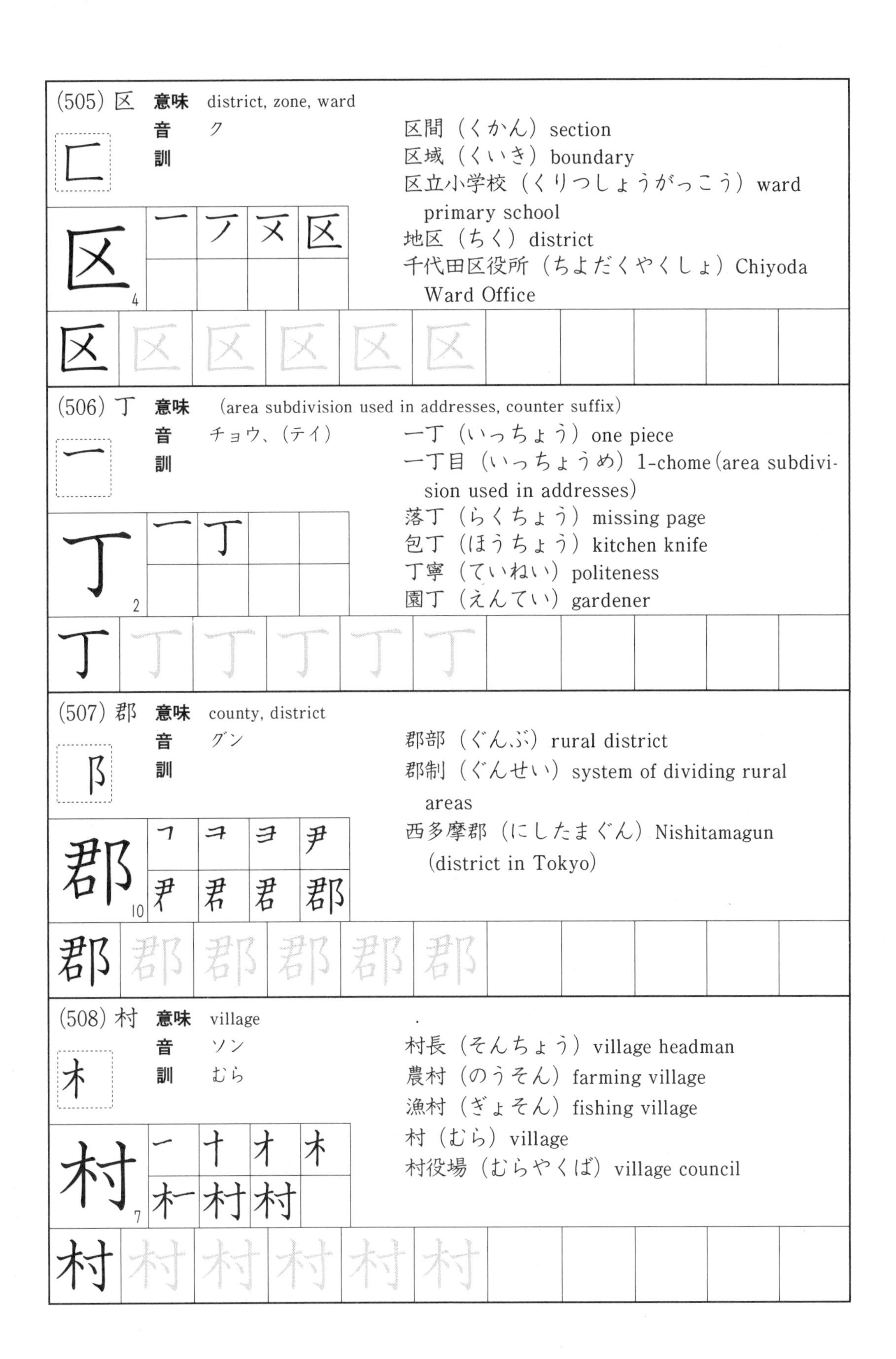

(505) 区 **意味** district, zone, ward
音 ク
訓

区間（くかん）section
区域（くいき）boundary
区立小学校（くりつしょうがっこう）ward primary school
地区（ちく）district
千代田区役所（ちよだくやくしょ）Chiyoda Ward Office

(506) 丁 **意味** (area subdivision used in addresses, counter suffix)
音 チョウ、(テイ)
訓

一丁（いっちょう）one piece
一丁目（いっちょうめ）1-chome (area subdivision used in addresses)
落丁（らくちょう）missing page
包丁（ほうちょう）kitchen knife
丁寧（ていねい）politeness
園丁（えんてい）gardener

(507) 郡 **意味** county, district
音 グン
訓

郡部（ぐんぶ）rural district
郡制（ぐんせい）system of dividing rural areas
西多摩郡（にしたまぐん）Nishitamagun (district in Tokyo)

(508) 村 **意味** village
音 ソン
訓 むら

村長（そんちょう）village headman
農村（のうそん）farming village
漁村（ぎょそん）fishing village
村（むら）village
村役場（むらやくば）village council

Reading Practice 3-(1)

1. Japanese Administrative Units

日本の 面積(めんせき)※1は 約37万 8 千平(へい)方キロメートルです。

この 広さ※2の 中に、1都 (東京都)、1道 (北海道)、2府(京都府と 大阪(おおさか)府) と、青森県から 沖縄(おきなわ)県までの 県が 43 あります。これが 都道府県です。

全国に、市が 663、町が 1992、村が 581 あります。

2. Tokyo's Administrative Units

東京は 日本の 首都です。

東京都に、区が 23と 市が 26 ありますが、郡は 西多摩(にしたま)郡 1(ひと)つしか ありません。また、東京都には 伊豆(いず)7島も あります。

3. Addresses

わたしの 家の 住所は、「東京都 大田(おおた)区 大森北(おおもりきた) 3丁目 46番 9号」です。これを、「大森北(おおもりきた) 3の 46の 9」や、「大森北(おおもりきた) 3-46-9」と 書く ことが できます。ラオさんは わたしの 家の 近くに 住んで います。住所は「大森北(おおもりきた) 3-46-8、509号」です。509号は ラオさんの マンションの 部屋番号で、5階の 9号室と いう 意味です。

※1 surface area　※2 area

Writing Practice 3-(1)

1. Addresses

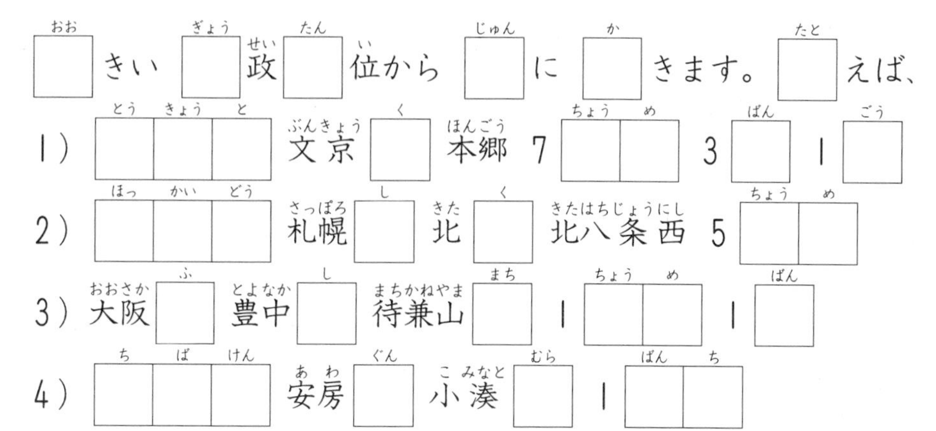

□(おお)きい □(ぎょう)政(せい)□(たん)位(い)から □(じゅん)に □(か)きます。□(たと)えば、

1) □□□(とうきょうと) 文京(ぶんきょう)□(く) 本郷(ほんごう) 7 □□(ちょうめ) 3 □(ばん) 1 □(ごう)

2) □□□(ほっかいどう) 札幌(さっぽろ)□(し) 北(きた)□(く) 北八条西(きたはちじょうにし) 5 □□(ちょうめ)

3) 大阪(おおさか)□(ふ) 豊中(とよなか)□(し) 待兼山(まちかねやま)□(まち) 1 □□(ちょうめ) 1 □(ばん)

4) □□□(ちばけん) 安房(あわ)□(ぐん) 小湊(こみなと)□(むら) 1 □□(ばんち)

2. Addressing an Envelope

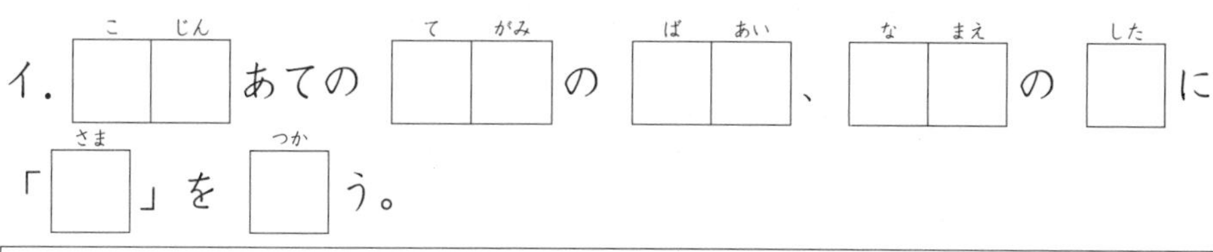

イ. □□(こじん)あての □□(てがみ)の □□(ばあい)、□□(なまえ)の □(した)に

「□(さま)」を □(つか)う。

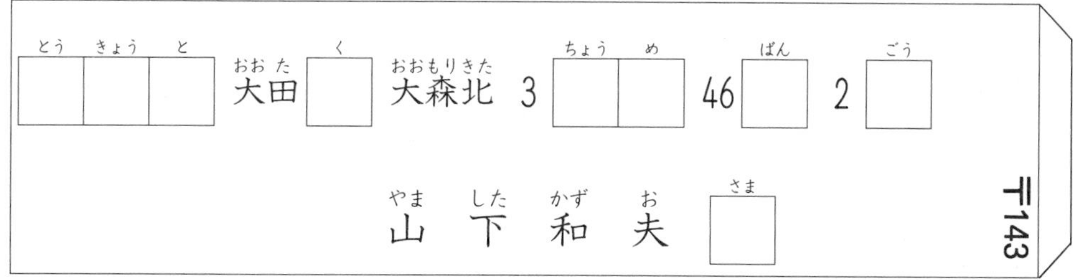

□□□(とうきょうと) 大田(おおた)□(く) 大森北(おおもりきた) 3 □□(ちょうめ) 46 □(ばん) 2 □(ごう)

山下和夫(やましたかずお) □(さま)

〒143

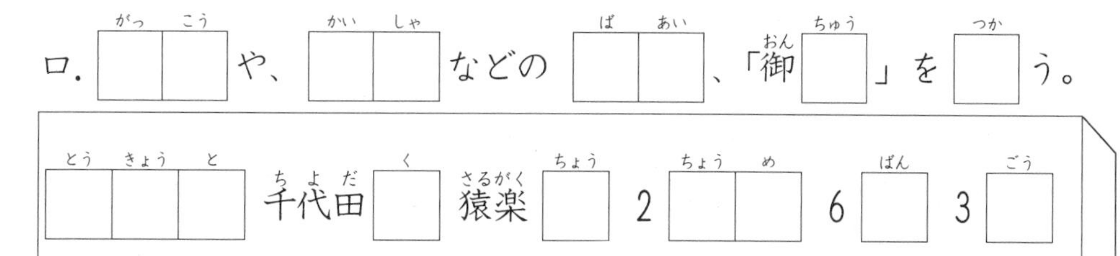

ロ. □□(がっこう)や、□□(かいしゃ)などの □□(ばあい)、「御(おん)□(ちゅう)」を □(つか)う。

□□□(とうきょうと) 千代田(ちよだ)□(く) 猿楽(さるがく)□(ちょう) 2 □□(ちょうめ) 6 □(ばん) 3 □(ごう)

松栄(しょうえい)ビル

株(かぶ)□□□(しきがいしゃ) スリーエーネットワーク 御(おん)□(ちゅう)

〒101

3. Life and Society (2) Transportation and Trade

(509) 飛 **意味** fly
音 ヒ
訓 とぶ、とばす

飛 9

飛行（ひこう）flying
飛行機（ひこうき）airplane
飛ぶ（とぶ）fly
飛び上がる（とびあがる）take off
飛ばす（とばす）fly

(510) 航 **意味** sail, fly
音 コウ
訓

舟

航 10

航海（こうかい）voyage
運航（うんこう）(shipping/airline) service
欠航（けっこう）suspension of service
航空（こうくう）airline, flying
航空券（こうくうけん）air ticket
日航（にっこう）Japan Airlines

(511) 汽 **意味** steam powered
音 キ
訓

氵

汽 7

汽車（きしゃ）steam train
汽笛（きてき）steam whistle

(512) 船 **意味** ship
音 セン
訓 ふね、ふな

舟

船 11

船長（せんちょう）captain of a ship
汽船（きせん）steamship
造船（ぞうせん）shipbuilding
貨物船（かもつせん）cargo ship
船（ふね）ship
船旅（ふなたび）travelling by ship

(513) 商 **意味** commerce, trade
音 ショウ
訓 あきな**う**

口

商 11

商品（しょうひん）products
商売（しょうばい）trade
商業（しょうぎょう）business
商社（しょうしゃ）trading company
商用（しょうよう）for business reasons
商う（あきなう）trade

商 商 商 商 商 商

(514) 館 **意味** large public building, pavilion
音 カン
訓

飠

館 16

館長（かんちょう）director
会館（かいかん）hall
図書館（としょかん）library
大使館（たいしかん）embassy
体育館（たいいくかん）gymnasium
旅館（りょかん）inn

館 館 館 館 館 館

(515) 宿 **意味** place where tourists stay, stay, put up
音 シュク
訓 やど、やど**る**、やど**す**

宀

宿 11

宿泊施設（しゅくはくしせつ）accommodation
下宿（げしゅく）lodging
宿題（しゅくだい）homework
宿屋（やどや）inn
宿る（やどる）stay
宿す（やどす）put up

宿 宿 宿 宿 宿 宿

(516) 銀 **意味** silver
音 ギン
訓

金

銀 14

銀（ぎん）silver
銀行（ぎんこう）bank
銀行員（ぎんこういん）bank employee
銀貨（ぎんか）silver coin
銀色（ぎんいろ）silver
銀河（ぎんが）Milky Way

銀 銀 銀 銀 銀 銀

Reading Practice 3-(2)

1. The Eleven O'clock Train at Tokyo Station

東京駅 23時発 下り※1 列車※2は 翌朝の 7時15分に 大阪駅に 着く。この 夜行列車「銀河※3」の ニックネーム※4は 「受験列車」だ。大学受験の 季節が 来ると、大阪の 大学を 受験する 学生たちが この 夜行列車を よく 利用するからだ。東京から 大阪まで 飛行機なら、50分。新幹線なら、2時間半。どちらも 速くて 便利だ。しかし、夜行列車を 利用すれば、ホテル代を 心配しなくても いい。「受験列車」「銀河」の ファン※5は これからも 増えるだろう。

2. Travelling Abroad for the First Time

山本さんは 商用で 飛行機を よく 利用するが、子どもの ころは 汽車が 大好きだった。高校生の ころは 航空関係の 雑誌を いろいろ 読んでいた。大学の 時、一人で 韓国を 旅行した。九州から 釜山※6までは 船で 行った。ソウルまでは「セマウル号※7」で 行った。大きな 旅館も あったが、山本さんは 小さい 宿屋に 泊まった。山本さんの 初めての 外国旅行だった。

※1 down (train)　※2 train　※3 name of a night train
※4 nickname　※5 fan　※6 Pusan　※7 name of a train in Korea

Writing Practice 3–(2)

Travel Plans

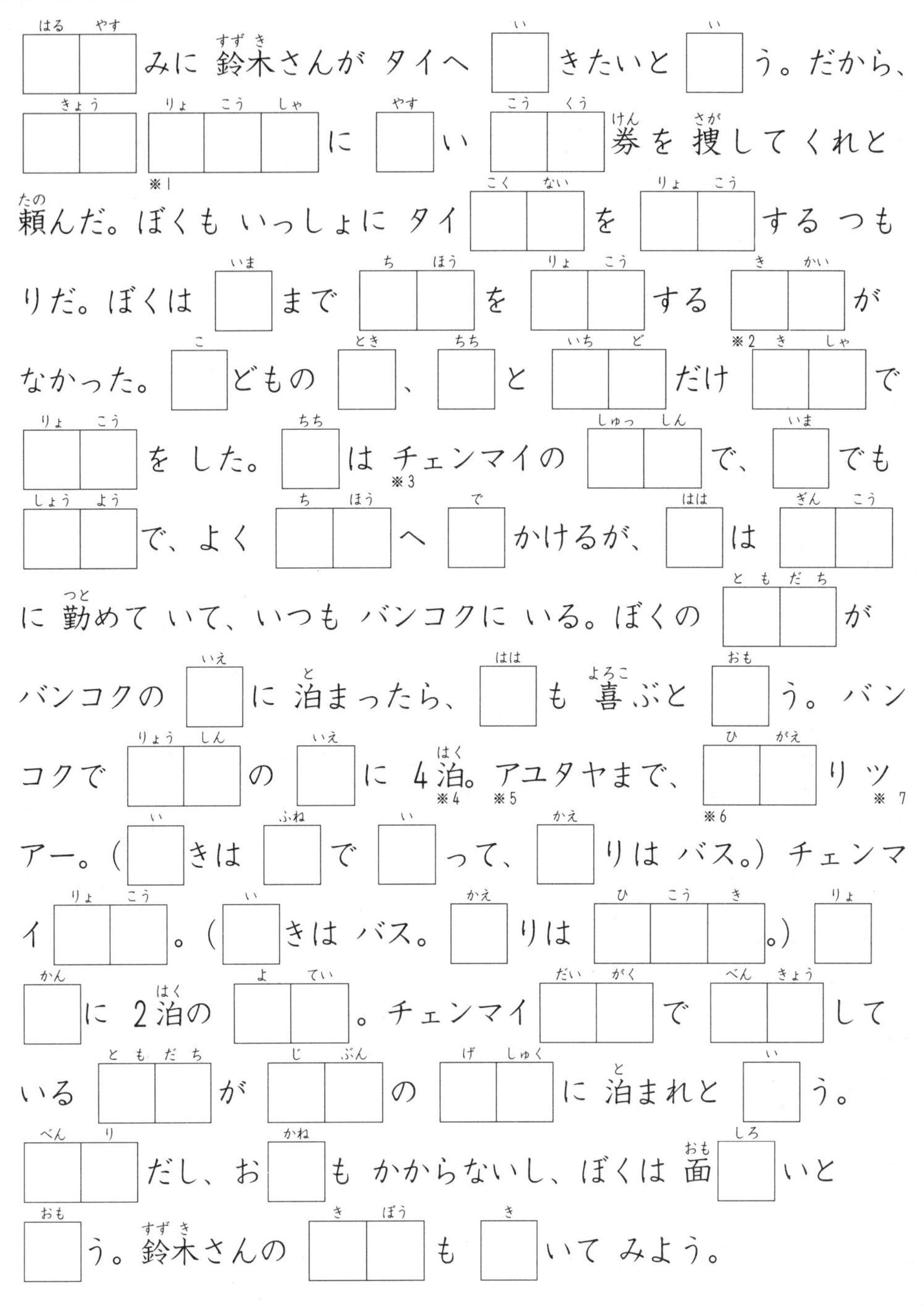
［はる］［やす］みに 鈴木(すずき)さんが タイへ ［い］きたいと ［い］う。だから、
［きょう］［りょこうしゃ］※1 に ［やす］い ［こうくう］券(けん)を 捜(さが)して くれと
頼(たの)んだ。ぼくも いっしょに タイ［こくない］を ［りょこう］する つも
りだ。ぼくは ［いま］まで ［ちほう］を ［りょこう］する ［きかい］※2 が
なかった。［こ］どもの ［とき］、［ちち］と ［いちど］だけ ［きしゃ］で
［りょこう］を した。［ちち］は チェンマイ※3 の ［しゅっしん］で、［いま］でも
［しょうよう］で、よく ［ちほう］へ ［で］かけるが、［はは］は ［ぎんこう］
に 勤(つと)めて いて、いつも バンコクに いる。ぼくの ［ともだち］が
バンコクの ［いえ］に 泊(と)まったら、［はは］も 喜(よろこ)ぶと ［おも］う。バン
コクで ［りょうしん］の ［いえ］に 4泊(はく)※4。アユタヤ※5 まで、［ひがえ］※6 り ツ※7
アー。（［い］きは ［ふね］で ［い］って、［かえ］りは バス。）チェンマ
イ［りょこう］。（［い］きは バス。［かえ］りは ［ひこうき］。）［りょ］
［かん］に 2泊(はく)の ［よてい］。チェンマイ［だいがく］で ［べんきょう］して
いる ［ともだち］が ［じぶん］の ［げしゅく］に 泊(と)まれと ［い］う。
［べんり］だし、お［かね］も かからないし、ぼくは 面(おも)［しろ］いと
［おも］う。鈴木(すずき)さんの ［きぼう］も ［き］いて みよう。

※1 travel agency　※2 opportunity　※3 Chiang Mai
※4 ~night's stay　※5 Ayutthaya　※6 day trip　※7 tour

3．Life and Society (3) Administration and Government

(517) 官 **意味** government, government office
音 カン
訓

部首: 宀

官 8画
筆順: 丶 丶丶 宀 宀 宁 宁 官 官

官庁街（かんちょうがい） government office area
長官（ちょうかん） director
裁判官（さいばんかん） judge
警官（けいかん） policeman
器官（きかん） organ

官 官 官 官 官 官

(518) 公 **意味** public, official, common
音 コウ
訓 （おおやけ）

部首: 八

公 4画
筆順: ノ 八 公 公

公園（こうえん） park
公務員（こうむいん） civil servant
公立（こうりつ） public (institution)
公表（こうひょう） public announcement
公害（こうがい） pollution
公の場（おおやけのば） public place

公 公 公 公 公 公

(519) 省 **意味** ministry, conserve, introspection
音 セイ、ショウ
訓 （かえり**みる**）、はぶ**く**

部首: 目

省 9画
筆順: 亅 ⺌ 小 少 少 省 省 省 省

反省（はんせい） introspection
省略（しょうりゃく） omission
大蔵省（おおくらしょう） Ministry of Finance
省庁（しょうちょう） ministry and agencies
省みる（かえりみる） look back
省く（はぶく） omit

省 省 省 省 省 省

(520) 局 **意味** bureau, department, limited part
音 キョク
訓

部首: 尸

局 7画
筆順: ㇕ コ 尸 局 局 局 局

局長（きょくちょう） bureau chief, director general
薬局（やっきょく） chemist's
外務省アジア局（がいむしょうアジアきょく） Ministry of Foreign Affairs' Asian Department
結局（けっきょく） after all

局 局 局 局 局 局

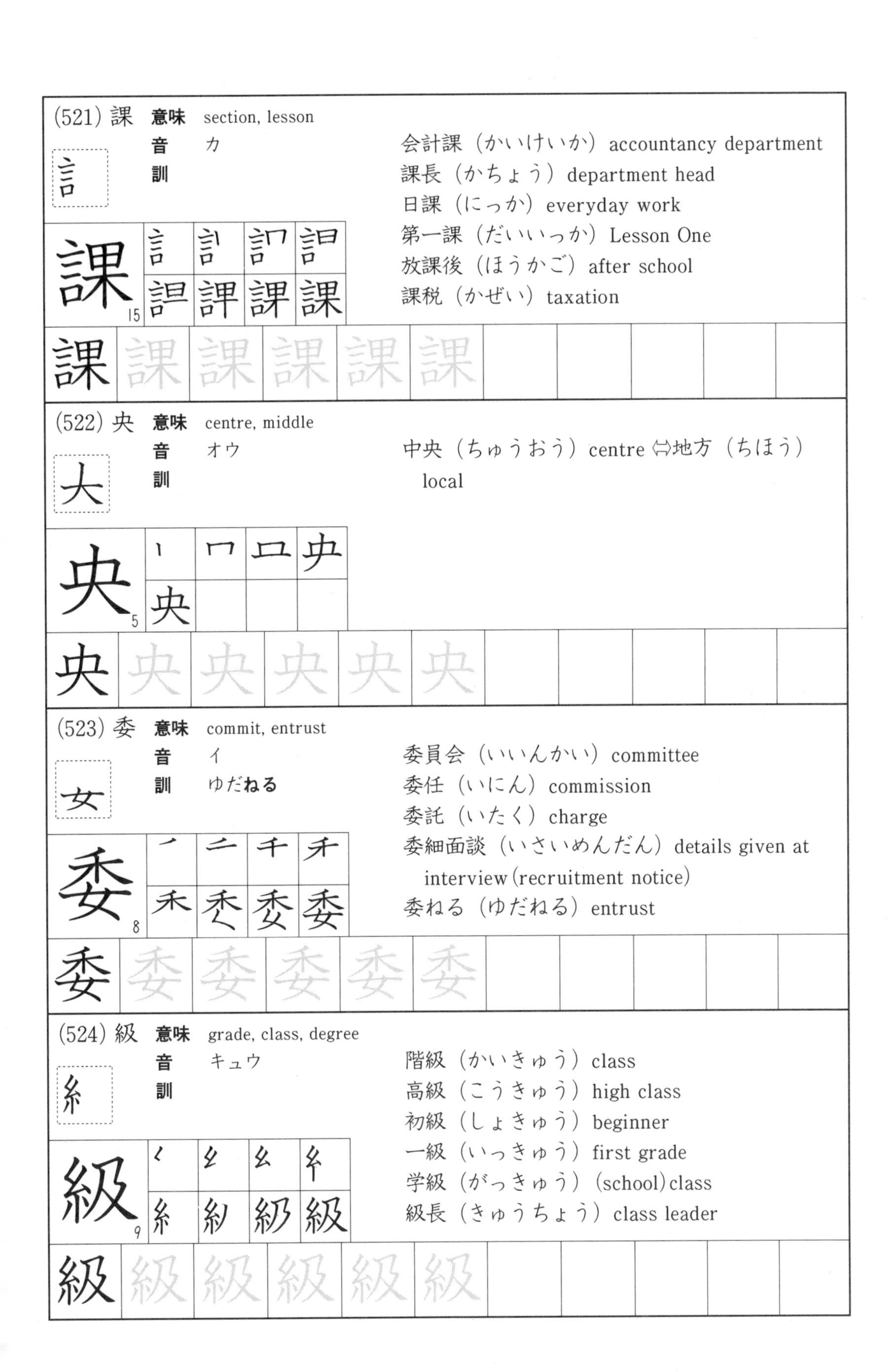

(521) 課 意味 section, lesson
音 カ
訓
言

会計課（かいけいか）accountancy department
課長（かちょう）department head
日課（にっか）everyday work
第一課（だいいっか）Lesson One
放課後（ほうかご）after school
課税（かぜい）taxation

課 15

(522) 央 意味 centre, middle
音 オウ
訓
大

中央（ちゅうおう）centre ⇔地方（ちほう）local

央 5

(523) 委 意味 commit, entrust
音 イ
訓 ゆだねる
女

委員会（いいんかい）committee
委任（いにん）commission
委託（いたく）charge
委細面談（いさいめんだん）details given at interview (recruitment notice)
委ねる（ゆだねる）entrust

委 8

(524) 級 意味 grade, class, degree
音 キュウ
訓
糸

階級（かいきゅう）class
高級（こうきゅう）high class
初級（しょきゅう）beginner
一級（いっきゅう）first grade
学級（がっきゅう）(school) class
級長（きゅうちょう）class leader

級 9

Reading Practice 3-(3)

1. Kasumigaseki and Nagatacho

霞※1が関と 永田町の 地名※2を 聞いた ことが ありますか。東京都 千代田区の 地名です。中央区の 隣りに あります。霞が関は 政府各省※3庁が ある 官庁街です。永田町は 国会が ある 所です。ですから、この 二つの 地名は、政府とか 国会の 代名詞※4に なって います。

各省に 局や 部が いくつか あります。その 下に 課が あります。委員会を 作って 政策※5の 研究を 委託して いる 省庁も あります。

2. Civil Servants' Salaries

公務員の サラリー※6は 級に よって 分けられて います。例えば 10級と 11級は 課長クラスで、2級と 3級は、大学を 出て すぐの 新人※7クラスです。

※1 Kasumigaseki ※2 place name ※3 every ministry
※4 pronoun ※5 policy ※6 salary ※7 newcomer

Writing Practice 3-(3)

1. Class Monitors

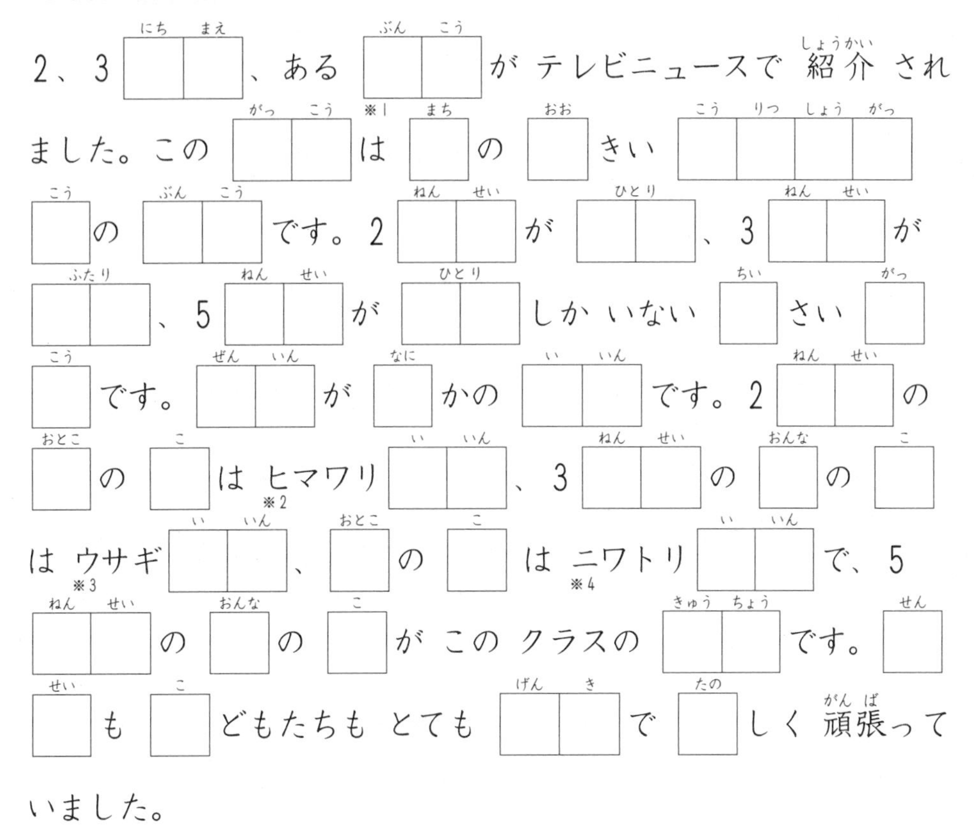

2、3□□(にちまえ)、ある□□(ぶんこう)が テレビニュースで 紹介(しょうかい) されました。この□□(がっこう)※1は□(まち)の□(おお)きい□□□□(こうりつしょうがっ)□(こう)の□□(ぶんこう)です。2□□(ねんせい)が□□(ひとり)、3□□(ねんせい)が□□(ふたり)、5□□(ねんせい)が□□(ひとり)しか いない□(ち)さい□(がっ)□(こう)です。□□(ぜんいん)が□(なに)かの□□(いいん)です。2□□(ねんせい)の□(おとこ)の□(こ)は ヒマワリ※2□□(いいん)、3□□(ねんせい)の□(おんな)の□(こ)は ウサギ※3□□(いいん)、□(おとこ)の□(こ)は ニワトリ※4□□(いいん)で、5□□(ねんせい)の□(おんな)の□(こ)が この クラスの□□(きゅうちょう)です。□(せん)□(せい)も□(こ)どもたちも とても□□(げんき)で□(たの)しく 頑張(がんば)って いました。

2. Diplomats

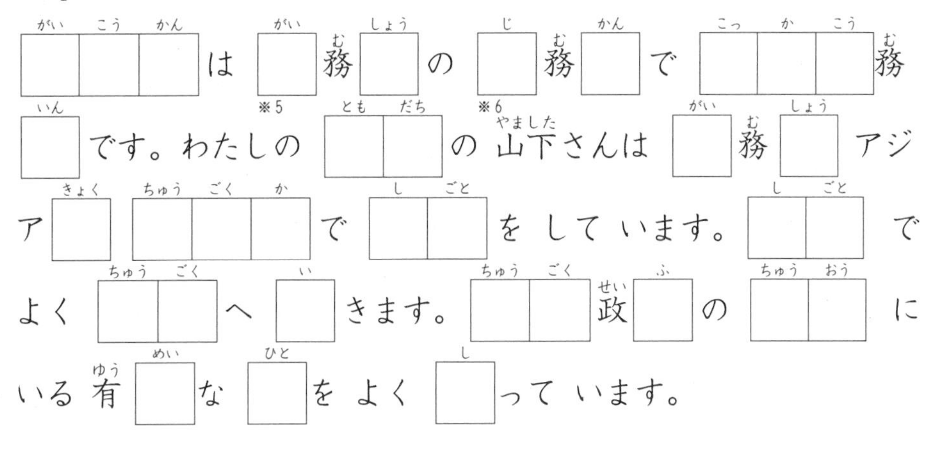

□□□(がいこうかん)は□(がい)務(む)□(しょう)※5の□(じ)務(む)□(かん)※6で□□□(こっかこう)務(む)□(いん)です。わたしの□□(ともだち)の 山下(やました)さんは□(がい)務(む)□(しょう) アジア□(きょく)□□□(ちゅうごくか)で□□(しごと)を して います。□□(しごと)で よく□□(ちゅうごく)へ□(い)きます。□□(ちゅうごく)政(せい)□(ふ)の□□(ちゅうおう)に いる 有(ゆう)□(めい)な□(ひと)を よく□(し)って います。

※1 branch school　※2 sunflower　※3 rabbit　※4 chicken
※5 Ministry of Foreign Affairs　※6 administrative official

4. Religion

(525) 神 **意味** God, soul
音 シン、ジン
訓 かみ

Radical: 礻

神 (9 strokes)

Stroke order: ラ ネ ネ 礼 初 祁 神 神

神官（しんかん）Shinto priest
神道（しんとう）Shinto
神式（しんしき）Shinto rites
精神（せいしん）soul
神社（じんじゃ）Shinto shrine
神様（かみさま）God

(526) 仏 **意味** Buddha, Buddhism, the dead
音 ブツ
訓 ほとけ

Radical: 亻

仏 (4 strokes)

Stroke order: ノ 亻 仏 仏

仏門（ぶつもん）Buddhism
神仏（しんぶつ）Shintoist and Buddhist gods
仏式（ぶっしき）Buddhist rites
仏教（ぶっきょう）Buddhism
仏像（ぶつぞう）statue of Buddha
仏様（ほとけさま）Buddha

(527) 宗 **意味** religion, religious sect, main family
音 シュウ、（ソウ）
訓

Radical: 宀

宗 (8 strokes)

Stroke order: 宀 宀 宀 宀 宀 宁 宗 宗

宗教（しゅうきょう）religion
宗教心（しゅうきょうしん）religious feeling
宗派（しゅうは）religious sect
改宗（かいしゅう）religious conversion
禅宗（ぜんしゅう）Zen
宗家（そうけ）main family

(528) 宮 **意味** palace, shrine
音 キュウ、（グウ）
訓 みや

Radical: 宀

宮 (10 strokes)

Stroke order: 宀 宀 宀 宀 宀 宀 宮 宮

宮殿（きゅうでん）palace
宮廷（きゅうてい）palace
神宮（じんぐう）Shinto shrine
宮司（ぐうじ）chief priest
お宮（おみや）shrine
お宮参り（おみやまいり）visiting a shrine

(529) 王 **意味** king
音 オウ
訓

王

王 4

一 T 干 王

王（おう）king
王国（おうこく）kingdom
王宮（おうきゅう）palace
女王（じょおう）queen
王子（おうじ）prince
王室（おうしつ）royal family

王 王 王 王 王 王

(530) 祭 **意味** festival
音 サイ
訓 まつ**る**、まつ**り**

示

祭 11

ノ タ タ タフ タヌ 外 祭 祭

祭日（さいじつ）national holiday
祭神（さいじん）god of a shrine
体育祭（たいいくさい）sports meeting
祭る（まつる）worship
祭り（まつり）festival
夏祭り（なつまつり）summer festival

祭 祭 祭 祭 祭 祭

(531) 玉 **意味** gem, round thing
音 ギョク
訓 たま

玉

玉 5

一 T 干 王 玉

宝玉（ほうぎょく）gem
玉（たま）round thing, ball
玉入れ（たまいれ）tamaire (school sports day competition)
玉子（たまご）egg
十円玉（じゅうえんだま）ten yen coin

玉 玉 玉 玉 玉 玉

(532) 念 **意味** belief, chant, memory, be careful
音 ネン
訓

心

念 8

ノ 人 ム 今 今 念 念 念

残念（ざんねん）be sorry
信念（しんねん）belief
念仏（ねんぶつ）Buddhist chant
記念（きねん）memory
念のため（ねんのため）to be sure
念じる（ねんじる）pray

念 念 念 念 念 念

Reading Practice 4

1. The Japanese and Religion

日本人の 多くは 生まれて、一か月目ぐらいに 神社にお参りする。これが「お宮参り」だ。男の 子は 3歳(さい)と 5歳(さい)、女の 子は 3歳(さい)と 7歳(さい)の 時にも、神社に お参りを する。結婚(こん)式は 神式と 仏式と あるが、キリスト教※1の 教会※2で 結婚(こん)する 若(わか)者も 多い。しかし、どういう わけか、「お葬(そう)式」はお寺で 行う 人が 多いようだ。だから、わたしたち 外国人には 日本人の 宗教人口は どう なって いるのか よく分からない。

2. Asakusa Carnival

浅草(あさくさ)に カーニバル※3の 季節が やって 来た。東京の 人は お祭りが 好きなようだ。祭神が 何か、そんな 事は かまわない。みんな 楽しく 踊(おど)りながら、パレード※4は 進む。「裸(はだか)※5の 王様」も、「玉乗りして いる ピエロ※6」も、ブラスバンド※7の 少(しょう)女たちも、踊(おど)る。サンバ※8を 踊(おど)って いるのは ブラジル人だ。ぼくはミスカーニバル※9と 記念に 写真を 撮(と)った。

※1 Christianity　※2 church　※3 carnival　※4 parade
※5 The King's New Clothes (Danish fairy tale; "Hadaka no Osama" means naked king)　※6 pierrot, clown　※7 brass band　※8 samba
※9 Miss Carnival

Writing Practice 4

1. Summer Festival

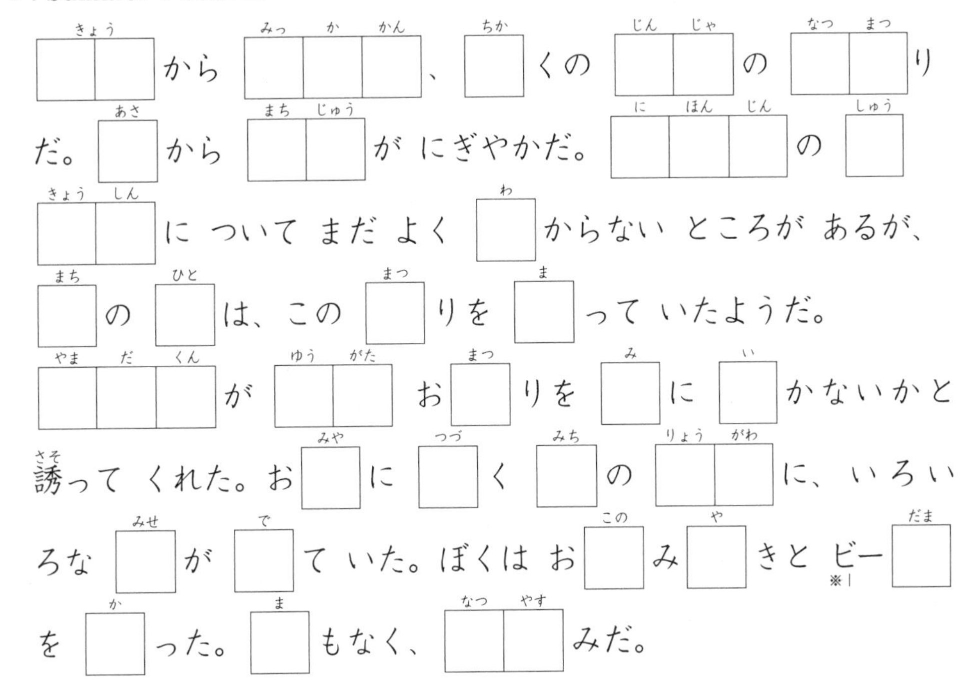

□□(きょう)から□□□(みっかかん)、□(ちか)くの□□(じんじゃ)の□□(なつまつ)り
だ。□(あさ)から□□(まちじゅう)が にぎやかだ。□□□(にほんじん)の□(しゅう)
□□(きょうしん)に ついて まだ よく□(わ)からない ところが あるが、
□(まち)の□(ひと)は、この□(まつ)りを□(ま)って いたようだ。
□□□(やまだくん)が□□(ゆうがた) お□(まつ)りを□(み)に□(い)かないかと
誘(さそ)って くれた。お□(みや)に□(つづ)く□(みち)の□□(りょうがわ)に、いろい
ろな□(みせ)が□(で)て いた。ぼくは お□(この)み□(や)きと ビー※1□(だま)
を□(か)った。□(ま)もなく、□□(なつやす)みだ。

2. A Bangkok Temple

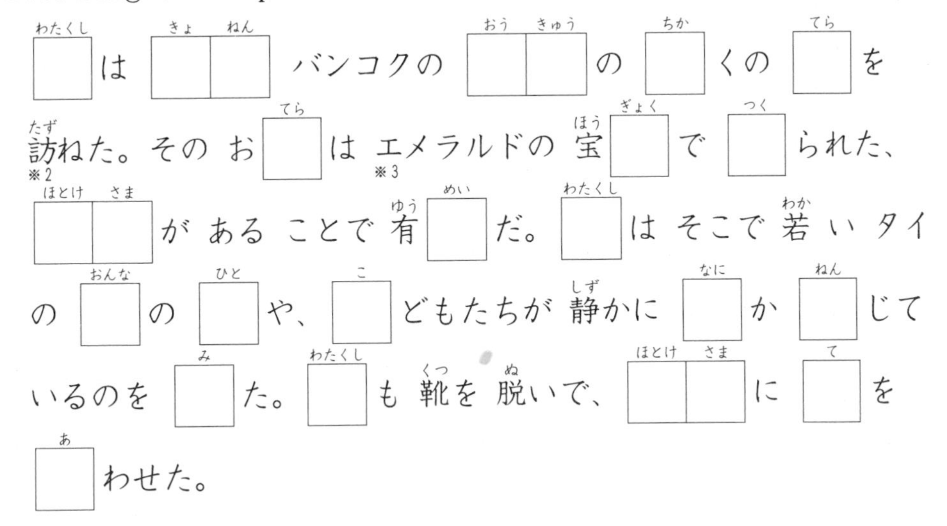

□(わたくし)は□□(きょねん) バンコクの□□(おうきゅう)の□(ちか)くの□(てら)を
訪(たず)ね※2た。その お□(てら)は エメラルド※3の 宝(ほう)□(ぎょく)で□(つく)られた、
□□(ほとけさま)が ある ことで 有(ゆう)□(めい)だ。□(わたくし)は そこで 若(わか)い タイ
の□(おんな)の□(ひと)や、□(こ)どもたちが 静(しず)かに□(なに)か□(ねん)じて
いるのを□(み)た。□(わたくし)も 靴(くつ)を 脱(ぬ)いで、□□(ほとけさま)に□(て)を
□(あ)わせた。

※1 marbles　※2 visited　※3 emerald

5. Instruments

(533) 弓 **意味** bow
音 （キュウ）
訓 ゆみ

弓 3

㇕	コ	弓	

弓	弓	弓	弓	弓	弓					

弓道（きゅうどう）Japanese archery
弓形（きゅうけい）bow shape, curve
弓（ゆみ）bow
弓なり（ゆみなり）bow shape
弓取り式（ゆみとりしき）Yumitorishiki (ceremony in sumo)

(534) 矢 **意味** arrow
音 （シ）
訓 や

矢 5

ノ	𠂉	𠂉二	午
矢			

矢	矢	矢	矢	矢	矢					

一矢を報いる（いっしをむくいる）fight back
矢印（やじるし）arrow mark
弓矢（ゆみや）bow and arrow
矢先（やさき）the moment

(535) 刀 **意味** sword
音 トウ
訓 かたな

刀 2

フ	刀		

刀	刀	刀	刀	刀	刀					

木刀（ぼくとう）wooden sword
名刀（めいとう）good sword
短刀（たんとう）dagger
日本刀（にほんとう）Japanese sword
刀（かたな）sword
*竹刀（しない）bamboo sword

(536) 笛 **意味** flute
音 テキ
訓 ふえ

笛 11

𠂉	𥫗	⺮	⺮丨
笛	笛	笛	笛

笛	笛	笛	笛	笛	笛					

汽笛（きてき）steam whistle
笛（ふえ）flute, whistle
口笛（くちぶえ）whistle, whistling
横笛（よこぶえ）flute
竹笛（たけぶえ）bamboo whistle

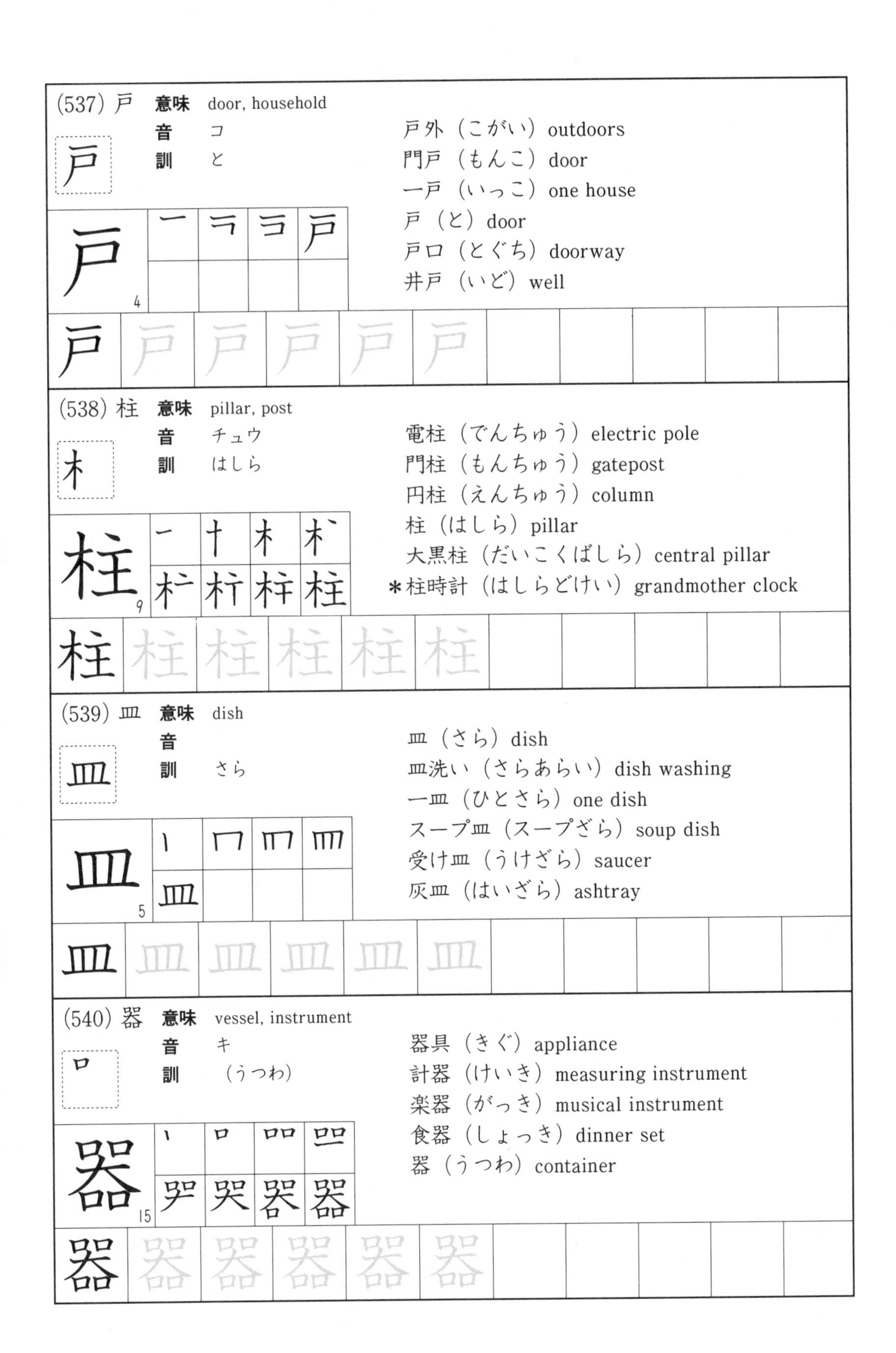
(537) 戸 意味 door, household
音 コ
訓 と
戸外（こがい）outdoors
門戸（もんこ）door
一戸（いっこ）one house
戸（と）door
戸口（とぐち）doorway
井戸（いど）well
4
(538) 柱 意味 pillar, post
音 チュウ
訓 はしら
電柱（でんちゅう）electric pole
門柱（もんちゅう）gatepost
円柱（えんちゅう）column
柱（はしら）pillar
大黒柱（だいこくばしら）central pillar
*柱時計（はしらどけい）grandmother clock
9
(539) 皿 意味 dish
音
訓 さら
皿（さら）dish
皿洗い（さらあらい）dish washing
一皿（ひとさら）one dish
スープ皿（スープざら）soup dish
受け皿（うけざら）saucer
灰皿（はいざら）ashtray
5
(540) 器 意味 vessel, instrument
音 キ
訓 （うつわ）
器具（きぐ）appliance
計器（けいき）measuring instrument
楽器（がっき）musical instrument
食器（しょっき）dinner set
器（うつわ）container
15

Reading Practice 5

1. Children's Day and the Doll Festival

五月五日は「子どもの日」で、子どもたちの ための 国民(みん)の 休日です。この 日は もともと[1] 男の子の 日でした。今も 男の 子が いる 家では、この 日に こいのぼり[2]を 立てたり、五月人形を 飾(かざ)[3]ったり します。五月人形は、弓矢や、刀を 持った 有(ゆう)名な 侍(さむらい)[4]や 桃太郎(ももたろう)とか 金太郎(きんたろう)など、昔(むかし)[5]話に 出て くる 強い 男の 子の 人形が 多いです。

女の 子の 日は 三月三日です。この 日は おひな[6]様を 飾(かざ)ります。おひな様は お内裏(だいり)[7]様を 中心に、笛などの 楽器、茶わんや 皿などの 食器、いろいろな 日用品を 持ったり して いる 人形が 多いです。

2. Japanese Houses

日本の 古い 家は、木と 紙と 草で できて いると 言われて います。わらぶき[8]屋根、木の 戸の 玄(げん)関、中に 入ると 真ん中に 太い 木の 柱が あります。この 柱は 大黒柱で、家の 大切な 柱です。

今の 新しい 家は、新しい 工法[9]で 建(た)てられ、柱が 見えない 家も あります。

※1 originally　※2 carp-shaped pennant　※3 decorate
※4 samurai　※5 old tale　※6 doll empress　※7 doll emperor
※8 thatched　※9 device

Writing Practice 5

1. The Meiji Village

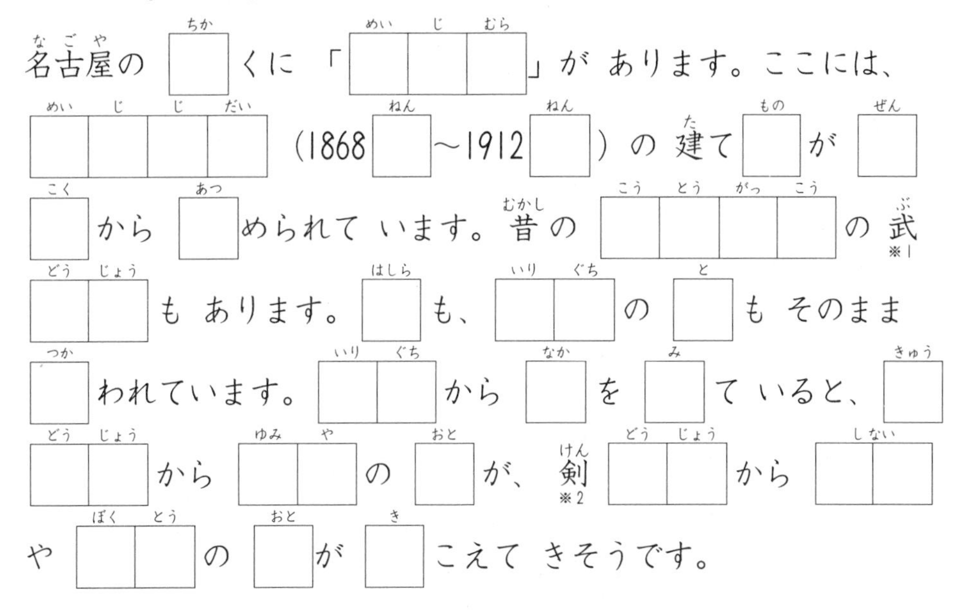

名古屋(なごや)の□(ちか)くに「□□□(めいじむら)」があります。ここには、
□□□□(めいじじだい)(1868□(ねん)～1912□(ねん))の建(た)て□(もの)が□(ぜん)
□(こく)から□(あつ)められています。昔(むかし)の□□□□(こうとうがっこう)の武(ぶ)※1
□□(どうじょう)もあります。□(はしら)も、□□(いりぐち)の□(と)もそのまま
□(つか)われています。□□(いりぐち)から□(なか)を□(み)ていると、□(きゅう)
□□(どうじょう)から□□(ゆみや)の□(おと)が、剣(けん)※2□□(どうじょう)から□□(しない)
や□□(ぼくとう)の□(おと)が□(き)こえてきそうです。

2. A Concert

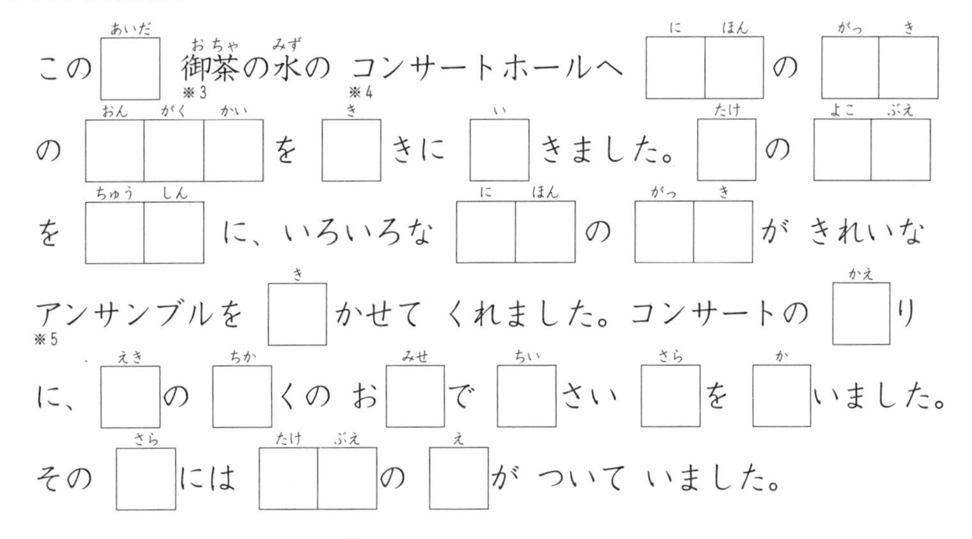

この□(あいだ)御茶(おちゃ)※3の水(みず)のコンサートホール※4へ□□(にほん)の□□(がっき)
の□□□(おんがくかい)を□(き)きに□(い)きました。□(たけ)の□□(よこぶえ)
を□□(ちゅうしん)に、いろいろな□□(にほん)の□□(がっき)がきれいな
アンサンブル※5を□(き)かせてくれました。コンサートの□(かえ)り
に、□(えき)の□(ちか)くのお□(みせ)で□(ちい)さい□(さら)を□(か)いました。
その□(さら)には□□(たけぶえ)の□(え)がついていました。

※1 training hall　※2 kendo hall　※3 Ochanomizu　※4 concert hall
※5 ensemble

6. Foods

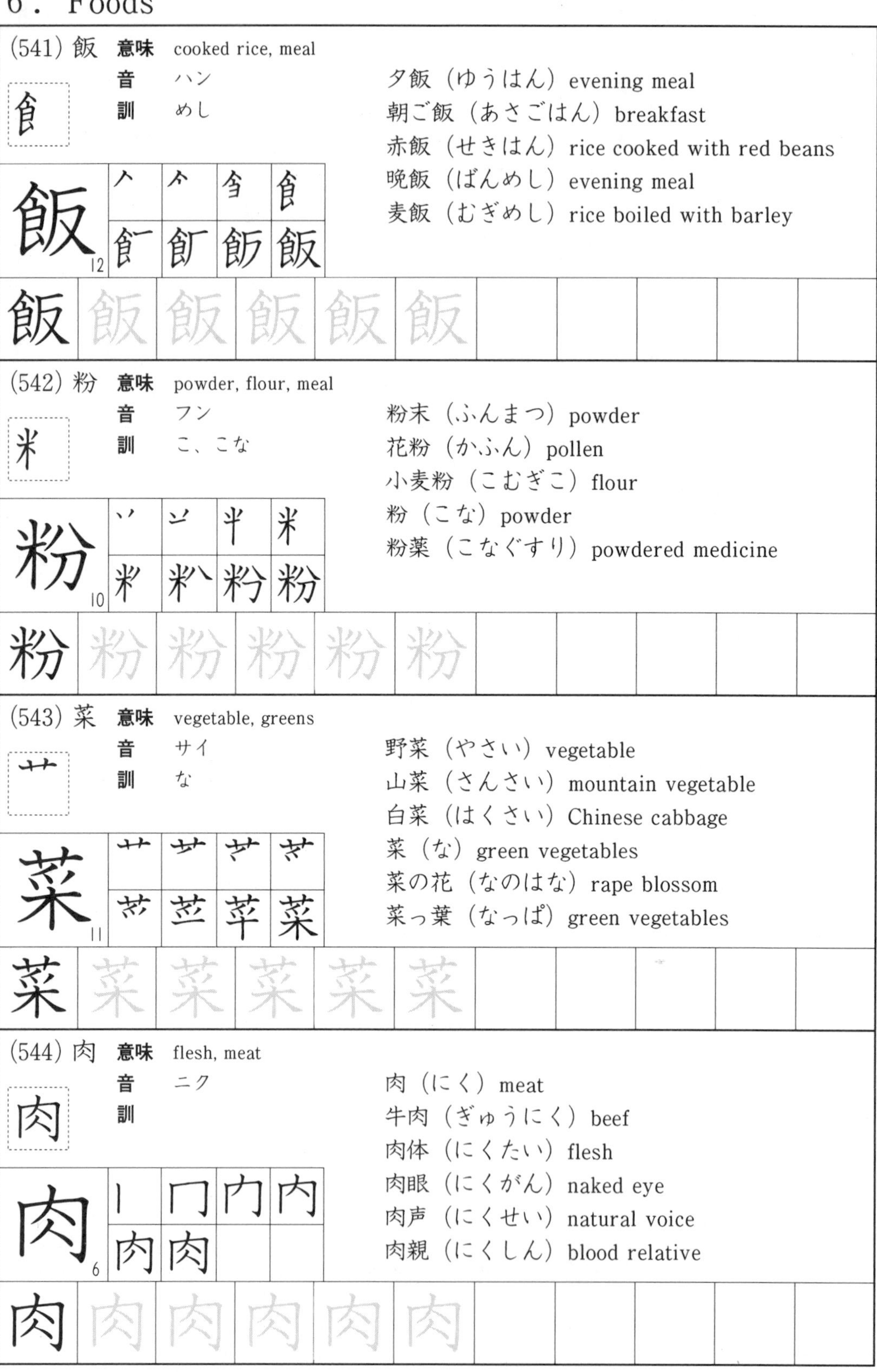

(541) 飯 **意味** cooked rice, meal
音 ハン
訓 めし

夕飯（ゆうはん）evening meal
朝ご飯（あさごはん）breakfast
赤飯（せきはん）rice cooked with red beans
晩飯（ばんめし）evening meal
麦飯（むぎめし）rice boiled with barley

(542) 粉 **意味** powder, flour, meal
音 フン
訓 こ、こな

粉末（ふんまつ）powder
花粉（かふん）pollen
小麦粉（こむぎこ）flour
粉（こな）powder
粉薬（こなぐすり）powdered medicine

(543) 菜 **意味** vegetable, greens
音 サイ
訓 な

野菜（やさい）vegetable
山菜（さんさい）mountain vegetable
白菜（はくさい）Chinese cabbage
菜（な）green vegetables
菜の花（なのはな）rape blossom
菜っ葉（なっぱ）green vegetables

(544) 肉 **意味** flesh, meat
音 ニク
訓

肉（にく）meat
牛肉（ぎゅうにく）beef
肉体（にくたい）flesh
肉眼（にくがん）naked eye
肉声（にくせい）natural voice
肉親（にくしん）blood relative

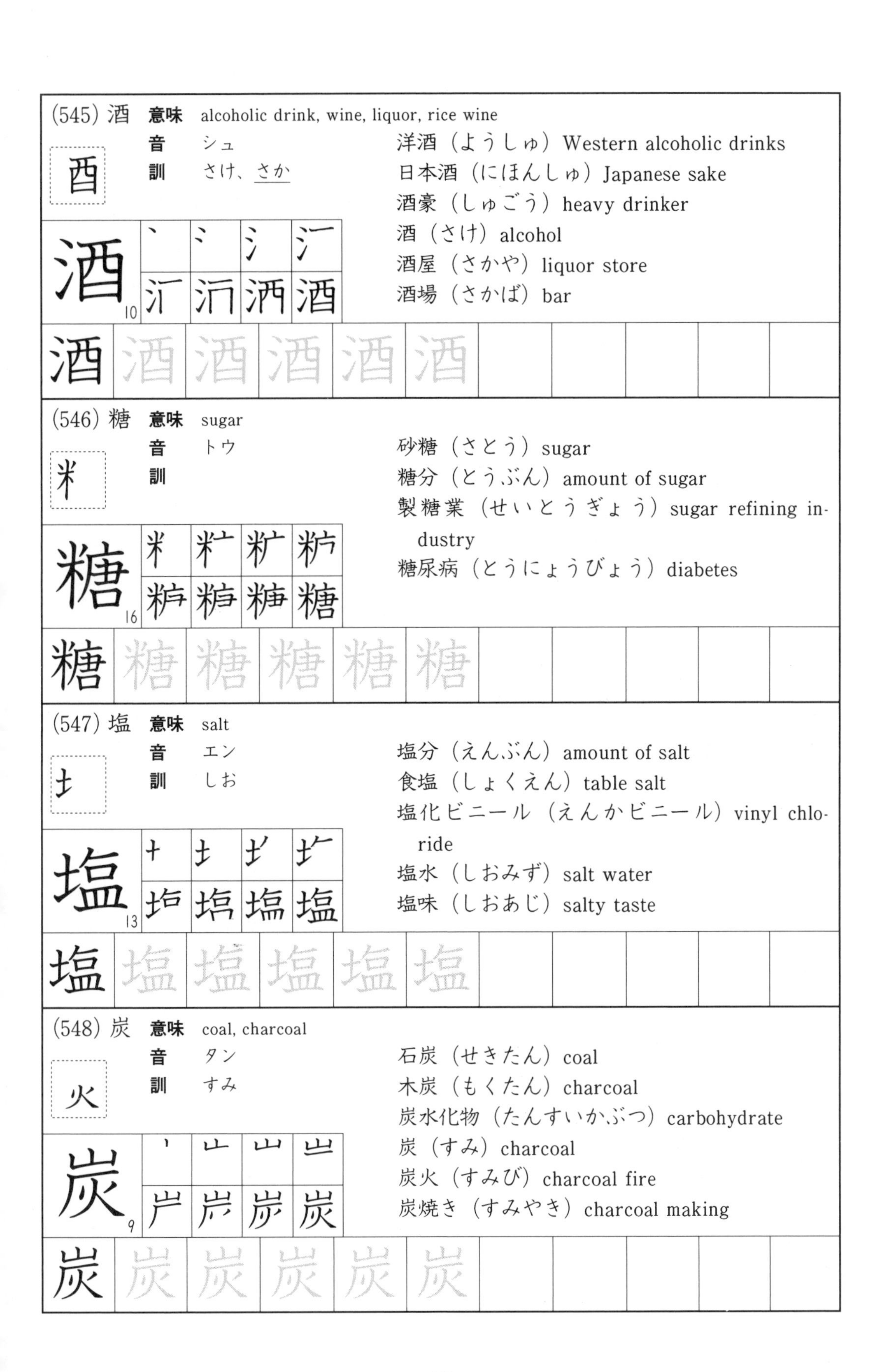

(545) 酒　**意味**　alcoholic drink, wine, liquor, rice wine

音　シュ

訓　さけ、さか

部首: 酉　画数: 10

筆順: 丶 氵 氵 氵 汀 沂 洒 酒

洋酒（ようしゅ）Western alcoholic drinks
日本酒（にほんしゅ）Japanese sake
酒豪（しゅごう）heavy drinker
酒（さけ）alcohol
酒屋（さかや）liquor store
酒場（さかば）bar

酒 酒 酒 酒 酒 酒

(546) 糖　**意味**　sugar

音　トウ

訓

部首: 米　画数: 16

筆順: 米 米 籵 粐 粐 粐 糖 糖

砂糖（さとう）sugar
糖分（とうぶん）amount of sugar
製糖業（せいとうぎょう）sugar refining industry
糖尿病（とうにょうびょう）diabetes

糖 糖 糖 糖 糖 糖

(547) 塩　**意味**　salt

音　エン

訓　しお

部首: 土　画数: 13

筆順: 十 土 圤 圹 圻 埳 塩 塩

塩分（えんぶん）amount of salt
食塩（しょくえん）table salt
塩化ビニール（えんかビニール）vinyl chloride
塩水（しおみず）salt water
塩味（しおあじ）salty taste

塩 塩 塩 塩 塩 塩

(548) 炭　**意味**　coal, charcoal

音　タン

訓　すみ

部首: 火　画数: 9

筆順: 丨 山 山 屮 岸 岸 炭 炭

石炭（せきたん）coal
木炭（もくたん）charcoal
炭水化物（たんすいかぶつ）carbohydrate
炭（すみ）charcoal
炭火（すみび）charcoal fire
炭焼き（すみやき）charcoal making

炭 炭 炭 炭 炭 炭

Reading Practice 6

1. Family Restaurants

日本の 外食産業※1は 近年※2 急速に 発展(てん)※3して います。ある 大手※4ファミリーレストラン※5の チェーン店※6は、ご飯用の 米、パンなどを 作る 小麦粉、ステーキ用の 肉、野菜など、すべてを 特(とく)定の 農家や 農場に 生産して もらって いるそうです。日本国内だけでは ありません。外国の 農場や 農家にも 作らせて います。野菜工場で 作られる 野菜も あります。

材(ざい)料の 品質が 同(おな)じで、作り方が 同(おな)じですから、どの チェーン店も 味が 変わりません。

2. Sukiyaki

日本料理は もともと 魚や 野菜中心の 料理でした。しかし 肉料理も あります。例えば すき焼きは 牛肉の 料理です。

すき焼きは 大勢(ぜい)で 食べると 楽しいです。炭火コンロ※7を 使って 作りながら 食べます。すき焼きは 酒、砂(さ)糖、しょうゆで 味を 付けます。塩は 使いません。

※1 eating-out business　※2 recent years　※3 develop　※4 major
※5 family restaurant(s)　※6 chain restaurant　※7 portable burner

Writing Practice 6

1. Rice

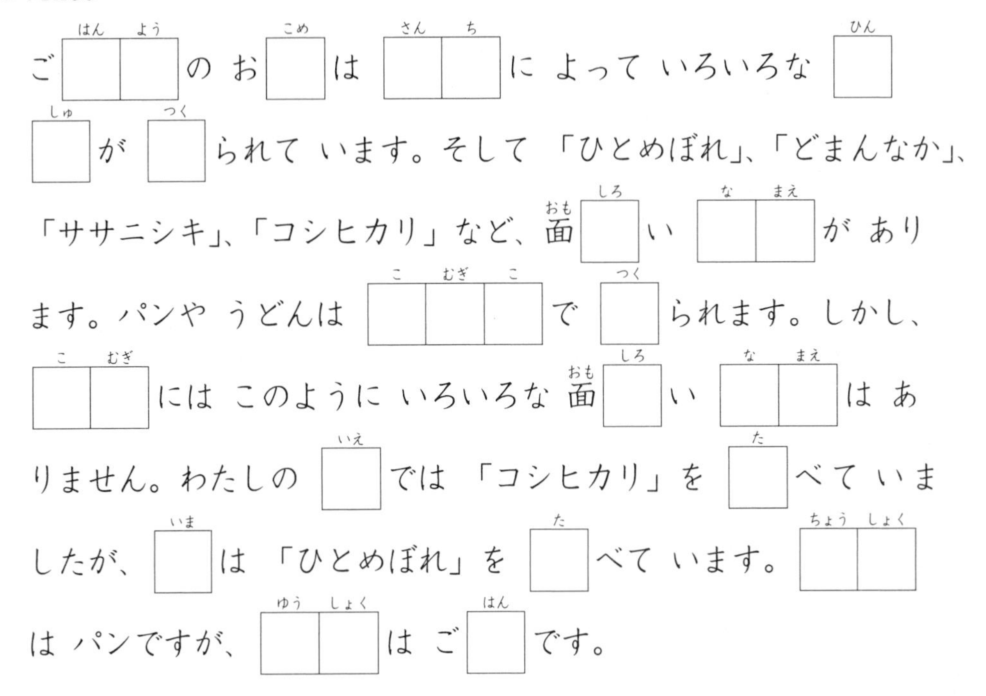
ご□□（はんよう）の お□（こめ）は □□（さんち）に よって いろいろな □（ひん）□（しゅ）が □（つく）られて います。そして 「ひとめぼれ」、「どまんなか」、「ササニシキ」、「コシヒカリ」など、面（おも）□（しろ）い □□（なまえ）が あります。パンや うどんは □□□（こむぎこ）で □（つく）られます。しかし、□□（こむぎ）には このように いろいろな 面（おも）□（しろ）い □□（なまえ）は ありません。わたしの □（いえ）では 「コシヒカリ」を □（た）べて いましたが、□（いま）は 「ひとめぼれ」を □（た）べて います。□□（ちょうしょく）は パンですが、□□（ゆうしょく）は ご□（はん）です。

2. Daily Food

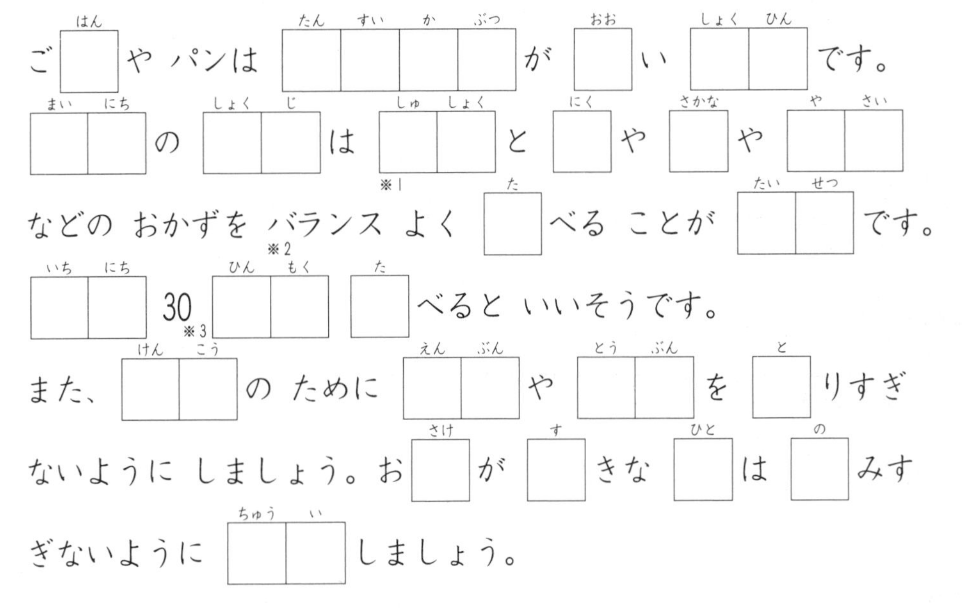
ご□（はん）や パンは □□□□（たんすいかぶつ）が □（おお）い □□（しょくひん）です。□□（まいにち）の □□（しょくじ）は □□（しゅしょく）※1と □（にく）や □（さかな）や □□（やさい）などの おかずを バランス※2 よく □（た）べる ことが □□（たいせつ）です。□□（いちにち）30□□（ひんもく）※3 □（た）べると いいそうです。また、□□（けんこう）の ために □□（えんぶん）や □□（とうぶん）を □（と）りすぎないように しましょう。お□（さけ）が □（す）きな □（ひと）は □（の）みすぎないように □□（ちゅうい）しましょう。

※1 staple food(s)　※2 balance　※3 kind

7. Abstract Ideas

(549) 幸

意味 good fortune, happiness

音 コウ

訓 さいわい、(さち)、しあわせ

部首: 干

幸 8

- 幸運（こううん）good luck
- 不幸（ふこう）unhappiness
- 幸い（さいわい）luck
- 海の幸（うみのさち）seafood
- 幸せ（しあわせ）happiness

幸 幸 幸 幸 幸 幸

(550) 福

意味 fortune, blessing, good luck, prosperity

音 フク

訓

部首: ネ

福 13

- 幸福（こうふく）happiness
- 祝福（しゅくふく）blessing
- 福利厚生（ふくりこうせい）welfare program
- 大福（だいふく）type of Japanese sweet
- 福岡（ふくおか）Fukuoka(city in Japan)

福 福 福 福 福 福

(551) 悲

意味 sadness

音 ヒ

訓 かなしい、かなしむ

部首: 心

悲 12

- 悲報（ひほう）sad news
- 悲観（ひかん）pessimism
- 悲願（ひがん）strong desire
- 悲しい（かなしい）sad
- 悲しむ（かなしむ）grieve
- 悲しみ（かなしみ）sorrow

悲 悲 悲 悲 悲 悲

(552) 和

意味 harmonious, peace, Japan

音 ワ

訓 (やわらぐ)、(やわらげる)、(なごむ)、(なごやか)

部首: 口

和 8

- 和食（わしょく）Japanese food
- 和室（わしつ）Japanese room
- 和らぐ（やわらぐ）lighten
- 和らげる（やわらげる）soften, lessen
- 和む（なごむ）calm down
- 和やか（なごやか）peaceful

和 和 和 和 和 和

(553) 由 **意味** reason, cause, be caused by

田

音 ユ、ユウ

訓 （よし）

由来（ゆらい）cause, origin
経由（けいゆ）by way of
自由（じゆう）freedom
理由（りゆう）cause, reason
お元気の由（おげんきのよし）I hear you are well

由 5

(554) 命 **意味** order, life

ロ

音 メイ、（ミョウ）

訓 いのち

命令（めいれい）order
使命（しめい）mission
生命（せいめい）life
運命（うんめい）destiny, fate
寿命（じゅみょう）one's lifetime
命（いのち）life

命 8

(555) 才 **意味** talent, age suffix

才

音 サイ

訓

才能（さいのう）talent
天才（てんさい）genius
文才（ぶんさい）talent for writing
英才教育（えいさいきょういく）special education for brilliant children

才 3

(556) 有 **意味** have, exist

月

音 ユウ、（ウ）

訓 ある

有名（ゆうめい）famous
有害（ゆうがい）harmfulness
有力（ゆうりょく）influential
私有（しゆう）private possessions
有無（うむ）existence
有る（ある）have

有 6

Reading Practice 7

A Farewell Party Speech

皆(みな)様、こんばんは。本日は、わたしの ために お集まりくださいまして 本当に ありがとう ございました。わたしは 半年間の 研修を 終わって、あさって 帰国いたします。研修の 間、山田技術部長様や 皆(みな)様には 公私ともに たいへん お世話に なりました。一度 風邪(かぜ)で お休みいたしましたが、幸い すぐ 治りました。おかげさまで 無(ぶ)事に 研修を 修了(りょう)できました。日本で 研修する ことは わたしの 悲願でした。社長から 日本へ 行く ことを 命令(れい)された 時、本当に うれしかったです。しかし、わたしは 語学の 才能(のう)が ありません。日本へ 来る 前に 日本語を 一生懸(けん)命勉強しましたが 全然(ぜん) 上達しませんでした。日本の 習慣も 分かりませんから 心配でした。

今は 和室の たたみ[※1]も 和食の 刺(さし)身も 大好きです。日本語も よく 分かるように なりました。有名な 京都や 奈良(なら)へも 行きました。友達も たくさん できました。でも、少(すこ)し 悲しいですが もう お別れ[※2]しなければ なりません。あさって 福岡(ふくおか)経由の 飛行機で 帰国します。

では 皆(みな)様、どうぞ お元気で。さようなら。最後に 皆(みな)様の ご幸福を お祈(いの)り[※3]いたします。

※1 tatami　※2 leave　※3 wish

Writing Practice 7

People's Feelings

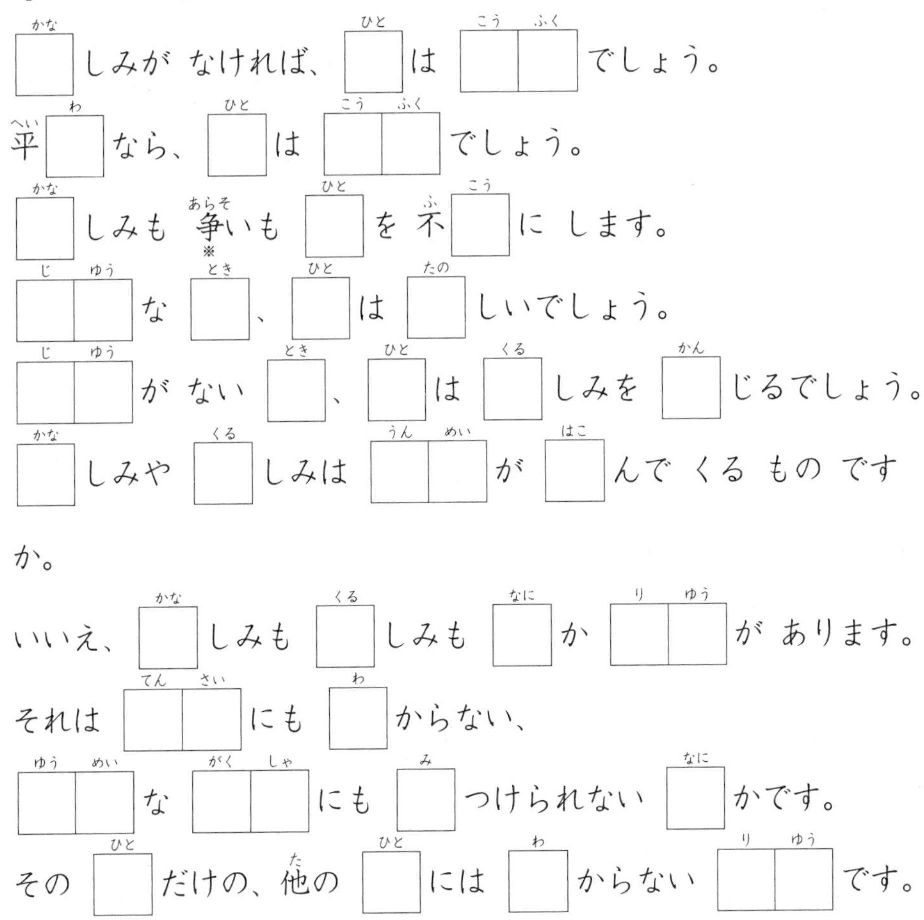
かな □しみが なければ、ひと □は こう ふく □□でしょう。
へい 平 わ □なら、ひと □は こう ふく □□でしょう。
かな □しみも あらそ 争いも ひと □を ふ 不 こう □に します。
じ ゆう □□な とき □、ひと □は たの □しいでしょう。
じ ゆう □□が ない とき □、ひと □は くる □しみを かん □じるでしょう。
かな □しみや くる □しみは うん めい □□が はこ □んで くる もの ですか。
いいえ、かな □しみも くる □しみも なに □か り ゆう □□が あります。
それは てん さい □□にも わ □からない、
ゆう めい □□な がく しゃ □□にも み □つけられない なに □かです。
その ひと □だけの、た 他の ひと □には わ □からない り ゆう □□です。

※ conflict

8. Shapes and States

(557) 丸

意味 round, pellet, ball

音 ガン

訓 まる、まる**い**、まる**める**

部首: 丶 — 3画

筆順: ノ 九 丸

- 丸薬（がんやく）pill
- 丸坊主（まるぼうず）close-cut hair
- 二重丸（にじゅうまる）double circle
- 丸顔（まるがお）round face
- 丸い（まるい）round
- 丸める（まるめる）make round

丸 丸 丸 丸 丸 丸

(558) 平

意味 flat, calm, level

音 ヘイ、ビョウ

訓 たい**ら**、ひら

部首: 干 — 5画

筆順: 一 丆 ᅲ 亚 平

- 平和（へいわ）peace
- 水平（すいへい）being horizontal
- 平日（へいじつ）weekday
- 平等（びょうどう）equality
- 平ら（たいら）flat, even
- 平社員（ひらしゃいん）ordinary employee

平 平 平 平 平 平

(559) 面

意味 face, surface, side, mask

音 メン

訓 （おも）、（おもて）、（つら）

部首: 面 — 9画

筆順: 一 ア 丆 币 而 而 面 面

- 表面（ひょうめん）surface
- 海面（かいめん）surface of the sea
- 正面（しょうめん）front
- 面白い（おもしろい）interesting
- 面（おもて）face
- 面がまえ（つらがまえ）look on one's face

面 面 面 面 面 面

(560) 列

意味 row, line, file, rank, series

音 レツ

訓

部首: 刂 — 6画

筆順: 一 ア 歹 歹 歹 列

- 行列（ぎょうれつ）row
- 参列（さんれつ）attendance
- 列車（れっしゃ）train
- 列強（れっきょう）great power
- 一列（いちれつ）one line
- 前列（ぜんれつ）front line

列 列 列 列 列 列

(561) 古 **意味** old, ancient, obsolete

口

音 コ

訓 ふる**い**、ふる**す**

古代（こだい）ancient times
中古品（ちゅうこひん）second-hand goods
古い（ふるい）old
古道具屋（ふるどうぐや）second-hand tool shop
使い古す（つかいふるす）wear out

古 5

一 十 古 古 古

古 古 古 古 古 古

(562) 深 **意味** deep, distant, inmost, profound

氵

音 シン

訓 ふか**い**、ふか**まる**、ふか**める**

深夜（しんや）midnight
深海（しんかい）deep sea
深い（ふかい）①deep ②dark
深さ（ふかさ）depth
深まる（ふかまる）deepen
深める（ふかめる）deepen

深 11

氵 氵 氵 氵 氵 氵 泙 深

深 深 深 深 深 深

(563) 温 **意味** warm, hot, temperate

氵

音 オン

訓 あたた**か**、あたた**かい**、あたた**まる**、あたた**める**

温度（おんど）temperature
体温（たいおん）body temperature
温か（あたたか）warm
温かい（あたたかい）warm
温まる（あたたまる）become warm
温める（あたためる）make warm

温 12

氵 氵 汩 汩 浧 涓 温 温

温 温 温 温 温 温

(564) 軽 **意味** light, slight, easy

車

音 ケイ

訓 かる**い**、（かろ**やか**）

軽重（けいちょう）relative importance
軽食（けいしょく）light meal
軽視（けいし）paying little attention
軽い（かるい）light
軽やか（かろやか）light

軽 12

亘 亘 車 軒 軽 軽 軽 軽

軽 軽 軽 軽 軽 軽

Reading Practice 8

In Harajuku

冬の ある 日、友達と 原宿に 行きました。気温は 2度くらいの 寒い 日でした。

原宿駅の 近くで 面白い 店に 入りました。日本の 古い 道具や 着物などを 安く 売って いました。平日でしたが いろいろな 国の 旅行者も 大勢 来て いました。ある人は 食器の 売り場で 明るい ブルー※1の 四角い 皿と ボール※2の セット※3を 買って たいへん うれしそうでした。わたしは 同じ 色で 面白い 形の 皿を 買いました。

ある 売り場は 長い 行列が できて いました。わたしも 見に 行きました。そこで 少し 深くて 丸い 形の 竹の 花びんを 買いました。大きいですが 軽くて 使いやすそうです。どのくらい 古いか 分かりませんが、表面が 光って たいへん きれいです。

店の 正面の 壁に 大きい 時計が ありました。たいへん 古いそうですが、音が いい 時計でした。

※1 blue　※2 bowl　※3 set

Writing Practice 8

1 . People's Faces

□(ひと)の □(かお)は □□(ほんとう)に いろいろです。わたしの □(ちち)は とても □(ふと)って います。□□(しんちょう)は 165センチですが、□□(たいじゅう)は 95キロも あります。そして □□(まるがお)です。□(はは)は やせて います。□□(しんちょう)は 155センチですが □□(たいじゅう)は 40キロで、とても □(かる)いです。

2 . Antique Shop

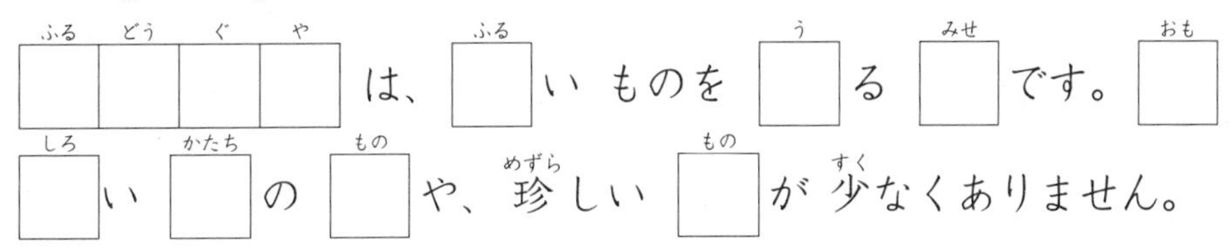

□□□□(ふるどうぐや)は、□(ふる)い ものを □(う)る □(みせ)です。□(おも)□(しろ)い □(かたち)の □(もの)や、珍(めずら)しい □(もの)が 少(すく)なく ありません。

3 . Spring

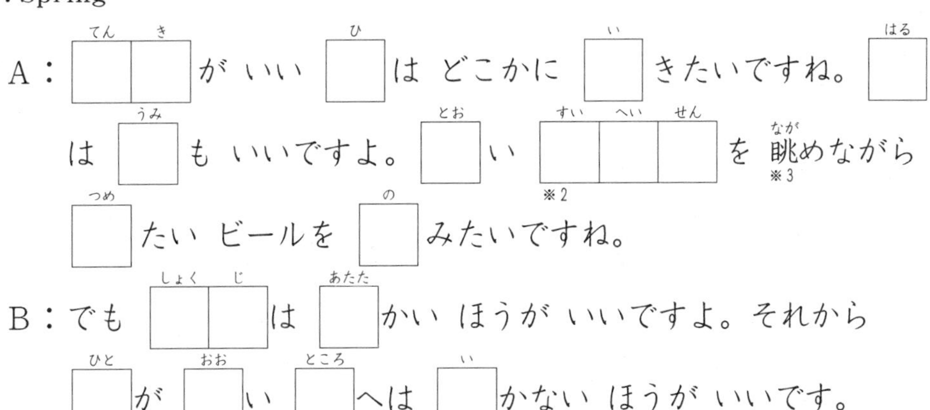

A：□□(てんき)が いい □(ひ)は どこかに □(い)きたいですね。□(はる)は □(うみ)も いいですよ。□(とお)い □□□(すいへいせん)※2 を 眺(なが)め※3ながら □(つめ)たい ビールを □(の)みたいですね。

B：でも □□(しょくじ)は □(あたた)かい ほうが いいですよ。それから □(ひと)が □(おお)い □(ところ)へは □(い)かない ほうが いいです。いろいろな □(ところ)で □□(ぎょうれつ)しなければ ならなかったり、□(かえ)りが □□(しんや)に なったり して しまいますからね。

A：それでも どこかに □(い)きたいですねえ……

※1 horizon　　※2 look at

8. Sports

(565) 登 **意味** climb
音 トウ、ト
訓 のぼる

部首: 癶

登 12

Stroke order: 癶 … 登

登校（とうこう）attending school
登場（とうじょう）appearance
登録（とうろく）registration
登山（とざん）mountaineering
登る（のぼる）climb
山登り（やまのぼり）mountaineering

登 登 登 登 登 登

(566) 投 **意味** throw, send in
音 トウ
訓 なげる

部首: 扌

投 7

Stroke order: 一 十 扌 扌 扌 投 投

投手（とうしゅ）pitcher
投書（とうしょ）sending a letter to a newspaper, etc.
投票（とうひょう）voting
投げる（なげる）throw
ハンマー投げ（ハンマーなげ）throwing the hammer

投 投 投 投 投 投

(567) 放 **意味** let go
音 ホウ・ポウ
訓 はなす、はなつ、はなれる

部首: 攵

放 8

Stroke order: 丶 亠 方 方 方 方 放 放

放火（ほうか）arson
放課後（ほうかご）after school
放送（ほうそう）broadcasting
放す（はなす）let go
放つ（はなつ）set free
放れる（はなれる）get free

放 放 放 放 放 放

(568) 引 **意味** draw
音 イン
訓 ひく、ひける

部首: 弓

引 4

Stroke order: 弓 弓 弓 引

引力（いんりょく）gravity
引退（いんたい）retirement
引く（ひく）draw, pull
引き分け（ひきわけ）a draw
綱引き（つなひき）tug-of-war
引ける（ひける）be over

引 引 引 引 引 引

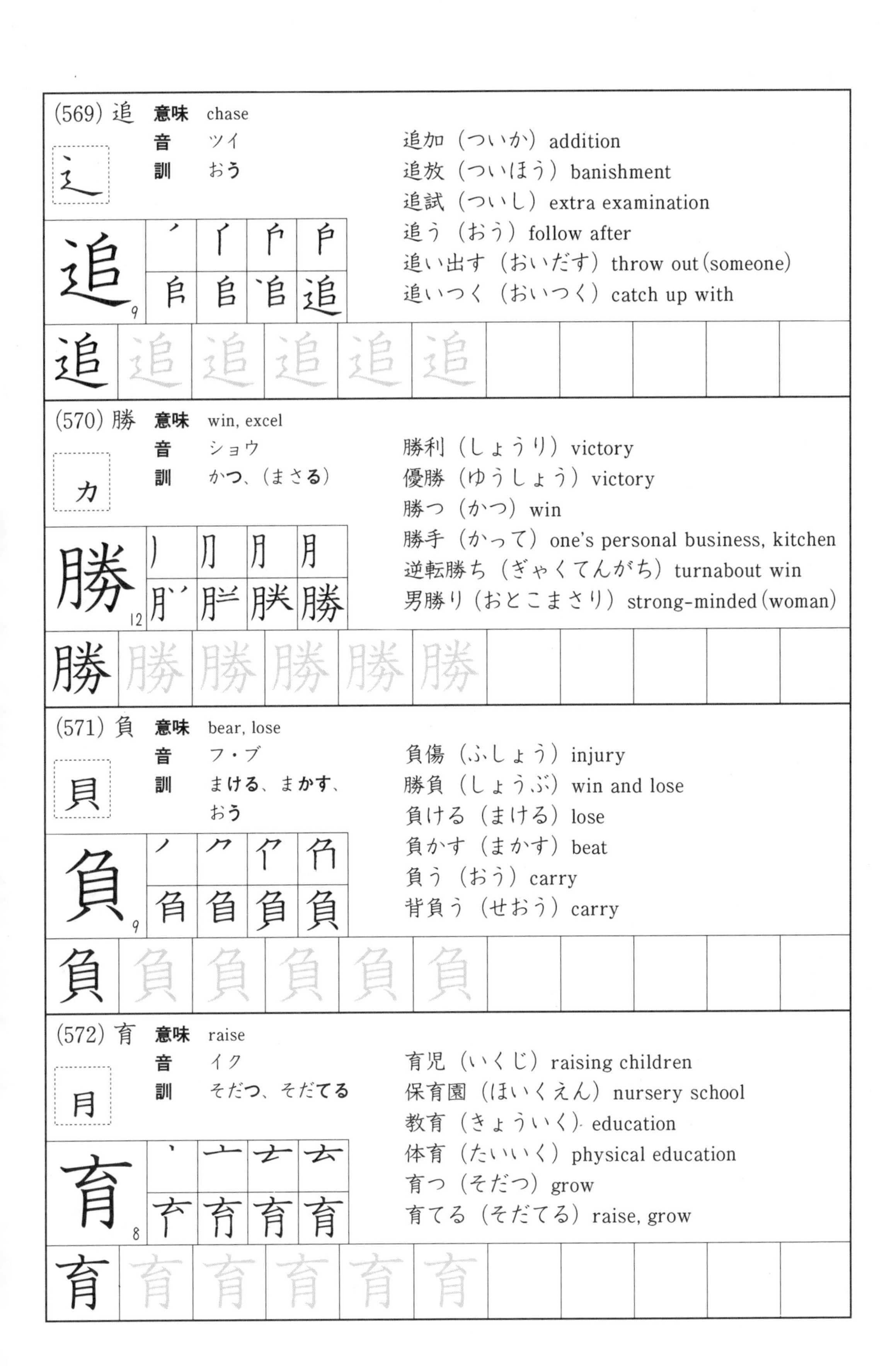

(569) 追 **意味** chase
音 ツイ
訓 お**う**

辶

追 9

追加（ついか）addition
追放（ついほう）banishment
追試（ついし）extra examination
追う（おう）follow after
追い出す（おいだす）throw out (someone)
追いつく（おいつく）catch up with

(570) 勝 **意味** win, excel
音 ショウ
訓 か**つ**、（まさ**る**）

力

勝 12

勝利（しょうり）victory
優勝（ゆうしょう）victory
勝つ（かつ）win
勝手（かって）one's personal business, kitchen
逆転勝ち（ぎゃくてんがち）turnabout win
男勝り（おとこまさり）strong-minded (woman)

(571) 負 **意味** bear, lose
音 フ・ブ
訓 ま**ける**、ま**かす**、お**う**

貝

負 9

負傷（ふしょう）injury
勝負（しょうぶ）win and lose
負ける（まける）lose
負かす（まかす）beat
負う（おう）carry
背負う（せおう）carry

(572) 育 **意味** raise
音 イク
訓 そだ**つ**、そだ**てる**

月

育 8

育児（いくじ）raising children
保育園（ほいくえん）nursery school
教育（きょういく）education
体育（たいいく）physical education
育つ（そだつ）grow
育てる（そだてる）raise, grow

Reading Practice 9

1 . Sports Meeting

今日は 学校の 体育祭だった。わたしは 放送係だったから、朝 早く 登校して、準備を した。学生は 二つの チームに 分かれて、試(し)合を した。ゲームは リレー※1、綱(つな)引き、玉入れなど いろいろ あった。わたしの チームは 初めは 負けて いたが、だんだん 追いついて、最後の リレーで 勝った。うれしかった。

体育祭が 終わってから、みんなで ジュースで 乾杯(かんぱい)した。

2 . Sumo

相撲(すもう)は ルールが 簡(かん)単で、分かりやすい スポーツだ。

丸い 土俵(ひょう)※2の 中で 勝負を 決める。土俵(ひょう)の 上で 倒(たお)れたり、土俵(ひょう)から 出たら 負けに なる。ボクシング※3や レスリング※4と 違(ちが)って、体重の ランク※5は ない。しかし、大きくて 強そうな 力士が、小さい 力士に 投げられたり する ことも 珍(めずら)しくない。

これが 相撲(すもう)の 面白い ところだ。

※1 relay　※2 ring　※3 boxing　※4 wrestling　※5 ranking

Writing Practice 9

1 . Physical Education

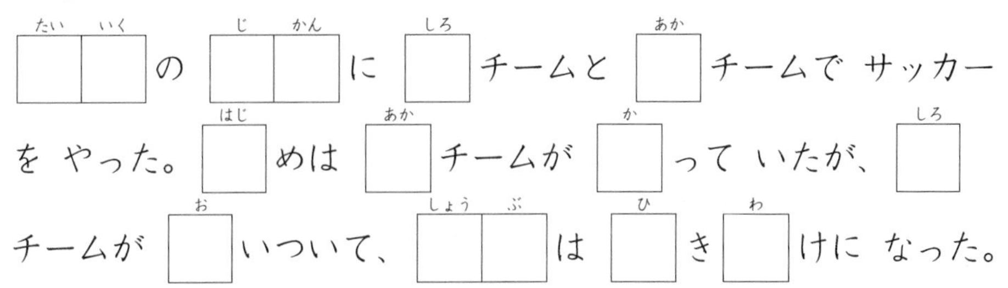

たいいく
の
じかん
に
しろ
チームと
あか
チームで サッカー
を やった。
はじ
めは
あか
チームが
か
って いたが、
しろ
チームが
お
いついて、
しょうぶ
は
ひ
き
わ
けに なった。

2 . A Notice Board

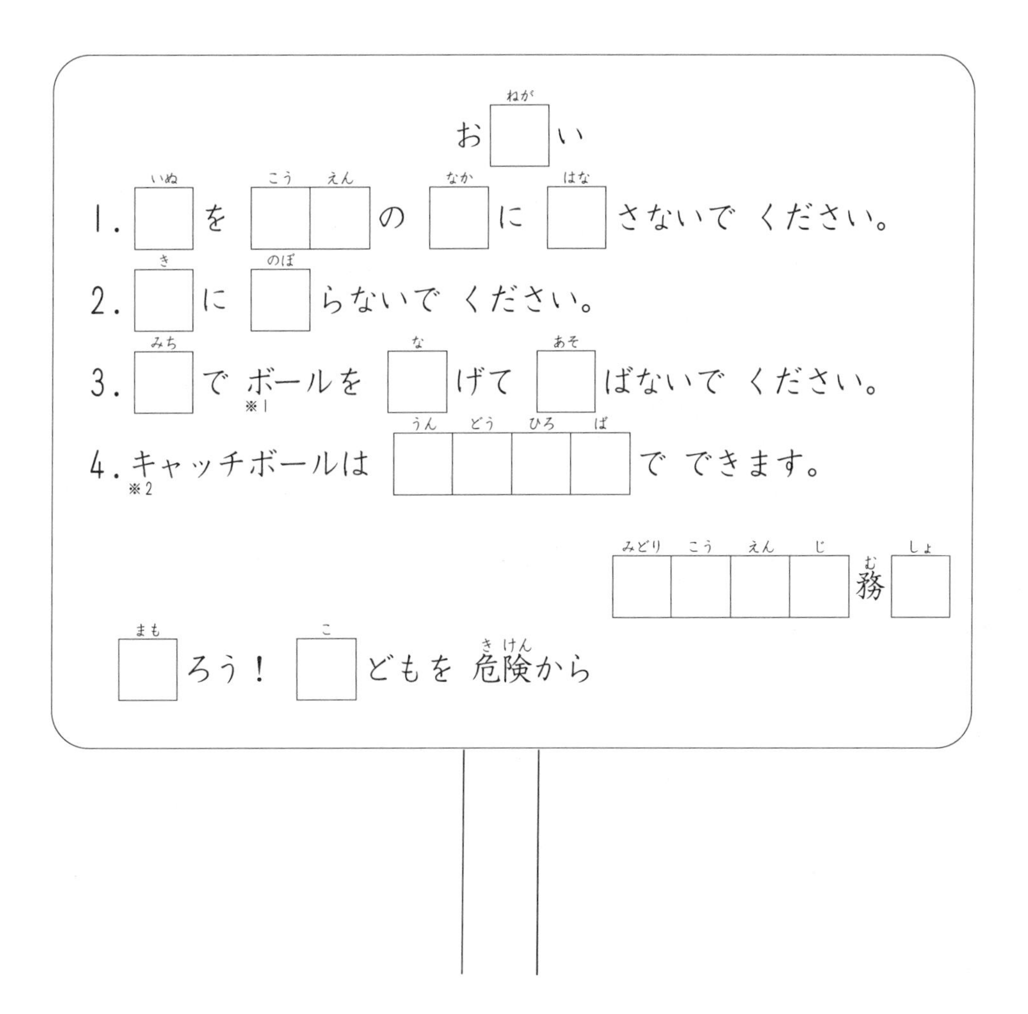

お ねが い
1. いぬ を こうえん の なか に はな さないで ください。
2. き に のぼ らないで ください。
3. みち で ボールを※1 な げて あそ ばないで ください。
4. キャッチボール※2は うんどうひろば で できます。
みどりこうえんじ 務 しょ
まも ろう！ こ どもを 危険から

※1 ball　　※2 catch

10. Time and Era

(573) 昔 意味 long time ago
音 （セキ）、シャク・ジャク
訓 むかし
部首: 日
昔 8
Stroke order: 一 十 廾 丗 丗 昔 昔 昔

昔日（せきじつ）former times
今昔物語（こんじゃくものがたり）Tales of Times Now Past (12th century Japanese stories)
昔（むかし）long time ago
大昔（おおむかし）a long, long time ago
昔話（むかしばなし）old story

昔 昔 昔 昔 昔 昔

(574) 紀 意味 year, generation, record, rule
音 キ
訓
部首: 糸
紀 9
Stroke order: 𠃋 幺 幺 糸 糸 紀 紀 紀

紀元（きげん）era
世紀（せいき）century
紀要（きよう）academic bulletin
紀行文（きこうぶん）travel journal
風紀（ふうき）public morals

紀 紀 紀 紀 紀 紀

(575) 昭 意味 clear, bright
音 ショウ
訓
部首: 日
昭 9
Stroke order: 丨 冂 日 日 日 日 昭 昭

昭和（しょうわ）Showa (name of era)
昭和史（しょうわし）history of Showa era
昭和時代（しょうわじだい）Showa era

昭 昭 昭 昭 昭 昭

(576) 午 意味 midday, south
音 ゴ
訓
部首: 十
午 4
Stroke order: ノ 𠂉 ⺧ 午

午前（ごぜん）morning
午後（ごご）afternoon
正午（しょうご）midday
子午線（しごせん）meridian line
端午の節句（たんごのせっく）the Boys' Festival

午 午 午 午 午 午

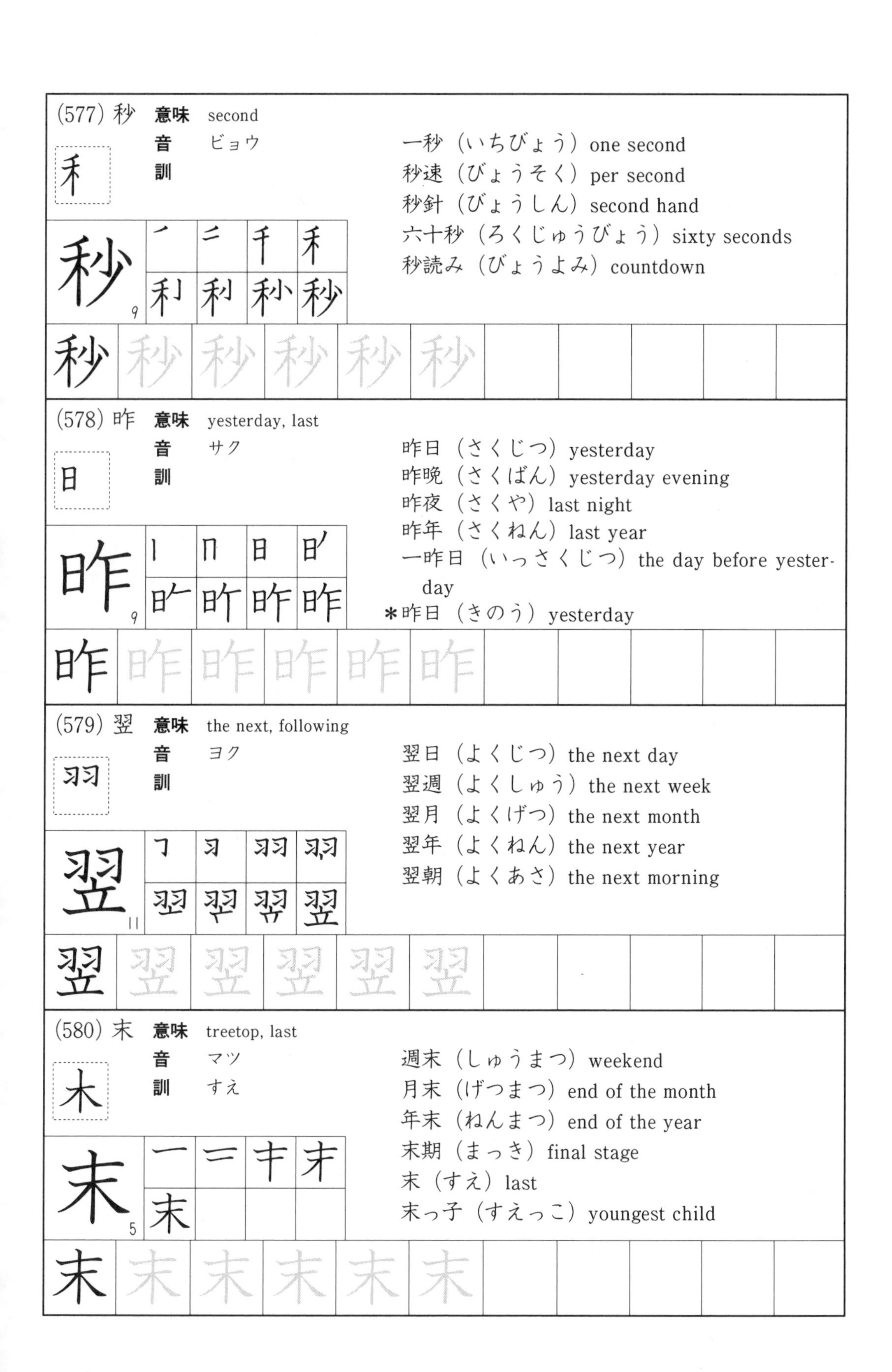

(577) 秒　**意味**　second
音　ビョウ
訓

禾

秒 9

一秒（いちびょう）one second
秒速（びょうそく）per second
秒針（びょうしん）second hand
六十秒（ろくじゅうびょう）sixty seconds
秒読み（びょうよみ）countdown

(578) 昨　**意味**　yesterday, last
音　サク
訓

日

昨 9

昨日（さくじつ）yesterday
昨晩（さくばん）yesterday evening
昨夜（さくや）last night
昨年（さくねん）last year
一昨日（いっさくじつ）the day before yesterday
＊昨日（きのう）yesterday

(579) 翌　**意味**　the next, following
音　ヨク
訓

羽

翌 11

翌日（よくじつ）the next day
翌週（よくしゅう）the next week
翌月（よくげつ）the next month
翌年（よくねん）the next year
翌朝（よくあさ）the next morning

(580) 末　**意味**　treetop, last
音　マツ
訓　すえ

木

末 5

週末（しゅうまつ）weekend
月末（げつまつ）end of the month
年末（ねんまつ）end of the year
末期（まっき）final stage
末（すえ）last
末っ子（すえっこ）youngest child

Reading Practice 10

Present Day Marriage in Japan

平成元年（1989年）に日本で70万8,316カップルが結婚した。そして、15万7,811カップルが別れた。45秒に１カップルが結婚して、３分20秒に一組のカップルが別れたことになる。昔日本の女の人は、20歳前後で結婚。35ぐらいまでに子どもを５人ぐらい生んで、育てる。50歳ぐらいで、末の子どもが学校を出る。これは昭和10年（1935年）ごろの話だ。当時一度結婚した女の人は、どんなに苦労しても、自分の方から「別れる」と言う人はあまりいなかったようだ。しかし20世紀末を迎えて、日本の結婚事情も大きく変わった。昨日の新聞によると、最近は、女の人の方から「別れたい」と言う場合が多いそうだ。「結婚した翌年、別れた。」という話で、びっくりしてはいけない。新婚旅行の帰りに別れるケースもあるそうだ。何が幸せか……。父と母が今、静かに午後のお茶を楽しんでいる様子を見ながら、考えている。

※1 Heisei　※2 first year　※3 couple(s)　※4 one couple
※5 case

Writing Practice 10

1 . A New Baby Every 25 Seconds

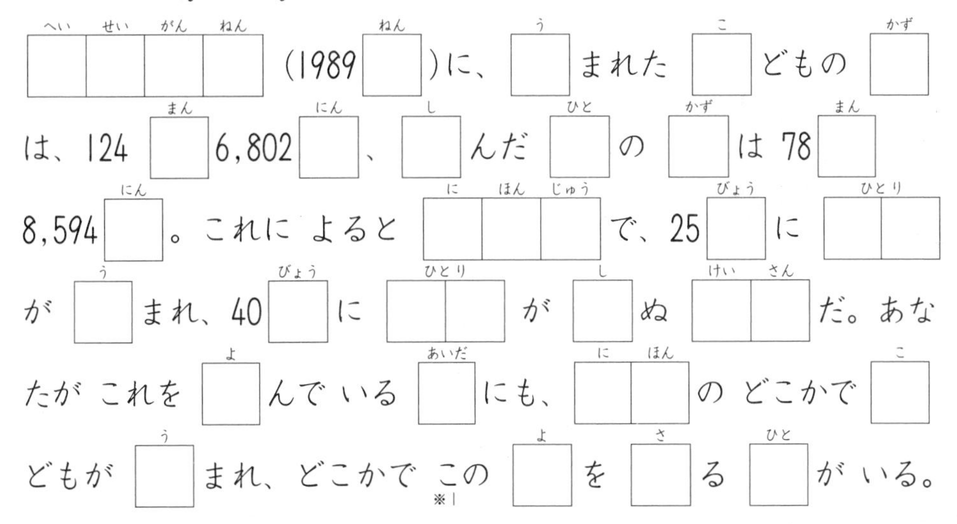

□□□□(へいせいがんねん)(1989□(ねん))に、□(う)まれた□(こ)どもの□(かず)は、124□(まん)6,802□(にん)、□(し)んだ□(ひと)の□(かず)は 78□(まん)8,594□(にん)。これに よると□□□(にほんじゅう)で、25□(びょう)に□□(ひとり)が□(う)まれ、40□(びょう)に□□(ひとり)が□(し)ぬ□□(けいさん)だ。あなたが これを□(よ)んで いる□(あいだ)にも、□□(にほん)の どこかで□(こ)どもが□(う)まれ、どこかで この□(よ)を□(さ)る□(ひと)が いる。
※1

2 . Heisei Babies

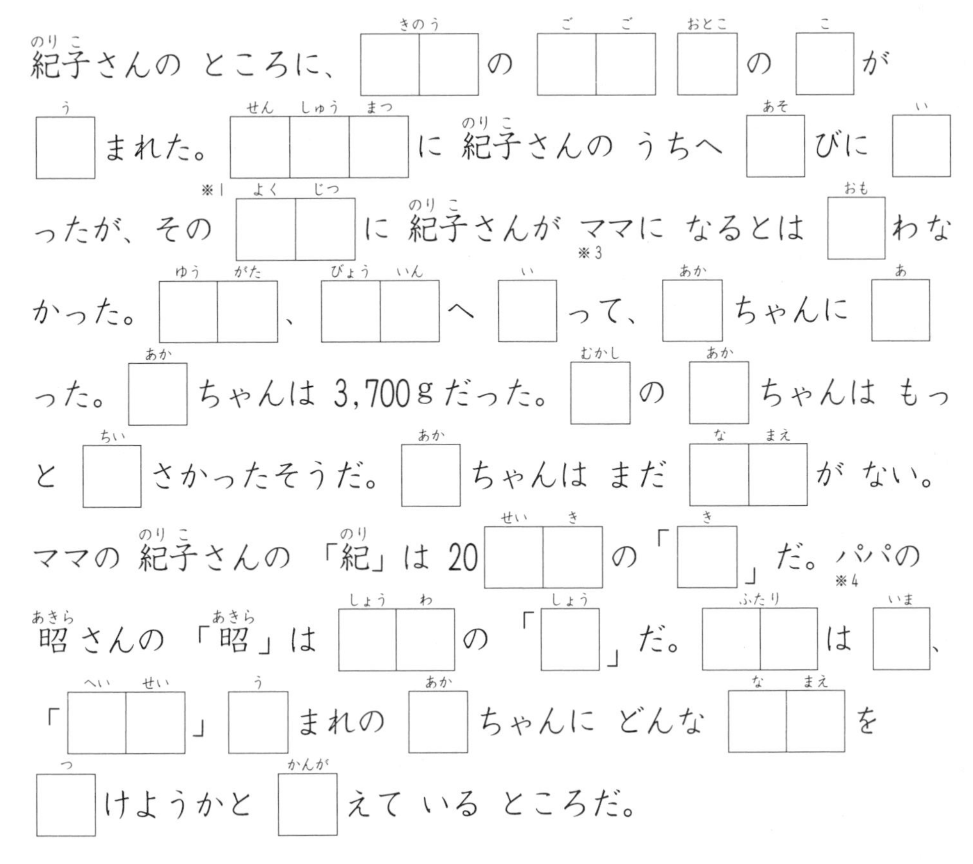

紀子(のりこ)さんの ところに、□□(きのう)の□□(ごご)□(おとこ)の□(こ)が□(う)まれた。□□□(せんしゅうまつ)に 紀子(のりこ)さんの うちへ□(あそ)びに□(い)ったが、その※1□□(よくじつ)に 紀子(のりこ)さんが ママ※3に なるとは□(おも)わなかった。□□(ゆうがた)、□□(びょういん)へ□(い)って、□(あか)ちゃんに□(あ)った。□(あか)ちゃんは 3,700g だった。□(むかし)の□(あか)ちゃんは もっと□(ちい)さかったそうだ。□(あか)ちゃんは まだ□□(なまえ)が ない。ママの 紀子(のりこ)さんの「紀(のり)」は 20□□(せいき)の「□(き)」だ。パパ※4の 昭(あきら)さんの「昭(あきら)」は□□(しょうわ)の「□(しょう)」だ。□□(ふたり)は□(いま)、「□□(へいせい)」□(う)まれの□(あか)ちゃんに どんな□□(なまえ)を□(つ)けようかと□(かんが)えて いる ところだ。

※1 die　※2 last weekend　※3 mother　※4 father

11. Comparison

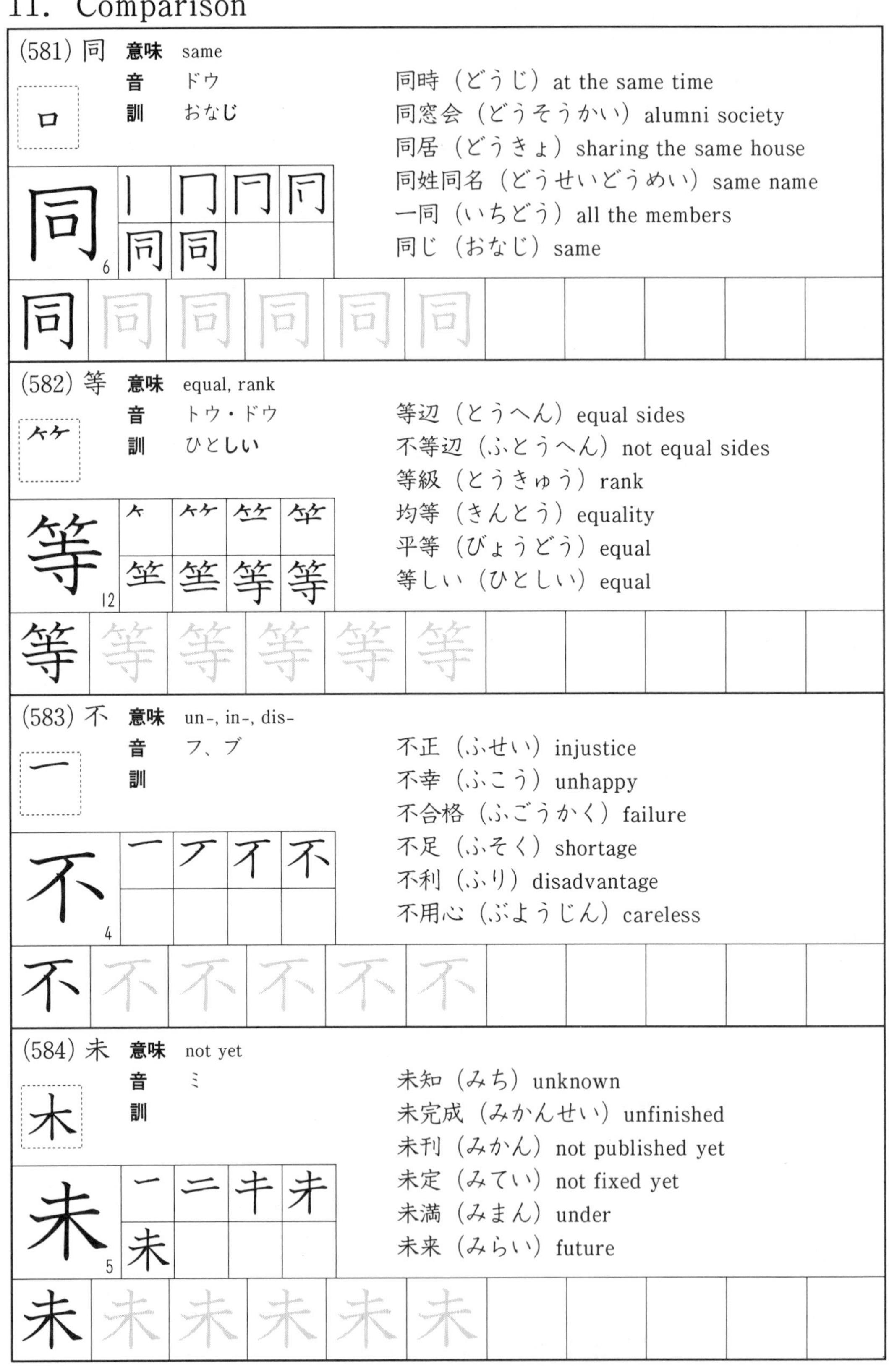

(581) 同 **意味** same
音 ドウ
訓 おなじ

口

同 6

同時（どうじ）at the same time
同窓会（どうそうかい）alumni society
同居（どうきょ）sharing the same house
同姓同名（どうせいどうめい）same name
一同（いちどう）all the members
同じ（おなじ）same

(582) 等 **意味** equal, rank
音 トウ・ドウ
訓 ひとしい

⺮

等 12

等辺（とうへん）equal sides
不等辺（ふとうへん）not equal sides
等級（とうきゅう）rank
均等（きんとう）equality
平等（びょうどう）equal
等しい（ひとしい）equal

(583) 不 **意味** un-, in-, dis-
音 フ、ブ
訓

一

不 4

不正（ふせい）injustice
不幸（ふこう）unhappy
不合格（ふごうかく）failure
不足（ふそく）shortage
不利（ふり）disadvantage
不用心（ぶようじん）careless

(584) 未 **意味** not yet
音 ミ
訓

木

未 5

未知（みち）unknown
未完成（みかんせい）unfinished
未刊（みかん）not published yet
未定（みてい）not fixed yet
未満（みまん）under
未来（みらい）future

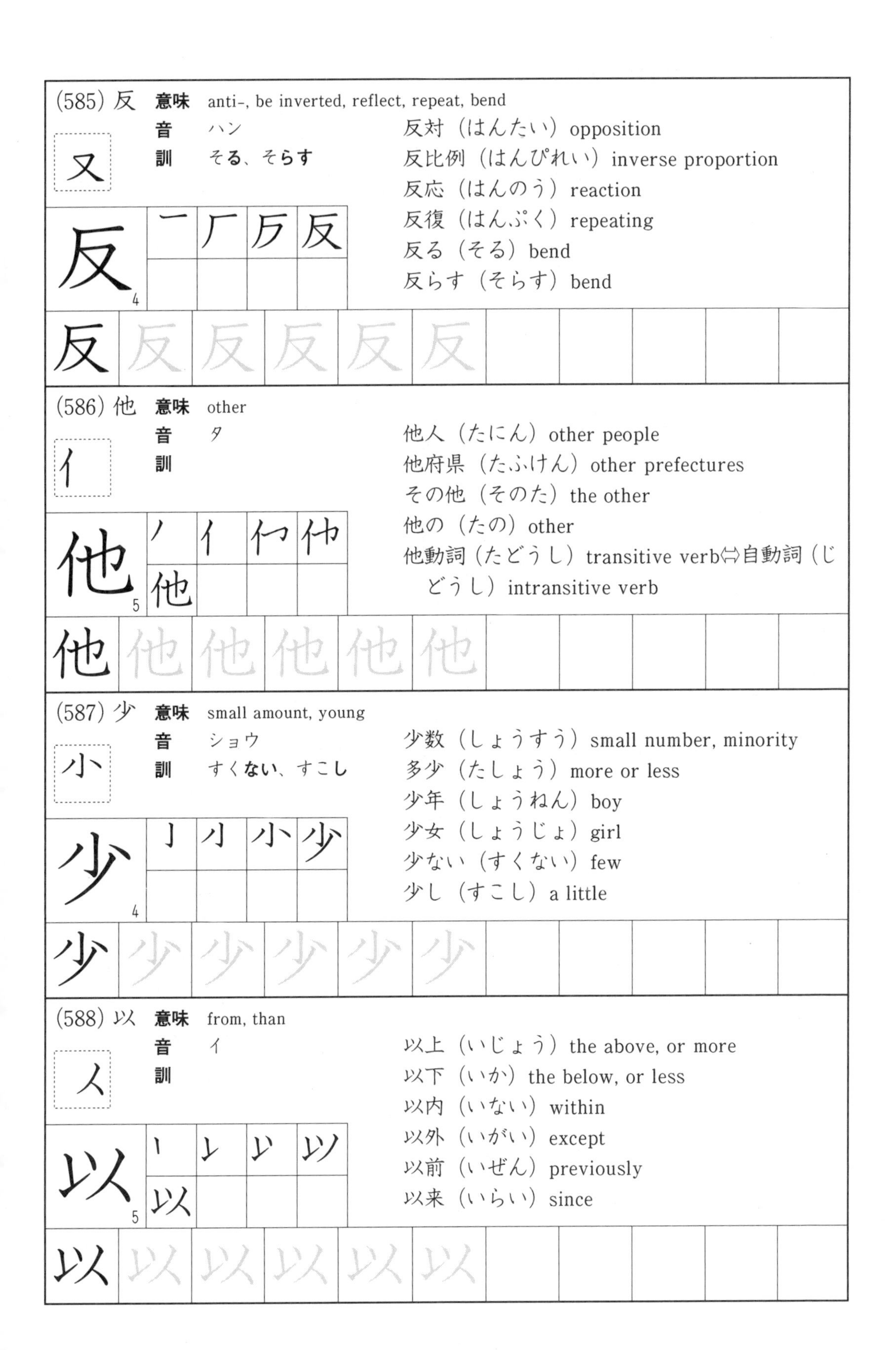

(585) 反　**意味**　anti-, be inverted, reflect, repeat, bend

音　ハン

訓　そ**る**、そ**らす**

部首: 又　画数: 4

筆順: 一 厂 万 反

- 反対（はんたい）opposition
- 反比例（はんぴれい）inverse proportion
- 反応（はんのう）reaction
- 反復（はんぷく）repeating
- 反る（そる）bend
- 反らす（そらす）bend

反 反 反 反 反 反

(586) 他　**意味**　other

音　タ

訓

部首: 亻　画数: 5

筆順: ノ 亻 亻 仲 他

- 他人（たにん）other people
- 他府県（たふけん）other prefectures
- その他（そのた）the other
- 他の（たの）other
- 他動詞（たどうし）transitive verb⇔自動詞（じどうし）intransitive verb

他 他 他 他 他 他

(587) 少　**意味**　small amount, young

音　ショウ

訓　すく**ない**、すこ**し**

部首: 小　画数: 4

筆順: 亅 小 小 少

- 少数（しょうすう）small number, minority
- 多少（たしょう）more or less
- 少年（しょうねん）boy
- 少女（しょうじょ）girl
- 少ない（すくない）few
- 少し（すこし）a little

少 少 少 少 少 少

(588) 以　**意味**　from, than

音　イ

訓

部首: 人　画数: 5

筆順: ㇑ ㇑ 以 以 以

- 以上（いじょう）the above, or more
- 以下（いか）the below, or less
- 以内（いない）within
- 以外（いがい）except
- 以前（いぜん）previously
- 以来（いらい）since

以 以 以 以 以 以

Reading Practice 11

A Graph

原料と 作り方が 同じでも、製(せい)品の サイズが 少しずつ 違(ちが)う。工場で 作った プレート100枚に ついて、その 厚さを 計って みた。形が 等しくても 厚さが 不足して いたり、反対に 厚すぎる 物も ある。

プレートの 厚さ（mm）	枚数
5.6以上 5.7未満	1
5.7以上 5.8未満	5
5.8以上 5.9未満	10
5.9以上 6.0未満	22
6.0以上 6.1未満	34
6.1以上 6.2未満	20
6.2以上 6.3未満	7
6.3以上 6.4未満	1

上の 表で、「以上」と いうのは、その 数も 数える。反対に 「未満(まん)」は その 数を 数えない。

この 工場は ほかの 工場より 品質管理が よく できて いる。

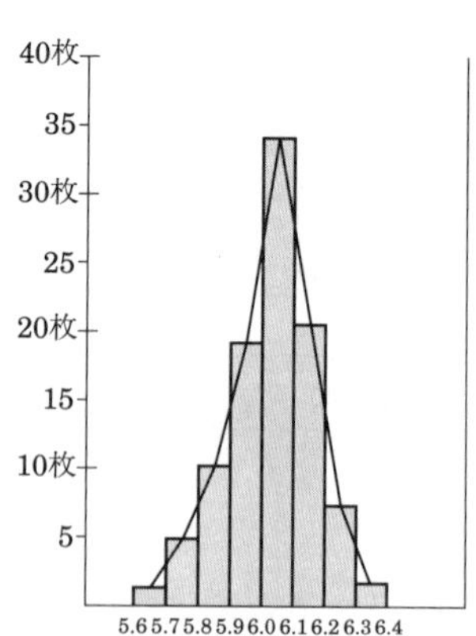

40枚
35
30枚
25
20枚
15
10枚
5
5.6 5.7 5.8 5.9 6.0 6.1 6.2 6.3 6.4

Writing Practice 11

1. Quality Control

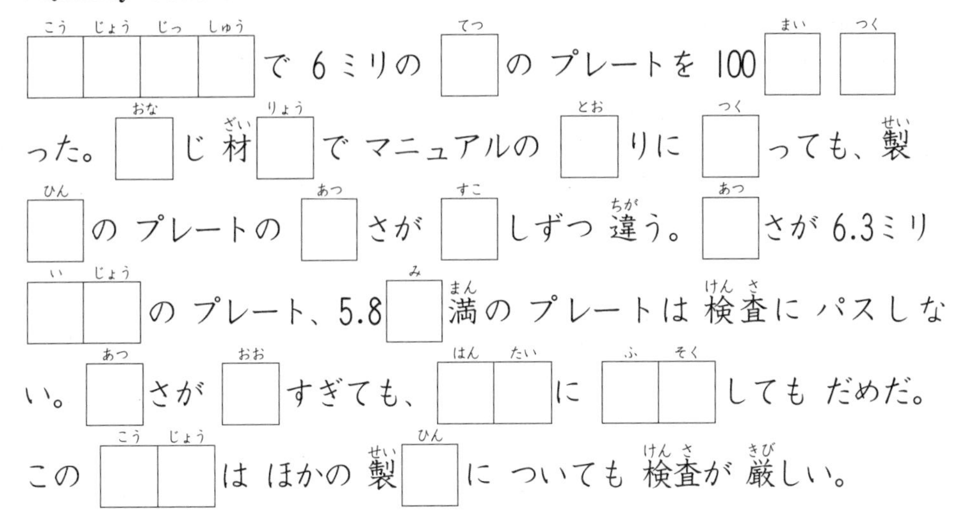

□□□□（こうじょうじっしゅう）で 6ミリの □（てつ）の プレートを 100□（まい）□（つく）った。□（おな）じ 材（ざい）□（りょう）で マニュアルの □（とお）りに □（つく）っても、製（せい）□（ひん）の プレートの □（あつ）さが □（すこ）しずつ 違（ちが）う。□（あつ）さが 6.3ミリ□□（いじょう）の プレート、5.8□（み）満（まん）の プレートは 検査（けんさ）に パスしない。□（あつ）さが □（おお）すぎても、□□（はんたい）に □□（ふそく）しても だめだ。この □□（こうじょう）は ほかの 製（せい）□（ひん）に ついても 検査（けんさ）が 厳（きび）しい。

2. Which Is Longer?

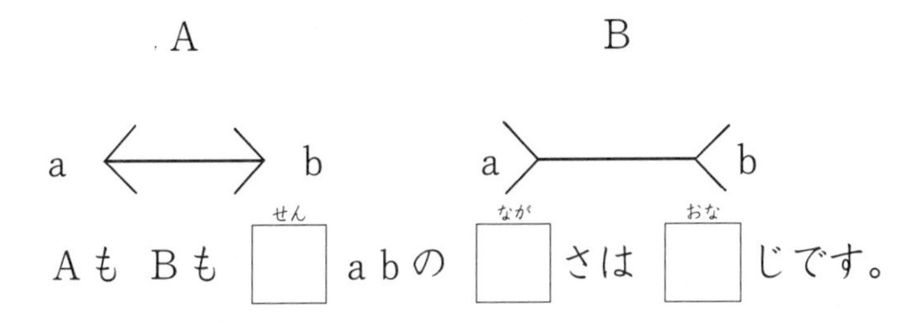
A
B
a
b
a
b

Aも Bも □（せん） abの □（なが）さは □（おな）じです。

3. Triangles

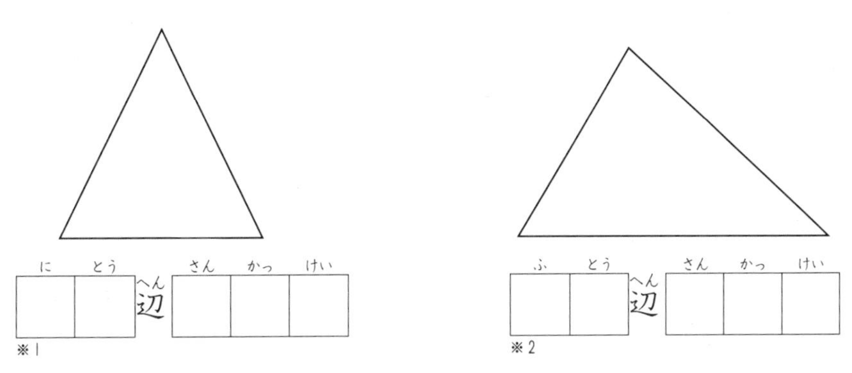

□□（にとう）辺（へん）□□□（さんかっけい） ※1

□□（ふとう）辺（へん）□□□（さんかっけい） ※2

※1 isosceles triangle　※2 scalene triangle

12. Art and Study

(589) 美 **意味** beauty
音 ビ
訓 うつく**しい**

部首: 𦍌

美 9

美（び）beauty
美人（びじん）beautiful woman
美容院（びよういん）beauty parlour
美術（びじゅつ）art
美しい（うつくしい）beautiful
美しさ（うつくしさ）beauty

美 美 美 美 美 美

(590) 絵 **意味** picture, drawing
音 カイ、エ
訓

部首: 糸

絵 12

絵画（かいが）picture
絵（え）picture
絵の具（えのぐ）paints, colours
絵本（えほん）picture book
油絵（あぶらえ）oil painting
浮世絵（うきよえ）a Japanese style of painting

絵 絵 絵 絵 絵 絵

(591) 詩 **意味** poetry
音 シ
訓

部首: 言

詩 13

詩（し）poetry
詩人（しじん）poet
詩集（ししゅう）collection of poems
作詩（さくし）composing poetry
漢詩（かんし）Chinese poetry
現代詩（げんだいし）modern poetry

詩 詩 詩 詩 詩 詩

(592) 章 **意味** chapter, sign
音 ショウ
訓

部首: 立

章 11

文章（ぶんしょう）sentence
第一章（だいいっしょう）Chapter One
楽章（がくしょう）movement
勲章（くんしょう）medal
記章（きしょう）medal

章 章 章 章 章 章

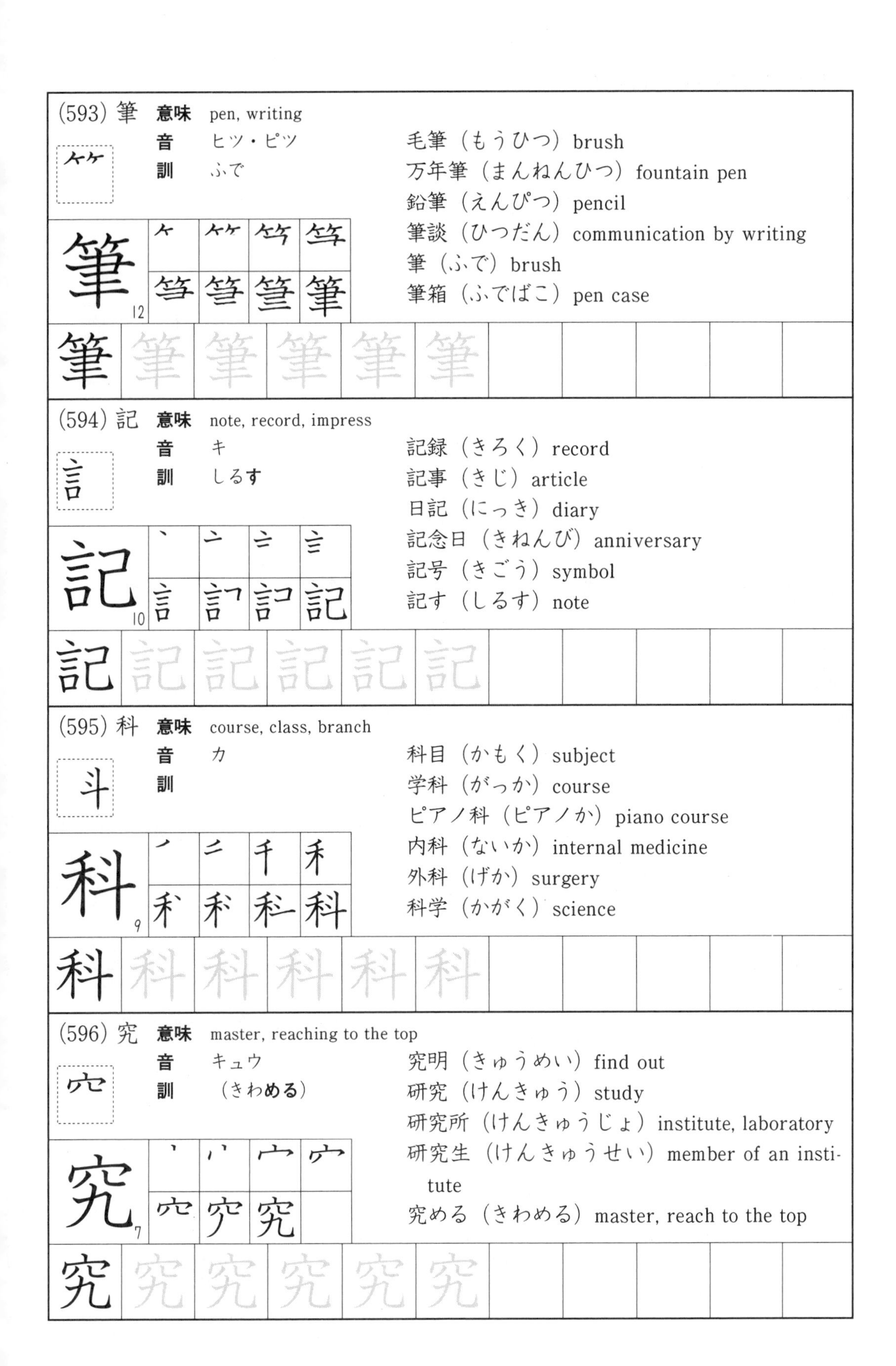
(593) 筆 意味 pen, writing
音 ヒツ・ピツ
訓 ふで

毛筆（もうひつ）brush
万年筆（まんねんひつ）fountain pen
鉛筆（えんぴつ）pencil
筆談（ひつだん）communication by writing
筆（ふで）brush
筆箱（ふでばこ）pen case

(594) 記 意味 note, record, impress
音 キ
訓 しるす

記録（きろく）record
記事（きじ）article
日記（にっき）diary
記念日（きねんび）anniversary
記号（きごう）symbol
記す（しるす）note

(595) 科 意味 course, class, branch
音 カ
訓

科目（かもく）subject
学科（がっか）course
ピアノ科（ピアノか）piano course
内科（ないか）internal medicine
外科（げか）surgery
科学（かがく）science

(596) 究 意味 master, reaching to the top
音 キュウ
訓 （きわめる）

究明（きゅうめい）find out
研究（けんきゅう）study
研究所（けんきゅうじょ）institute, laboratory
研究生（けんきゅうせい）member of an institute
究める（きわめる）master, reach to the top

Reading Practice 12

1. Hanako

今日 花子は 「ジゼル※1」を 踊った。プリマバレリーナ※2花子の 誕生だ。

花子は 小学校三年生の 時、初めて 「白鳥の湖※3」を 見た。そして、絵や、詩や、音楽の ほかにも、美しい 芸術の 世界が ある ことを 知った。

花子は 夏休みの 日記に 色鉛筆で かわいい 「オデット※4」を かいた。文章を 書かないで、王子様や 白鳥を かいた。最後に 短い チュチュ※5を 着て 踊る 自分を かいた。

花子は その 年の 秋に バレエ※6を 始めた。

2. Taro

太郎は 花子が ピアノ科を やめて、バレエ学校の 研究生に なった 時、びっくりした。花子が ピアニスト※7に なると 思っていたからだ。でも、今日 花子の 「ジゼル」を 見て、なぜ 花子が バレエを 選んだか 分かった。チュチュを 着て 踊る 花子の「ジゼル」は 本当に 美しかった。

※1 Gizelle (ballet by Aclam)　※2 prima ballerina
※3 Swan Lake (ballet by Tchaikovsky)
※4 Odette (the heroine in Swan Lake)　※5 tutu　※6 ballet
※7 pianist

Writing Practice 12

1 . Nara

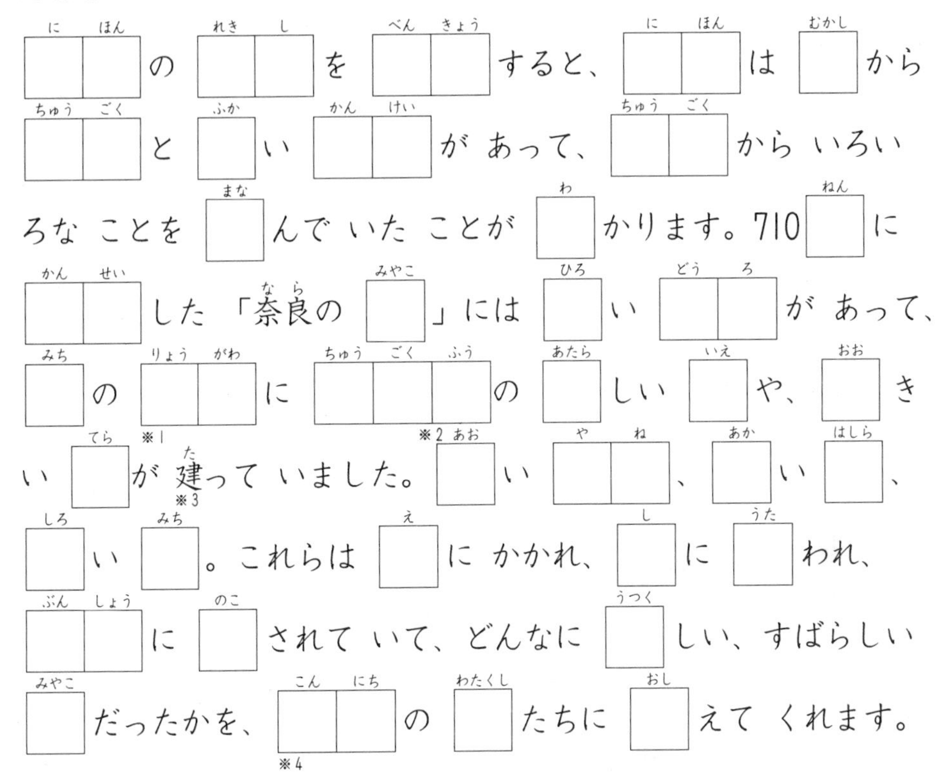

□□(にほん)の□□(れきし)を□□(べんきょう)すると、□□(にほん)は□(むかし)から
□□(ちゅうごく)と□(ふか)い□□(かんけい)があって、□□(ちゅうごく)から いろい
ろな ことを□(まな)んで いた ことが□(わ)かります。710□(ねん)に
□□(かんせい)した「奈良(なら)の□(みやこ)」には□(ひろ)い□□(どうろ)があって、
□(みち)の□□(りょうがわ)に□□□(ちゅうごくふう)の□(あたら)しい□(いえ)や、□(おお)き
い□(てら)が 建(た)って いました。□(あお)い□□(やね)、□(あか)い□(はしら)、
□(しろ)い□(みち)。これらは□(え)に かかれ、□(し)に□(うた)われ、
□□(ぶんしょう)に□(のこ)されて いて、どんなに□(うつく)しい、すばらしい
□(みやこ)だったかを、□□(こんにち)の□(わたくし)たちに□(おし)えて くれます。

2 . Heian (Kyoto)

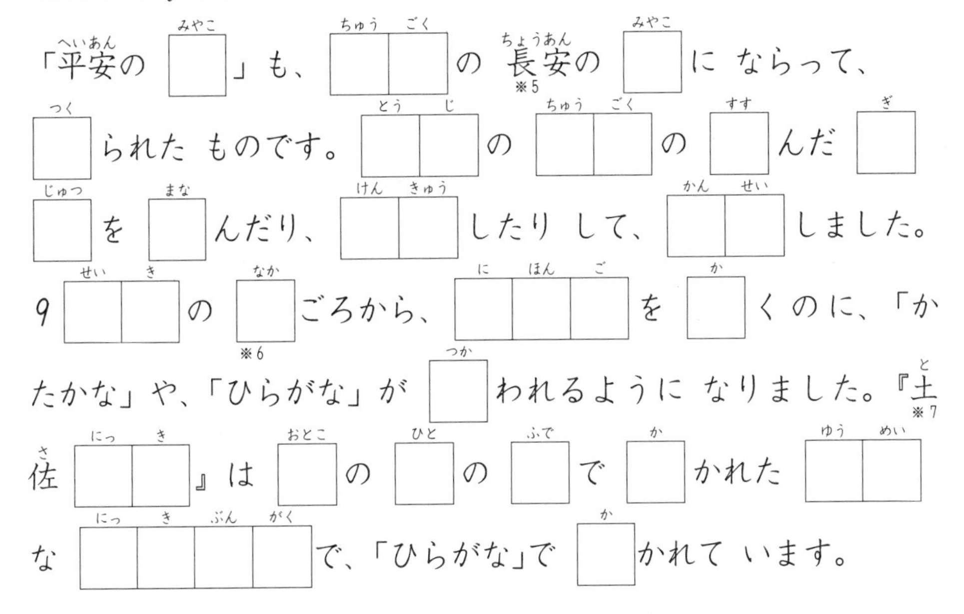

「平安(へいあん)の□(みやこ)」も、□□(ちゅうごく)の 長安(ちょうあん)の□(みやこ)に ならって、
□(つく)られた ものです。□□(とうじ)の□□(ちゅうごく)の□(すす)んだ□(ぎ)
□(じゅつ)を□(まな)んだり、□□(けんきゅう)したり して、□□(かんせい)しました。
9□□(せいき)の□(なか)ごろから、□□□(にほんご)を□(か)くのに、「か
たかな」や、「ひらがな」が□(つか)われるように なりました。『土(と)
佐(さ)□□(にっき)』は□(おとこ)の□(ひと)の□(ふで)で□(か)かれた□□(ゆうめい)
な□□□□(にっきぶんがく)で、「ひらがな」で□(か)かれて います。

※1 both sides　※2 style　※3 were there　※4 today
※5 Chang'an (present name is Xi'an)　※6 around the middle
※7 Tosa Diary (10th century travel journal by Kino Tsurayuki)

RADICAL INDEX

The numbers on the right correspond with numbers given for the **kanji** in the text.

1 STROKE

2 STROKES

3 STROKES

INDEX

The **on** reading is transcribed in **katakana**, and the **kun** reading in **hiragana**. The index is written in Japanese alphabetical order (a-i-u-e-o). All the numbers on the left-hand side correspond with numbers given for the **kanji** in the text. The numbers on the right-hand side indicate in which year the **kanji** is studied at primary school (Reference: *Shintei Kanji-Shido no Tebiki*, Kyoiku Shuppan). The Roman style numbers indicate in which **kanji Workbook**, **I** or **II**, the **kanji** can be found.

カツ 活 333 2 Ⅱ
か**つ** 勝 570 3 Ⅱ
カッ 合 254 2 Ⅱ
ガツ 月 4 1 Ⅰ
ガッ 合 254 2 Ⅱ
かど 角 261 2 Ⅱ
(かど) 門 14 2 Ⅰ
かな 金 55 1 Ⅰ
かな**しい** 悲 551 3 Ⅱ
かな**しむ** 悲 551 3 Ⅱ
かなら**ず** 必 316 4 Ⅱ
かね 金 55 1 Ⅰ
かみ 上 19 1 Ⅰ
かみ 紙 112 2 Ⅰ
かみ 神 525 3 Ⅱ
かよ**う** 通 226 2 Ⅰ
から 空 293 1 Ⅱ
からだ 体 45 2 Ⅰ
か**りる** 借 219 4 Ⅰ
かる**い** 軽 564 3 Ⅱ
(かろ**やか**) 軽 564 3 Ⅱ
かわ 川 2 1 Ⅰ
かわ 側 267 4 Ⅱ
かわ 皮 491 3 Ⅱ
(か**わす**) 交 225 2 Ⅰ
か**わる** 変 356 4 Ⅱ
か**わる** 代 431 3 Ⅱ
カン 間 40 2 Ⅰ
カン 漢 151 3 Ⅰ
カン 寒 215 3 Ⅰ
カン 管 257 4 Ⅱ
カン 感 334 3 Ⅱ
カン 慣 340 5 Ⅱ
カン 完 345 4 Ⅱ
カン 関 368 4 Ⅱ
カン 館 514 3 Ⅱ
カン 官 517 4 Ⅱ
ガン 願 217 4 Ⅰ
ガン 元 250 2 Ⅰ
ガン 岸 481 3 Ⅱ
ガン 岩 484 2 Ⅱ
ガン 顔 486 2 Ⅱ
ガン 丸 557 2 Ⅱ
かんが**える** 考 251 2 Ⅰ

き

き 木 6 1 Ⅰ
キ 起 99 3 Ⅰ
キ 気 108 1 Ⅰ
キ 帰 129 2 Ⅰ
キ 機 163 4 Ⅰ
キ 期 278 3 Ⅱ
キ 希 370 4 Ⅱ
キ 季 383 4 Ⅱ
き 黄 405 2 Ⅱ
キ 汽 511 2 Ⅱ
キ 器 540 4 Ⅱ
キ 紀 574 4 Ⅱ
キ 記 594 2 Ⅱ
(キ) 机 50 6 Ⅰ
(き) 生 106 1 Ⅰ
ギ 技 223 5 Ⅰ
ギ 義 330 5 Ⅱ
き**える** 消 192 3 Ⅰ
き**く** 聞 42 2 Ⅰ
(き**く**) 利 228 4 Ⅰ
き**こえる** 聞 42 2 Ⅰ
きし 岸 481 3 Ⅱ
き**せる** 着 234 3 Ⅰ
きた 北 77 2 Ⅰ
き**た** 来 128 2 Ⅰ
(きた**す**) 来 128 2 Ⅰ
(きた**る**) 来 128 2 Ⅰ
き**まる** 決 297 3 Ⅱ
きみ 君 222 3 Ⅰ
き**める** 決 297 3 Ⅱ
キャク 客 367 3 Ⅱ
キュウ 九 33 1 Ⅰ
キュウ 休 38 1 Ⅰ
キュウ 急 185 3 Ⅰ
キュウ 球 352 3 Ⅱ
キュウ 級 524 3 Ⅱ
キュウ 宮 528 3 Ⅱ
キュウ 究 596 3 Ⅱ
(キュウ) 泣 361 4 Ⅱ
(キュウ) 弓 533 2 Ⅱ
ギュウ 牛 16 2 Ⅰ
キョ 許 199 5 Ⅰ
キョ 去 445 3 Ⅱ
ギョ 魚 468 2 Ⅱ
キョウ 教 75 2 Ⅰ
キョウ 兄 87 2 Ⅰ
キョウ 強 214 2 Ⅰ
キョウ 橋 239 3 Ⅰ
キョウ 京 245 2 Ⅰ
(キョウ) 経 449 5 Ⅱ
ギョウ 行 127 2 Ⅰ
ギョウ 形 246 2 Ⅰ
ギョウ 業 285 3 Ⅱ
キョク 曲 236 3 Ⅰ
キョク 局 520 3 Ⅱ
ギョク 玉 531 1 Ⅱ
き**る** 着 234 3 Ⅰ
き**る** 切 237 2 Ⅰ
き**れる** 切 237 2 Ⅰ
(きわ**める**) 究 596 3 Ⅱ
キン 金 55 1 Ⅰ
キン 近 174 2 Ⅰ
(キン) 今 121 2 Ⅰ
ギン 銀 516 3 Ⅱ

く

ク 口 7 1 Ⅰ
ク 九 33 1 Ⅰ
ク 工 61 2 Ⅰ
ク 苦 286 3 Ⅱ
ク 区 505 3 Ⅱ
グ 具 249 3 Ⅰ
く**う** 食 133 2 Ⅰ
クウ 空 293 1 Ⅱ
(グウ) 宮 528 3 Ⅱ
くさ 草 464 1 Ⅱ
くすり 薬 305 3 Ⅱ
くだ 管 257 4 Ⅱ
くだ**す** 下 21 1 Ⅰ
くだ**る** 下 21 1 Ⅰ
くち 口 7 1 Ⅰ
くに 国 100 2 Ⅰ
くば**る** 配 203 3 Ⅰ
くび 首 489 2 Ⅱ
くみ 組 272 2 Ⅱ
く**む** 組 272 2 Ⅱ
くも 雲 84 2 Ⅰ
くら 倉 288 4 Ⅱ
(くら) 蔵 291 6 Ⅱ
くら**い** 暗 65 3 Ⅰ
(く**らう**) 食 133 2 Ⅰ
く**る** 来 128 2 Ⅰ
くる**しい** 苦 286 3 Ⅱ
くる**しむ** 苦 286 3 Ⅱ
くる**しめる** 苦 286 3 Ⅱ
くるま 車 69 1 Ⅰ
(くれない) 紅 387 6 Ⅱ
くろ 黒 146 2 Ⅰ
くろ**い** 黒 146 2 Ⅰ
くわ**える** 加 391 4 Ⅱ
くわ**わる** 加 391 4 Ⅱ
クン 君 222 3 Ⅰ
グン 郡 507 4 Ⅱ

け

ケ 家 79 2 Ⅰ
ケ 気 108 1 Ⅰ
け 毛 485 2 Ⅱ
(ケ) 化 430 3 Ⅱ
ゲ 下 21 1 Ⅰ

(ゲ)	外	160	2	Ⅰ
(ゲ)	解	324	5	Ⅱ
ケイ	計	110	2	Ⅰ
ケイ	形	246	2	Ⅰ
ケイ	係	369	5	Ⅱ
ケイ	警	411	6	Ⅱ
ケイ	経	449	5	Ⅱ
ケイ	軽	564	3	Ⅱ
(ケイ)	兄	87	2	Ⅰ
(ケイ)	京	245	2	Ⅰ
け**す**	消	192	3	Ⅰ
ケツ	決	297	3	Ⅱ
ケツ	結	358	4	Ⅱ
ケツ	血	492	3	Ⅱ
ゲツ	月	4	1	Ⅰ
ケン	間	40	2	Ⅰ
ケン	研	103	3	Ⅰ
ケン	見	135	1	Ⅰ
ケン	犬	373	1	Ⅱ
ケン	健	385	4	Ⅱ
ケン	験	450	4	Ⅱ
ケン	県	503	3	Ⅱ
ゲン	間	40	2	Ⅰ
ゲン	言	51	2	Ⅰ
ゲン	元	250	2	Ⅰ
ゲン	原	341	2	Ⅱ

こ

こ	木	6	1	Ⅰ
こ	子	11	1	Ⅰ
こ	小	24	1	Ⅰ
コ	呼	186	6	Ⅰ
コ	庫	289	3	Ⅱ
コ	故	364	5	Ⅱ
コ	個	372	5	Ⅱ
コ	湖	382	3	Ⅱ
コ	去	445	3	Ⅱ
コ	戸	537	2	Ⅱ
こ	粉	542	4	Ⅱ
コ	古	561	2	Ⅱ
ゴ	五	29	1	Ⅰ
ゴ	語	144	2	Ⅰ
ゴ	後	162	2	Ⅰ
ゴ	午	576	2	Ⅱ
コウ	口	7	1	Ⅰ
コウ	工	61	2	Ⅰ
コウ	好	70	4	Ⅰ
コウ	行	127	2	Ⅰ
コウ	高	149	2	Ⅰ
コウ	校	158	1	Ⅰ
コウ	後	162	2	Ⅰ
コウ	広	196	2	Ⅰ
コウ	交	225	2	Ⅰ
コウ	考	251	2	Ⅰ
コウ	向	263	3	Ⅱ
コウ	港	294	3	Ⅱ
コウ	講	329	5	Ⅱ
コウ	鋼	347	6	Ⅱ
コウ	康	386	4	Ⅱ
コウ	紅	387	6	Ⅱ
コウ	降	396	6	Ⅱ
コウ	光	476	2	Ⅱ
コウ	航	510	4	Ⅱ
コウ	公	518	2	Ⅱ
コウ	幸	549	3	Ⅱ
(コウ)	厚	404	5	Ⅱ
(コウ)	黄	405	2	Ⅱ
ゴウ	合	254	2	Ⅱ
ゴウ	号	266	3	Ⅱ
(ゴウ)	強	214	2	Ⅰ
(ゴウ)	業	285	3	Ⅱ
こえ	声	262	2	Ⅱ
こおり	氷	474	3	Ⅱ
コク	国	100	2	Ⅰ
コク	黒	146	2	Ⅰ
(コク)	谷	483	2	Ⅱ
ゴク	国	100	2	Ⅰ
ここの	九	33	1	Ⅰ
ここの**つ**	九	33	1	Ⅰ
こころ	心	85	2	Ⅰ
こた**え**	答	82	2	Ⅰ
こた**える**	答	82	2	Ⅰ
こと	言	51	2	Ⅰ
こと	事	232	3	Ⅰ
こな	粉	542	4	Ⅱ
こ**ない**	来	128	2	Ⅰ
この**む**	好	70	4	Ⅰ
こま**か**	細	398	2	Ⅱ
こま**かい**	細	398	2	Ⅱ
こめ	米	343	2	Ⅱ
ころ**がす**	転	206	3	Ⅰ
ころ**がる**	転	206	3	Ⅰ
ころ**げる**	転	206	3	Ⅰ
ころ**ぶ**	転	206	3	Ⅰ
コン	金	55	1	Ⅰ
コン	今	121	2	Ⅰ
コン	根	462	3	Ⅱ
ゴン	言	51	2	Ⅰ

さ

サ	作	46	2	Ⅰ
サ	左	62	1	Ⅰ
(サ)	茶	273	2	Ⅱ
サイ	西	92	2	Ⅰ
サイ	細	398	2	Ⅱ
サイ	最	440	4	Ⅱ
サイ	祭	530	3	Ⅱ
サイ	菜	543	4	Ⅱ
サイ	才	555	2	Ⅱ
ザイ	西	92	2	Ⅰ
さいわ**い**	幸	549	3	Ⅱ
さか	坂	482	3	Ⅱ
さか	酒	545	3	Ⅱ
さかな	魚	468	2	Ⅱ
さ**がる**	下	21	1	Ⅰ
さき	先	105	1	Ⅰ
サク	作	46	2	Ⅰ
サク	昨	578	4	Ⅱ
さけ	酒	545	3	Ⅱ
さ**げる**	下	21	1	Ⅰ
さ**す**	指	490	3	Ⅱ
(さだ**か**)	定	277	3	Ⅱ
さだ**まる**	定	277	3	Ⅱ
さだ**める**	定	277	3	Ⅱ
(さち)	幸	549	3	Ⅱ
サツ	察	412	4	Ⅱ
さと	里	459	2	Ⅱ
さま	様	438	3	Ⅱ
さ**ます**	冷	290	4	Ⅱ
さむ**い**	寒	215	3	Ⅰ
さ**める**	冷	290	4	Ⅱ
さら	皿	539	3	Ⅱ
さ**る**	去	445	3	Ⅱ
サン	山	1	1	Ⅰ
サン	三	27	1	Ⅰ
サン	算	349	2	Ⅱ
サン	産	392	4	Ⅱ
サン	参	447	4	Ⅱ
ザン	山	1	1	Ⅰ
ザン	算	349	2	Ⅱ
ザン	残	354	4	Ⅱ
ザン	産	392	4	Ⅱ

し

シ	子	11	1	Ⅰ
シ	四	28	1	Ⅰ
シ	糸	53	1	Ⅰ
シ	思	86	2	Ⅰ
シ	紙	112	2	Ⅰ
シ	使	189	3	Ⅰ
シ	止	201	2	Ⅰ
シ	始	208	3	Ⅰ
シ	仕	231	3	Ⅰ
シ	死	357	3	Ⅱ
シ	自	375	2	Ⅱ
シ	士	394	4	Ⅱ

シ 史 433 4 Ⅱ
シ 私 451 6 Ⅱ
シ 歯 488 3 Ⅱ
シ 指 490 3 Ⅱ
シ 市 504 2 Ⅱ
シ 詩 591 3 Ⅱ
(シ) 姉 141 2 Ⅰ
(シ) 次 319 3 Ⅱ
(シ) 矢 534 2 Ⅱ
ジ 持 48 3 Ⅰ
ジ 地 58 2 Ⅰ
ジ 時 109 2 Ⅰ
ジ 字 152 1 Ⅰ
ジ 辞 221 4 Ⅰ
ジ 事 232 3 Ⅰ
ジ 治 306 4 Ⅱ
ジ 次 319 3 Ⅱ
ジ 寺 374 2 Ⅱ
ジ 自 375 2 Ⅱ
ジ 士 394 4 Ⅱ
じ 路 422 3 Ⅱ
ジ 児 493 4 Ⅱ
(ジ) 耳 9 1 Ⅰ
しあわ**せ** 幸 549 3 Ⅱ
(し**いる**) 強 214 2 Ⅰ
しお 塩 547 4 Ⅱ
シキ 色 270 2 Ⅱ
シキ 式 359 3 Ⅱ
ジキ 色 270 2 Ⅱ
ジキ 直 399 2 Ⅱ
した 下 21 1 Ⅰ
した**しい** 親 376 2 Ⅱ
した**しむ** 親 376 2 Ⅱ
シチ 七 31 1 Ⅰ
(シチ) 質 331 5 Ⅱ
(ジチ) 質 331 5 Ⅱ
シツ 室 118 2 Ⅰ
シツ 質 331 5 Ⅱ
シツ 失 439 4 Ⅱ
ジツ 日 3 1 Ⅰ
ジツ 実 136 3 Ⅰ
ジッ 十 34 1 Ⅰ
しな 品 321 3 Ⅱ
し**ぬ** 死 357 3 Ⅱ
しま 島 480 3 Ⅱ
し**まる** 閉 191 6 Ⅰ
し**める** 閉 191 6 Ⅰ
しも 下 21 1 Ⅰ
シャ 車 69 1 Ⅰ
シャ 社 117 2 Ⅰ
シャ 写 229 3 Ⅰ
シャ 捨 284 6 Ⅱ
シャ 者 303 3 Ⅱ
ジャ 社 117 2 Ⅰ
シャク 石 67 1 Ⅰ
シャク 借 219 4 Ⅰ
シャク 昔 573 3 Ⅱ
ジャク 弱 269 2 Ⅱ
ジャク 昔 573 3 Ⅱ
シュ 手 47 1 Ⅰ
シュ 取 183 3 Ⅰ
シュ 守 312 3 Ⅱ
シュ 種 326 4 Ⅱ
シュ 主 437 3 Ⅱ
シュ 首 489 2 Ⅱ
シュ 酒 545 3 Ⅱ
ジュ 受 115 3 Ⅰ
シュウ 秋 71 2 Ⅰ
シュウ 修 104 5 Ⅰ
シュウ 週 131 2 Ⅰ
シュウ 習 137 3 Ⅰ
シュウ 周 292 4 Ⅱ
シュウ 集 353 3 Ⅱ
シュウ 州 360 3 Ⅱ
シュウ 終 413 3 Ⅱ
シュウ 宗 527 6 Ⅱ
(シュウ) 拾 282 3 Ⅱ
(シュウ) 祝 355 4 Ⅱ
ジュウ 中 20 1 Ⅰ
ジュウ 十 34 1 Ⅰ
ジュウ 秋 71 2 Ⅰ
ジュウ 住 181 3 Ⅰ
ジュウ 重 195 3 Ⅰ
(ジュウ) 拾 282 3 Ⅱ
シュク 祝 355 4 Ⅱ
シュク 宿 515 3 Ⅱ
シュツ 出 179 1 Ⅰ
ジュツ 術 224 5 Ⅰ
シュン 春 66 2 Ⅰ
ジュン 順 322 4 Ⅱ
ジュン 準 417 5 Ⅱ
ショ 所 182 3 Ⅰ
ショ 書 210 2 Ⅰ
ショ 暑 428 3 Ⅱ
ショ 初 441 4 Ⅱ
ジョ 女 12 1 Ⅰ
ジョ 所 182 3 Ⅰ
ジョ 序 323 5 Ⅱ
ジョ 助 414 3 Ⅱ
ショウ 小 24 1 Ⅰ
ショウ 生 106 1 Ⅰ
ショウ 消 192 3 Ⅰ
ショウ 正 365 1 Ⅱ
ショウ 招 380 5 Ⅱ
ショウ 照 475 4 Ⅱ
ショウ 商 513 3 Ⅱ
ショウ 省 519 4 Ⅱ
ショウ 勝 570 3 Ⅱ
ショウ 昭 575 3 Ⅱ
ショウ 少 587 2 Ⅱ
ショウ 章 592 3 Ⅱ
(ショウ) 相 295 3 Ⅱ
(ショウ) 焼 362 4 Ⅱ
(ショウ) 笑 363 4 Ⅱ
ジョウ 上 19 1 Ⅰ
ジョウ 場 130 2 Ⅰ
ジョウ 乗 194 3 Ⅰ
ジョウ 定 277 3 Ⅱ
ジョウ 常 409 5 Ⅱ
ジョウ 蒸 427 6 Ⅱ
(ジョウ) 成 346 4 Ⅱ
ショク 食 133 2 Ⅰ
ショク 色 270 2 Ⅱ
ショク 植 461 3 Ⅱ
しら 白 145 1 Ⅰ
しら**べる** 調 243 3 Ⅰ
し**る** 知 188 2 Ⅰ
しる**す** 記 594 2 Ⅱ
しろ 白 145 1 Ⅰ
(しろ) 代 431 3 Ⅱ
しろ**い** 白 145 1 Ⅰ
シン 新 74 2 Ⅰ
シン 心 85 2 Ⅰ
シン 真 230 2 Ⅰ
シン 信 265 4 Ⅱ
シン 親 376 2 Ⅱ
シン 進 415 3 Ⅱ
シン 申 446 3 Ⅱ
シン 森 460 1 Ⅱ
シン 身 500 3 Ⅱ
シン 神 525 3 Ⅱ
シン 深 562 3 Ⅱ
ジン 人 10 1 Ⅰ
ジン 神 525 3 Ⅱ

す

ス 子 11 1 Ⅰ
ス 守 312 3 Ⅱ
(す) 州 360 3 Ⅱ
ズ 頭 155 2 Ⅰ
ズ 図 317 2 Ⅱ
ズ 豆 463 3 Ⅱ
スイ 水 43 1 Ⅰ
ズイ 水 43 1 Ⅰ
スウ 数 366 2 Ⅱ
ズウ 数 366 2 Ⅱ

すえ　末 580 4 Ⅱ
すきな　好 70 4 Ⅰ
すく　好 70 4 Ⅰ
すくない　少 587 2 Ⅱ
(すぐれる)　優 276 6 Ⅱ
(すけ)　助 414 3 Ⅱ
すこし　少 587 2 Ⅱ
すこやか　健 385 4 Ⅱ
すすむ　進 415 3 Ⅱ
すすめる　進 415 3 Ⅱ
すてる　捨 284 6 Ⅱ
すまう　住 181 3 Ⅰ
すみ　炭 548 3 Ⅱ
(すみやか)　速 421 3 Ⅱ
すむ　住 181 3 Ⅰ

せ

セ　世 247 3 Ⅰ
セイ　西 92 2 Ⅰ
セイ　生 106 1 Ⅰ
セイ　青 148 1 Ⅰ
セイ　世 247 3 Ⅰ
セイ　声 262 2 Ⅱ
セイ　晴 301 2 Ⅱ
セイ　整 313 3 Ⅱ
セイ　成 346 4 Ⅱ
セイ　正 365 1 Ⅱ
セイ　星 472 2 Ⅱ
セイ　省 519 4 Ⅱ
セキ　石 67 1 Ⅰ
セキ　赤 147 1 Ⅰ
せき　関 368 4 Ⅱ
セキ　席 434 4 Ⅱ
(セキ)　夕 253 1 Ⅱ
(セキ)　昔 573 3 Ⅱ
セツ　雪 169 2 Ⅰ
セツ　切 237 2 Ⅰ
セツ　説 244 4 Ⅰ
セツ　節 384 4 Ⅱ
ゼツ　絶 336 5 Ⅱ
セン　千 36 1 Ⅰ
セン　線 54 2 Ⅰ
セン　先 105 1 Ⅰ
セン　洗 260 6 Ⅱ
セン　選 402 4 Ⅱ
セン　船 512 2 Ⅱ
(セン)　川 2 1 Ⅰ
ゼン　千 36 1 Ⅰ
ゼン　前 161 2 Ⅰ
ゼン　全 314 3 Ⅱ

そ

ソ　組 272 2 Ⅱ
ソ　祖 497 5 Ⅱ
(ソ)　想 335 3 Ⅱ
ゾ　祖 497 5 Ⅱ
ソウ　走 98 2 Ⅰ
ソウ　窓 111 6 Ⅰ
ソウ　早 172 1 Ⅰ
ソウ　送 177 3 Ⅰ
ソウ　操 268 6 Ⅱ
ソウ　倉 288 4 Ⅱ
ソウ　相 295 3 Ⅱ
ソウ　想 335 3 Ⅱ
ソウ　草 464 1 Ⅱ
(ソウ)　宗 527 6 Ⅱ
ゾウ　蔵 291 6 Ⅱ
ゾウ　草 464 1 Ⅱ
ソク　足 88 1 Ⅰ
ソク　側 267 4 Ⅱ
ソク　測 307 5 Ⅱ
ソク　息 377 3 Ⅱ
ソク　速 421 3 Ⅱ
ゾク　足 88 1 Ⅰ
ゾク　続 252 4 Ⅰ
ゾク　族 378 3 Ⅱ
そそぐ　注 310 3 Ⅱ
そだつ　育 572 3 Ⅱ
そだてる　育 572 3 Ⅱ
そと　外 160 2 Ⅰ
そなえる　備 418 5 Ⅱ
そなわる　備 418 5 Ⅱ
(その)　園 457 2 Ⅱ
(そめる)　初 441 4 Ⅱ
そら　空 293 1 Ⅱ
そらす　反 585 3 Ⅱ
そる　反 585 3 Ⅱ
ソン　存 442 6 Ⅱ
ソン　孫 496 4 Ⅱ
ソン　村 508 1 Ⅱ
ゾン　存 442 6 Ⅱ

た

た　田 5 1 Ⅰ
タ　多 171 2 Ⅰ
タ　太 397 2 Ⅱ
タ　他 586 3 Ⅱ
ダ　打 264 3 Ⅱ
タイ　大 23 1 Ⅰ
タイ　体 45 2 Ⅰ
タイ　台 166 2 Ⅰ
タイ　待 184 3 Ⅰ
タイ　対 337 3 Ⅱ
タイ　太 397 2 Ⅱ
タイ　代 431 3 Ⅱ
(タイ)　貸 218 5 Ⅰ
ダイ　大 23 1 Ⅰ
ダイ　体 45 2 Ⅰ
ダイ　弟 143 2 Ⅰ
ダイ　台 166 2 Ⅰ
ダイ　第 315 3 Ⅱ
ダイ　題 320 3 Ⅱ
ダイ　代 431 3 Ⅱ
たいら　平 558 3 Ⅱ
たえる　絶 336 5 Ⅱ
たか　高 149 2 Ⅰ
たかい　高 149 2 Ⅰ
たかまる　高 149 2 Ⅰ
たかめる　高 149 2 Ⅰ
タク　宅 443 6 Ⅱ
たけ　竹 81 1 Ⅰ
たす　足 88 1 Ⅰ
だす　出 179 1 Ⅰ
たすかる　助 414 3 Ⅱ
たすける　助 414 3 Ⅱ
ただしい　正 365 1 Ⅱ
ただす　正 365 1 Ⅱ
ただちに　直 399 2 Ⅱ
たつ　立 63 1 Ⅰ
タツ　達 327 4 Ⅱ
たつ　絶 336 5 Ⅱ
たてる　立 63 1 Ⅰ
たとえる　例 339 4 Ⅱ
たに　谷 483 2 Ⅱ
たね　種 326 4 Ⅱ
たのしい　楽 154 2 Ⅰ
たのしむ　楽 154 2 Ⅰ
たび　旅 390 3 Ⅱ
(たび)　度 298 3 Ⅱ
たべる　食 133 2 Ⅰ
たま　球 352 3 Ⅱ
たま　玉 531 1 Ⅱ
たやす　絶 336 5 Ⅱ
たより　便 227 4 Ⅰ
たりる　足 88 1 Ⅰ
たる　足 88 1 Ⅰ
タン　短 198 3 Ⅰ
タン　単 338 4 Ⅱ
タン　炭 548 3 Ⅱ
ダン　男 168 1 Ⅰ
ダン　暖 216 6 Ⅰ
ダン　談 296 3 Ⅱ

ち

ち　千 36 1 Ⅰ
チ　地 58 2 Ⅰ
チ　知 188 2 Ⅰ
チ　治 306 4 Ⅱ
チ　池 453 2 Ⅱ
ち　血 492 3 Ⅱ
ちい**さい**　小 24 1 Ⅰ
ちか**い**　近 174 2 Ⅰ
ちから　力 73 1 Ⅰ
チク　竹 81 1 Ⅰ
ちち　父 139 2 Ⅰ
チャ　茶 273 2 Ⅱ
ヂャ　茶 273 2 Ⅱ
チャク　着 234 3 Ⅰ
チュウ　中 20 1 Ⅰ
チュウ　昼 124 2 Ⅰ
チュウ　注 310 3 Ⅱ
チュウ　虫 465 1 Ⅱ
チュウ　宙 470 6 Ⅱ
チュウ　柱 538 3 Ⅱ
(チュウ)　仲 499 4 Ⅱ
チョウ　鳥 15 2 Ⅰ
チョウ　朝 123 2 Ⅰ
チョウ　町 175 1 Ⅰ
チョウ　重 195 3 Ⅰ
チョウ　長 197 2 Ⅰ
チョウ　調 243 3 Ⅰ
チョウ　帳 279 3 Ⅱ
チョウ　丁 506 3 Ⅱ
チョク　直 399 2 Ⅱ

つ

ツ　都 501 3 Ⅱ
ツイ　追 569 3 Ⅱ
(ツイ)　対 337 3 Ⅱ
ツウ　通 226 2 Ⅰ
ツウ　痛 308 6 Ⅱ
つか**う**　使 189 3 Ⅰ
つき　月 4 1 Ⅰ
つぎ　次 319 3 Ⅱ
つ**く**　付 116 4 Ⅰ
つ**く**　着 234 3 Ⅰ
つ**ぐ**　次 319 3 Ⅱ
つくえ　机 50 6 Ⅰ
つく**る**　作 46 2 Ⅰ
つ**ける**　付 116 4 Ⅰ
つ**ける**　着 234 3 Ⅰ
つた**う**　伝 435 4 Ⅱ
つた**える**　伝 435 4 Ⅱ
つた**わる**　伝 435 4 Ⅱ
つち　土 57 1 Ⅰ
つづ**く**　続 252 4 Ⅰ
つづ**ける**　続 252 4 Ⅰ
(つど**う**)　集 353 3 Ⅱ
つね　常 409 5 Ⅱ
つの　角 261 2 Ⅱ
つめ**たい**　冷 290 4 Ⅱ
つよ**い**　強 214 2 Ⅰ
つよ**まる**　強 214 2 Ⅰ
つよ**める**　強 214 2 Ⅰ
(つら)　面 559 3 Ⅱ
つら**なる**　連 259 4 Ⅱ
つら**ねる**　連 259 4 Ⅱ
つ**れる**　連 259 4 Ⅱ

て

て　手 47 1 Ⅰ
テイ　定 277 3 Ⅱ
テイ　庭 454 3 Ⅱ
(テイ)　体 45 2 Ⅰ
(テイ)　弟 143 2 Ⅰ
(テイ)　丁 506 3 Ⅱ
テキ　笛 536 3 Ⅱ
テツ　鉄 56 3 Ⅰ
てら　寺 374 2 Ⅱ
て**らす**　照 475 4 Ⅱ
て**る**　照 475 4 Ⅱ
で**る**　出 179 1 Ⅰ
て**れる**　照 475 4 Ⅱ
テン　点 89 2 Ⅰ
テン　店 95 2 Ⅰ
テン　天 170 1 Ⅰ
テン　転 206 3 Ⅰ
デン　田 5 1 Ⅰ
デン　電 107 2 Ⅰ
デン　伝 435 4 Ⅱ

と

と　十 34 1 Ⅰ
ト　土 57 1 Ⅰ
ト　図 317 2 Ⅱ
ト　都 501 3 Ⅱ
と　戸 537 2 Ⅱ
ト　登 565 3 Ⅱ
ド　土 57 1 Ⅰ
ド　度 298 3 Ⅱ
と**い**　問 41 3 Ⅰ
トウ　東 39 2 Ⅰ
と**う**　問 41 3 Ⅰ
トウ　答 82 2 Ⅰ
トウ　冬 94 2 Ⅰ
トウ　読 134 2 Ⅰ
トウ　頭 155 2 Ⅰ
トウ　湯 256 3 Ⅱ
トウ　当 274 2 Ⅱ
トウ　豆 463 3 Ⅱ
トウ　島 480 3 Ⅱ
トウ　刀 535 2 Ⅱ
トウ　糖 546 6 Ⅱ
トウ　登 565 3 Ⅱ
トウ　投 566 3 Ⅱ
トウ　等 582 3 Ⅱ
ドウ　答 82 2 Ⅰ
ドウ　道 97 2 Ⅰ
ドウ　動 235 3 Ⅰ
ドウ　働 238 4 Ⅰ
ドウ　堂 258 4 Ⅱ
ドウ　当 274 2 Ⅱ
ドウ　豆 463 3 Ⅱ
ドウ　童 494 3 Ⅱ
ドウ　同 581 2 Ⅱ
ドウ　等 582 3 Ⅱ
とお　十 34 1 Ⅰ
とお**い**　遠 173 2 Ⅰ
とお**す**　通 226 2 Ⅰ
とお**る**　通 226 2 Ⅰ
と**かす**　解 324 5 Ⅱ
とき　時 109 2 Ⅰ
トク　読 134 2 Ⅰ
と**く**　説 244 4 Ⅰ
と**く**　解 324 5 Ⅱ
(と**ぐ**)　研 103 3 Ⅰ
ドク　読 134 2 Ⅰ
と**ける**　解 324 5 Ⅱ
ところ　所 182 3 Ⅰ
(と**ざす**)　閉 191 6 Ⅰ
とし　年 132 1 Ⅰ
と**じる**　閉 191 6 Ⅰ
とど**く**　届 436 6 Ⅱ
とど**ける**　届 436 6 Ⅱ
ととの**う**　整 313 3 Ⅱ
(ととの**う**)　調 243 3 Ⅰ
ととの**える**　整 313 3 Ⅱ
(ととの**える**)　調 243 3 Ⅰ
と**ばす**　飛 509 4 Ⅱ
と**ぶ**　飛 509 4 Ⅱ
と**まる**　止 201 2 Ⅰ
と**まる**　留 425 5 Ⅱ
とみ　富 393 5 Ⅱ
と**む**　富 393 5 Ⅱ
と**める**　止 201 2 Ⅰ
と**める**　留 425 5 Ⅱ
とも　友 498 2 Ⅱ
とり　鳥 15 2 Ⅰ

ひ

ふ

へ

ほ

ま

み

む

め

も

や

ゆ

ユウ 由 553 3 Ⅱ
ユウ 有 556 3 Ⅱ
(ゆ**う**) 結 358 4 Ⅱ
(ゆえ) 故 364 5 Ⅱ
ゆき 雪 169 2 Ⅰ
ゆ**く** 行 127 2 Ⅰ
ゆだ**ねる** 委 523 3 Ⅱ
ゆび 指 490 3 Ⅱ
ゆみ 弓 533 2 Ⅱ
ゆる**す** 許 199 5 Ⅰ
(ゆ**わえる**) 結 358 4 Ⅱ

よ

よ 四 28 1 Ⅰ
よ 世 247 3 Ⅰ
ヨ 予 300 3 Ⅱ
よ 夜 350 2 Ⅱ
ヨ 預 395 5 Ⅱ
よ 代 431 3 Ⅱ
ヨウ 羊 18 3 Ⅰ
よう 八 32 1 Ⅰ
ヨウ 要 93 4 Ⅰ
ヨウ 曜 126 2 Ⅰ
ヨウ 用 309 2 Ⅱ
ヨウ 葉 388 3 Ⅱ
ヨウ 様 438 3 Ⅱ
ヨウ 陽 471 3 Ⅱ
ヨウ 洋 478 3 Ⅱ
ヨク 欲 332 6 Ⅱ
ヨク 翌 579 6 Ⅱ
よこ 横 304 3 Ⅱ
(よし) 由 553 3 Ⅱ
よ**つ** 四 28 1 Ⅰ
よっ**つ** 四 28 1 Ⅰ
よ**ぶ** 呼 186 6 Ⅰ
よ**む** 読 134 2 Ⅰ
よる 夜 350 2 Ⅱ
よわ**い** 弱 269 2 Ⅱ
よわ**まる** 弱 269 2 Ⅱ
よわ**める** 弱 269 2 Ⅱ
よわ**る** 弱 269 2 Ⅱ
よん 四 28 1 Ⅰ

ら

ライ 来 128 2 Ⅰ
(ライ) 礼 379 3 Ⅱ
ラク 楽 154 2 Ⅰ
ラク 落 283 3 Ⅱ
ラン 覧 444 6 Ⅱ

り

リ 理 212 2 Ⅰ
リ 利 228 4 Ⅰ
リ 里 459 2 Ⅱ
リキ 力 73 1 Ⅰ
リツ 立 63 1 Ⅰ
リュウ 留 425 5 Ⅱ
リュウ 流 479 3 Ⅱ
リョ 旅 390 3 Ⅱ
リョウ 料 211 4 Ⅰ
リョウ 両 280 3 Ⅱ
リョウ 量 403 4 Ⅱ
リョク 力 73 1 Ⅰ
リョク 緑 406 3 Ⅱ
リン 林 49 1 Ⅰ

る

ル 留 425 5 Ⅱ
ルイ 類 281 4 Ⅱ

れ

レイ 冷 290 4 Ⅱ
レイ 例 339 4 Ⅱ
レイ 礼 379 3 Ⅱ
レキ 歴 432 4 Ⅱ
レツ 列 560 3 Ⅱ
レン 練 207 3 Ⅰ
レン 連 259 4 Ⅱ

ろ

ロ 路 422 3 Ⅱ
ロウ 労 287 4 Ⅱ
ロク 六 30 1 Ⅰ
ロッ 六 30 1 Ⅰ

わ

ワ 話 52 2 Ⅰ
ワ 和 552 3 Ⅱ
わ**かつ** 分 122 2 Ⅰ
わ**かる** 分 122 2 Ⅰ
わ**かれる** 分 122 2 Ⅰ
わか**れる** 別 448 4 Ⅱ
わ**ける** 分 122 2 Ⅰ
(わざ) 技 223 5 Ⅰ
(わざ) 業 285 3 Ⅱ
わす**れる** 忘 202 6 Ⅰ
わたくし 私 451 6 Ⅱ
わら**う** 笑 363 4 Ⅱ
(わらべ) 童 494 3 Ⅱ
わる**い** 悪 255 3 Ⅱ

執筆者一覧

鶴　尾　能　子

志　村　三喜子

高　橋　美和子

萩　原　弘　毅

新日本語の基礎

漢字練習帳Ⅱ　英語版

1993年12月10日　初版第1刷発行

編著者　スリーエーネットワーク出版部

発行者　福本　一

発　行　株式会社　スリーエーネットワーク

〒101 東京都千代田区猿楽町2−6−3(松栄ビル)

電話　営業　03(3292)5751

　　　編集　03(3292)6521

印　刷　倉敷印刷株式会社

ISBN4-88319-003-X　C0081

短期集中日本語テキスト

New

SHIN NIHONGO NO KISO
しんにほんごのきそ シリーズ

日本語を学びやすい・教えやすい

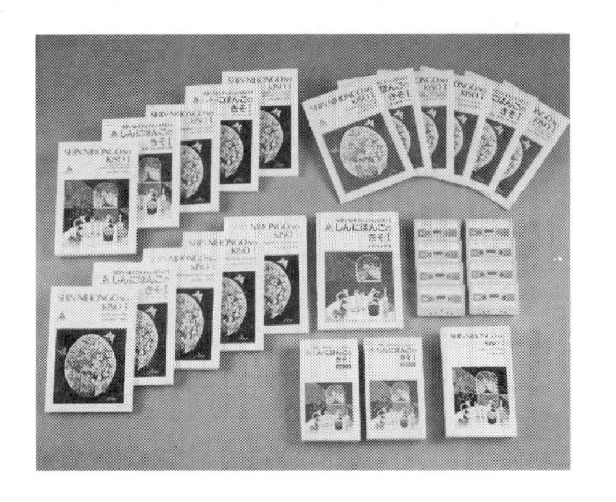

SHIN NIHONGO NO KISO II
ENGLISH TRANSLATION
しんにほんごのきそ II
SHIN NIHONGO NO KISO II
しんにほんごのきそ II
本冊 かんじかなまじり版

「新日本語の基礎Ⅰ」

●本　冊
- ローマ字版
- 漢字かなまじり版

……… 各2,580円

●分　冊
- 英語訳
- 中国語訳
- タイ語訳
- インドネシア語訳
- スペイン語訳
- 韓国語訳
- ポルトガル語訳
- ロシア語訳

……… 各1,550円

●文法解説書
- 英語版
- 中国語版
- タイ語版
- インドネシア語版
- スペイン語版
- 韓国語版

……… 各1,700円

●教師用指導書 ………………… 2,800円

●カセットテープ（全８巻）… 16,480円

「新日本語の基礎Ⅱ」

●本　冊
- ローマ字版
- 漢字かなまじり版

……… 各2,600円

●分　冊
- 英語訳
- 中国語訳
- タイ語訳
- インドネシア語訳
- スペイン語訳
- 韓国語訳
- ポルトガル語訳

……… 各1,600円

●カセットテープ（全８巻）… 17,000円

●文法解説書
●教師用指導書

'94 ４月頃

☆かな練習帳　英語版
中国語版
…… 各700円

☆漢字練習帳Ⅰ　英語版 …… 1,800円

RADICAL STROKE ORDER LIST

2 STROKES

刀
刂
厂
十
力
亠
冫
儿
匚
八
亻
人
又
厶

3 STROKES

宀
廴
阝
女
川
干
彳
艹
口
囗
子
忄
阝
士
尸
⺌
⺍
小
辶
寸
大
土
扌
巾
广
氵
山
夕
弓
弋

4 STROKES

欠
犬
牜
耂
方
歹
木
毛
心
礻
王
月
戸
斗
止
日
火
文
夂
戈
水
灬

5 STROKES

穴
石
生
皮
皿
示
田
立
玉
禾
癶
目
矢
疒
用

6 STROKES

糸
色
米
衣
竹
血